Title: Oborvannye niti

Author: Marinina,Aleksandr

АЛЕКСАНДРА
МАРИНИНА

КОРОЛЕВА ДЕТЕКТИВА

Адрес официального сайта Александры Марининой в Интернете
http://www.marinina.ru

АЛЕКСАНДРА МАРИНИНА

ОБОРВАННЫЕ НИТИ

ТОМ 1

ЭКСМО

МОСКВА

УДК 82-3
ББК 84(2Рос-Рус)6-4
   М 26

Разработка серии Geliografic

Маринина А.

М 26   Оборванные нити : роман в 3 т. Т. 1 / Александра Маринина. — М. : Эксмо, 2013. — 384 с. — (Королева детектива).

ISBN 978-5-699-60620-7

Судмедэксперт Сергей Саблин — человек кристально честный, бескомпромиссный, но при этом слишком прямолинейный — многим кажется грубым, с тяжелым характером. Да что там многим — всем, включая родную мать и любимую женщину. Но для врача Саблина истина — главное, на сделки с совестью он не идет, чем бы его ни приманивали и чем бы ни грозили люди, заинтересованные в тех или иных выводах вскрытия...

УДК 82-3
ББК 84(2Рос-Рус)6-4

ISBN 978-5-699-60620-7

ОБОРВАННЫЕ НИТИ

ТОМ ПЕРВЫЙ

ЧАСТЬ ПЕРВАЯ

ГЛАВА 1

— У нас будет ребенок.

Сергей мысленно попробовал эти слова на вкус и попытался произнести их про себя с какой-то другой интонацией, которая соответствовала бы его внутреннему состоянию. Повествовательное предложение здесь явно не годилось.

— У нас будет ребенок!

Нет. Не то. Положа руку на сердце, Сергей Саблин вынужден был признаться себе, что эмоций, обозначаемых восклицательным знаком, он не испытывал.

— У нас будет ребенок?

Ну, это уж точно не подходит. Сомнения здесь могут относиться только к двум пунктам: наличию реальной беременности и готовности рожать. В том, что Лена действительно беременна, Сергей не сомневался: студент шестого курса мединститута знал, что нужно спросить и какую информацию собрать, чтобы сделать выводы. Срок пока еще позволяет принять решение о прерывании беременности, но Сергей, отец которого — известный московский ангиохирург, а мама — завкафедрой педиатрии, даже помыслить не мог об аборте. По его мнению, мало что на этом свете может сравниться с абортом по своей бесчеловечности. Нет, конечно же, Ленка беременна и будет рожать. А он, Серега Саблин, на ней обязательно женится, и чем быстрее — тем лучше. Никаких других вариантов и быть не может.

Но радует ли это его? Он не понимал. Хотел ли он стать отцом? Хотел ли стать мужем и принять на себя ответственность за женщину, которая носит его ребенка, а потом и за самого ребенка?

Ответа он сам себе дать не успел, потому что в дверях служебного входа столкнулся с однокурсником, который так же, как и сам Саблин, подрабатывал в этой больнице медбратом. Вообще-то в штатном расписании слова «медбрат» не существовало, была только «медсестра», но не называть же «сестрой» мужчину! А в их реанимационно-анестезиологическом отделении мужчин, выполнявших функции среднего медперсонала, было намного больше, чем женщин-«сестричек». А как иначе? Работа физически тяжелая, привезенных из операционной или доставленных по «Скорой» больных, большей частью в бессознательном состоянии, нужно переложить с каталки на кровать, потом таскать по всему отделению многочисленную громоздкую аппаратуру, переворачивать неподвижных пациентов и производить с ними различные манипуляции, которые под силу порой только мужчинам. Да и вообще, в этом отделении работа тяжелая, мужская.

Лицо у однокурсника, только что закончившего суточное дежурство, было измученным, но почему-то довольным и каким-то плутоватым.

— О, Серега! Смени выражение озабоченности на прекрасном лике на гримасу ужаса. Старшая сегодня злая, аки мегера бешеная. Чуешь, чем это для тебя пахнет? — он весело рассмеялся и достал из бело-красной мягкой пачки «Явы» сигарету.

— Ты чего такой радостный? — удивился Сергей. — Зарплату дают, что ли?

Вопрос был более чем актуальным. В 1992 году выплату зарплат начали задерживать повсеместно, и у них в больнице сотрудники не получали денег уже два месяца.

— Ага, — рассмеялся однокурсник. — Дают. И еще добавляют всем желающим. Но я сегодня получил пусть не материальное, но хотя бы моральное удовлетворение. Мегера сегодня особенно не в духе, рвет и мечет, явилась на работу в шесть утра, представляешь? И всех разносит.

— В первый раз, что ли, — обреченно вздохнул Серега.

— Не в первый, — согласился Игорь. — Но сегодня вместо Любаши должна выйти Танька, они поменялись сменами. Чуешь, чем пахнет? Мегера Таньку терпеть не может, ненавидит всеми фибрами души, ты же знаешь эту историю. Так что Танюхе нашей сегодня не позавидуешь, Мегера из нее все кишки вынет.

— А тебе-то что за радость? — укоризненно произнес Серега. — Что тебе Танька плохого сделала?

— А то ты забыл! — фыркнул однокурсник. — Сколько раз она меня закладывала! Да меня в прошлом году чуть из института не поперли, когда она настучала, что я на дежурстве себе позволил ради праздника. В общем, сегодня свершится справедливая месть!

И радостно засмеялся.

А Серега погрустнел, поскольку не пропустил мимо ушей предупреждение сокурсника о настроении старшей медсестры, которую средний медперсонал называл за глаза Мегерой. Именно она принимала решение о том, кто на каком посту будет нести вахту, и именно от этой раздражительной, нервной и злобной тети зависело, на «чистой» или на «грязной» половине отделения придется работать в смену. На «чистой» половине лежали послеоперационные больные без гнойных осложнений и без большого количества дренажей, пациенты после инфаркта или инсульта, а также находившиеся в сознании больные с бронхиальной астмой. В этих палатах работать было куда легче, поскольку назначений у больных было относительно немного, и поэтому туда назначались люди, которые нравились старшей медсестре. Зато те, кто старшей сестре, как говорится, не пришелся по сердцу, работали на «грязной» половине, где находились больные после полостных операций с гнойными осложнениями, а также пациенты после трепанации черепа, те, кого подключили к аппаратам искусственной вентиляции легких, либо те, у кого стояли трахеостомы. Здесь же обитали тяжелые больные после нарушения мозгового кровообращения, нередко с пролежнями, для обработки которых больного нужно перевернуть, а это далеко не всегда просто. Да и в целях профилактики застойных пневмоний больных следовало каждые два часа переворачивать на бок и производить вибромассаж.

Но этим трудности не ограничивались. Больные с черепно-мозговыми травмами требовали постоянного и неусыпного контроля, и если такие больные в палате были, то о том, чтобы расслабиться хоть на минуту, нечего было и мечтать. Напряжение возникало колоссальное, с них глаз спускать нельзя было, потому что эти больные частенько впадали в состояние двигательного возбуждения, порывались встать с кровати, куда-то идти, размахивали руками, попутно вырывая подключичный или мочевой катетеры, срывая повязки, одним словом, так и норовили причинить себе дополнительный вред.

Запах в палатах «грязной» половины стоял тяжелый, смешанный с запахом хлорки. Серега после смены, перед тем как бежать на занятия, принимал душ и менял одежду, но запах все равно сохранялся на коже и волосах, и избавиться от него не было никакой возможности.

Одним словом, суточное дежурство в «грязных» палатах мёдом никому не казалось, ибо было невероятно тяжелым как физически, так и по затратам душевных сил.

Однако сегодня Сереге повезло: старшая поставила его на «чистую» половину. Видимо, тех, кому она благоволила, оказалось в нынешней смене меньше, чем постов в «чистых» палатах.

Все койки на Серегином посту в то утро оказались заполненными. Это хорошо, хотя бы первые несколько часов пройдут спокойно, без поступления новых тяжелых больных с еще неизвестно каким диагнозом. В реанимации один сестринский пост полагался на трех больных. Казалось бы, даже при наличии очень тяжелых пациентов три человека — не такая уж большая нагрузка. Может быть, и так. Если выполнять только функции среднего медперсонала. А если работать заодно и санитаром? Многочисленные назначения, капельницы и инъекции нужно было совмещать с перестиланием и подмыванием больных, когда они сходят «под себя». К 1992 году санитаров в реанимационно-анестезиологическом отделении практически не осталось: в стране открывались широкие возможности для зарабатывания денег более легкими и приятными способами, и все меньшее и меньшее число студентов-медиков соглашались таскать дерьмо в реанимации, не высыпаясь перед занятиями, при смехотворной зарплате, на которую можно было купить, как подсчитал Сергей, восемь «сникерсов» или «марсов». По штатному расписанию в отделении полагалось иметь одного санитара на каждых шестерых больных, то есть на два сестринских поста. Обычно это были либо студенты младших курсов мединститутов, либо, как в свое время и сам Сергей Саблин, пацаны, провалившиеся на вступительных экзаменах и работающие до следующего года в надежде попытать счастье еще раз. Девчонки в реанимацию санитарить не шли вообще. Руководство больницы заставило весь средний медперсонал написать заявления о совместительстве на полставки работы санитаром, и Сергей, студент шестого курса, без пяти минут дипломированный врач, подмывал и перестилал больных, мыл полы и стены в палате, отскребал под струей воды из крана трахеостомические канюли, забитые засохшей гнойной мокротой, при этом успевая выполнить все врачебные назначения. Слава богу, такая ситуация встречала понимание у преподавателей мединститута, которые к работающим студентам относились снисходительно, прощали им нечеткость ответов на зачетах и экзаменах, смотрели сквозь пальцы на сон за спинами однокурсников во время лекций, ибо полагали, что реанимация — это хорошая практическая школа, которая вполне может заменить недостаточную полноту теоретических знаний.

Свою будущую профессию Сергей Саблин выбирал осознанно, стать врачом он хотел с детства, а потому к работе относился не только с любовью и интересом, но и с огромной ответственностью. Принимая пост, он целиком сосредоточивался на информации о больных и выбрасывал из головы любые посторонние мысли, дабы ничего не упустить и не забыть. Вот и сейчас он полностью отключился от мыслей о Лене, женитьбе и будущем ребенке. Одна койка была занята стариком после инсульта, на второй лежала прооперированная ночью тучная немолодая женщина после экстренной холецистэктомии, а в самом углу на кровати Сергей увидел молодую женщину, глаза которой были открыты и смотрели прямо на него. Из левого носового хода торчал желудочный зонд с присоединенным к нему длинным куском одноразовой системы, по которому в дренажную емкость стекала бурая жидкость. В подключичный катетер из капельницы капал какой-то раствор. Лицо бледное, губы насыщенного темного цвета, с запекшимися корками. Медсестра-сменщица давала Сергею пояснения о старике и тучной женщине, доставленной из оперблока после операции, не понижая голоса и нимало не смущаясь, подробно рассказывала, что и как, перечисляла, что было сделано. Но когда дошли до молодой женщины, сестричка, не говоря ни слова, потянула Сергея за рукав и вывела из палаты.

— Это «суицидница», — негромко сказала она. — Уксусную кислоту выпила. Сейчас у нее стоит гемодез, потом надо будет поставить физраствор, капать придется без конца.

— Желудок промывали? — спросил Саблин.

— Угу, — кивнула сестра.

— А клизму? Сделали?

Девушка отвела глаза и вздохнула.

— Не смогла. Ни одного санитара ночью не было, а куда мне одной? Даже ты, бугаина здоровенный, и то один не справился бы.

Сергей тяжко вздохнул. Стало быть, приятная процедура сифонной клизмы ляжет на него. Обычно такую процедуру проводили втроем, реже — вдвоем. Если некому было помочь, частенько процедуру не проводили вообще, однако в листе назначений ставили отметку о том, что все выполнено. Хорошо, что хоть эта сестричка врать не стала, честно призналась. Вообще-то сифонная клизма — процедура действительно крайне малоприятная, но почему-то до сих пор никто не придумал более удобного и менее варварского метода выведения токсичных веществ из кишечника. При помощи эластичных трубок, вводимых через задний проход в кишечник на глубину около 30—40 сантиметров, заливалось 10—12 литров кипяченой воды, которая затем вытекала обратно как через трубку, так и естественным путем. Жидкость, выделяющаяся из кишечника, имела кровянисто-бурый цвет и зловонный запах. Понятно, что сохранить чистоту и сухость кровати и белья при этой процедуре было никак невозможно. Как правило, уделывались и медсестра, и санитар, и вся кровать больного, которую приходилось перестилать, после чего мыть палату. Манипуляция была далеко не самой приятной для медперсонала, а что уж говорить о самих больных, которые, как правило, были при этом в сознании!

В отличие от среднего медперсонала, сменявшегося в восемь утра, врачи менялись в девять, поэтому у медсестер и медбратьев, заступающих на дежурство, всегда была возможность задать необходимые вопросы врачу, наблюдавшему больных в течение последних суток. И Сергей, понимая, что на легкомысленную сестричку надежды маловато, решил поговорить с врачом, сменявшимся с ночного дежурства. Тот сидел в ординаторской, писал дневники за ночь и жевал бутерброд, запивая его чаем из красной в белый горошек «офисной» кружки. По его словам, со стариком и бабушкой все более или менее в порядке, и завтра обоих переведут в отделения, а вот с выпившей уксусную кислоту женщиной все непросто.

— А почему она вообще у нас? — спросил Сергей. — Что, у токсикологов опять ПИТ переполнен?

В его недоумении был свой резон. В отделении токсикологии для тяжелых больных существовала собственная палата интенсивной терапии. И если она бывала переполнена, а больных токсикологического профиля продолжали доставлять в больницу, то сначала места освобождали путем перевода больных в отделение, а уж если переводить было совсем некого или в отделении не было мест, то поступившие по «Скорой» в «дежурные» дни токсикологические больные могли попасть и в реанимационное отделение.

— И ПИТ переполнен, — кивнул дежурный врач, — и вообще в стране бардак.

Этот врач любил пофилософствовать.

— А что с ней случилось? — поинтересовался Саблин.

— Бытовуха, — равнодушно откликнулся врач, не прекращая одновременно жевать и делать записи. — С мужем поссорилась, выпила уксус. «Скорая», госпитализация, далее везде, сам понимаешь.

— А из-за чего они с мужем поссорились, не знаете?

— Тебе-то какая разница? Все со всеми ссорятся, все со всеми мирятся, но некоторые пьют уксус, — дежурный врач даже не пытался прикрыть откровенный цинизм. Сергея это не шокировало, работа в реанимации и его самого сделала слегка циничным.

Однако ему отчего-то очень хотелось узнать, что же произошло. Он хорошо представлял себе последствия отравления уксусной кислотой и знал, какие мучения испытывает больная, лежащая в его палате. На что же можно было обидеться, чтобы добровольно обречь себя на такой ад? Уксусной кислотой разной степени концентрации, от 6% до 70%, травились часто, женщины — с суицидальными намерениями, мужчины — случайно, как правило, после обильных возлияний совершая ошибки в распознавании средств для «опохмелки». Токсических средств для сведения счетов с жизнью в начале 90-х было еще совсем немного, таблетированные препараты подлежали строгому учету, и раздобыть их было отнюдь не просто, а знания о возможностях промышленной химии среди населения популярностью не пользовались. Уксусная эссенция в такой ситуации являлась самым распространенным, самым дешевым и доступным средством ухода из бытия. Однако не очень надежным. Если правильно рассчитать дозу с учетом концентрации, то есть шанс умереть в течение нескольких часов, а вот если не угадать, то смерти придется ждать в немыслимых мучениях неделю, а то и две. Более того, если врачи успевали вовремя оказать эффективную медицинскую помощь и человек оставался жив, то тяжкие последствия отравления уксусной кислотой ему приходилось нести долгие годы, до самой смерти. Дело в том, что уксусная кислота, попадая в организм и всасываясь в кишечнике, вызывает, помимо всего прочего, разрушение эритроцитов, или гемолиз, и впоследствии это приводит к необратимым нарушениям функции почек. Это самое грозное, самое страшное и самое мучительное осложнение в раннем периоде отравления уксусной кислотой, если человек не умирает в течение первых часов.

Помимо этого, уксусная кислота вызывает химические ожоги слизистой пищевода и желудка, нарушая ее целостность, а это чревато гнойными воспалениями, требующими оперативного вмешательства и чаще всего приводящими к гибели больного. Но если человек все-таки выживал, то через несколько месяцев формировались грубые рубцовые изменения и сужения в первую очередь пищевода. Больной не мог принимать обычную пищу, ограничиваясь только жидкостями или пюре. И вот тут начинался следующий, наверное, самый изматывающий и невыносимый этап лечения: механическое расширение суженных участков пищевода при помощи специальных бужей разного диаметра. Бужи буквально раздирали спайки и рубцовые сужения. Кроме сильнейшей боли, такая процедура влекла за собой и кровотечения, а иногда и полные разрывы стенки пищевода в местах ожогов. Пища изливалась в органы средостения, и это вызывало воспаления, опять-таки с гнойными осложнениями, что могло закончиться смертью больного. Сергей знал, что некоторые больные не выдерживали этого этапа мучений и снова сводили счеты с жизнью, но уже другим способом. Когда-то Саблин, впервые столкнувшись с последствиями отравления уксусной кислотой, долго недоумевал: как же так получилось, что осведомленность населения в этом вопросе равна нулю? Почему люди не знают, что бывает при попытках уйти из жизни таким способом? Почему эти знания доступны только медикам?

— Поступила позавчера в ночь, — продолжал между тем доктор, по-прежнему не отрываясь от писанины, — вчера на аппарате была, давление падало, капали все сутки, желудок промыли, клизму сделали...

Про то, что клизму все-таки не сделали, Серега благоразумно промолчал. Подставлять своих он не приучен.

— Сейчас вроде состояние стабилизировалось. Кровь утром взяли, но результата пока нет. Когда будет — посмотрим, какой процент гемолиза. Сам же знаешь, что будет дальше: токсемия, гемолиз, почки на хрен полетят. Возьми там «болтушку» масляную, надо ей в зонд ввести.

Про «болтушку» Сергей и сам догадался, все-таки работа в реанимации учит намного эффективнее, чем академические занятия в институте. И все-таки, что же случилось с женщиной, из-за чего она поссорилась с мужем и решила уйти из жизни? Или не решила? А только попугать хотела, да не тот способ выбрала? Мысль его тут же перескочила на Ленку. Никогда и ни из-за чего они не поссорятся так крепко! С Ленкой вообще невозможно поссориться, она мягкая, как плюшевая игрушка, добрая и беззащитная. Ее даже с кошечкой сравнить нельзя — когтей нет. Милая, слабая, пугливая девочка, приехавшая из Ярославля поступать в пединститут и растерявшаяся в огромной, хаотичной и такой непростой Москве. Они вместе уже два года, и Сереге кажется, что Лена — именно та женщина, которая ему нужна. Ленку нужно оберегать, защищать и охранять. И это как раз то, что делает Серегу Саблина совершенно счастливым. Нет, невозможно даже представить себе, что какие-то его действия или произнесенные в пылу ссоры слова заставят ее совершить такой чудовищный поступок! Да он просто не позволит себе ничего подобного!

Сергей вернулся в палату, перебросился парой слов со стариком-«инсультником», проверил состояние пожилой женщины, все еще спавшей после операционного наркоза, и подошел к больной, выпившей уксусную кислоту. Красикова. Сергей всегда запоминал имена, отчества и фамилии своих больных на каждом дежурстве. Во-первых, он не терпел безликости в таком тонком и важном деле, как оказание медицинской помощи. А во-вторых, всегда отслеживал по журналу, какие случаи закончились летальным исходом. Ему с самого детства было интересно: отчего можно умереть? Что происходит с человеком, прежде чем наступит конец?

Сняв с молодой женщины простыню, он увидел кровоподтеки — два на шее слева, небольших, очевидно, от пальцев, несколько на груди, еще один — на бедре и множество — на плечах и предплечьях. Ничего себе «с мужем поссорилась»! Такие ссоры называются совсем иначе. Муж явно был в ярости, хватал ее за руки, она вырывалась, а он пытался ее душить. Чем же она так провинилась перед супругом? Изменила, что ли? Или слишком большую сумму на тряпки истратила? Или (Сергей достоверно знал, что и такое бывает) разогнала пьяную компанию и демонстративно вылила водку в унитаз? В любом случае, конфликт был жестоким, и жить после этого Красиковой не хотелось. Но тут же закралась циничная мысль: может, попугать хотела, а заодно и отомстить? Все бабы — истерички.

— Как вы себя чувствуете? — спросил он.

Красикова, продолжая глядеть на него распахнутыми серыми глазами, полными слез, попыталась пошевелить губами, но смогла издать только невнятный шепот.

— Я буду спрашивать, а вы закрывайте глаза или кивайте, если захотите ответить «да».

Через минуту веки Красиковой опустились в ответ на предложение попить. Однако самостоятельно пить из поильника она не могла. Саблин приподнял одной рукой ее голову над кроватью, чтобы женщина не поперхнулась, и другой рукой поднес носик поильника к ее губам, осторожно тонкой струйкой смачивая засохшие корки и стараясь, чтобы смешанная со специальным стерильным маслом вода попала в запекшийся рот. Было видно, что каждый глоток доставлял ей боль. Затем, выполняя указание дежурного врача, Сергей влил чистое масло через желудочный зонд. Слизистая рта имела темную окраску, язык был сильно увеличен. «Приличный ожог, — подумал он, — наверное, не столовый уксус выпила, а «ледяную» кислоту или эссенцию, раз полость рта так сильно обожжена».

Посмотрев, сколько мочи выделилось через мочевой катетер, и заглянув в лист назначений Красиковой, он понял, что почки начали отказывать. Накануне нужно было сдать мочу на анализ, но мочи не было вообще. На всякий случай Сергей сказал об этом пришедшему с обходом врачу, хотя прекрасно понимал, что тот и сам все видит.

Старик после инсульта и уже проснувшаяся после наркозного сна бабуля с экстренной холецистэктомией особого внимания пока не требовали, и Серега весь сосредоточился на неподвижно лежащей Красиковой, которая по-прежнему не издавала ни звука и не закрывала наполненных слезами глаз. Ему было жалко ее, невыносимо жалко, он даже не мог бы толком объяснить, чем вызвано такое отношение именно к этой молодой женщине. Он старался проводить рядом с ней как можно больше времени, выполняя назначения и просто спрашивая, не нужно ли ей что-нибудь.

То и дело в отделении раздавался звонок из тамбура, оповещавший, что за запертой дверью реанимационно-анестезиологического отделения стоит посетитель, который хочет узнать у лечащего врача о состоянии кого-то из больных или принесший продукты и лекарства. С питанием в больнице «Скорой помощи» дело обстояло крайне плохо, впрочем, как и с лекарствами, и с оборудованием, и вообще со всем, чем угодно. Специальное зондовое питание готовили из того, что имелось в пищеблоке, и зачастую продукты оказывались недоброкачественными, поэтому врачи просили родных и близких готовить и приносить бульоны, соки, воду и все остальное, что необходимо, включая медикаменты и перевязочные средства. В 1992 году в стране ощущалась тотальная нехватка всего, вплоть до бинтов и ваты. После одного из таких звонков в палату Сергея зашел другой медбрат:

— Серега, можешь выйти? Там по твоей больной мужик рвется.

— По какой? — уточнил Саблин, поскольку женщин в его палате находилось две.

— По Красиковой. Врача требует, жену посмотреть хочет. Врача нет в ординаторской, так хоть ты выйди, поговори с ним, а то он совершенно бешеный, того и гляди всю больницу разнесет.

«Ну да, — с горечью подумал Сергей, — по кровоподтекам на теле его жены можно примерно представить себе, какой он бешеный».

За дверью, в коридоре к нему бросился здоровенный небритый мужчина с искаженным тревогой и злостью лицом.

— Вы врач? Почему меня не пускают к моей жене?! Немедленно пропустите меня к ней, я должен увидеть ее.

Набрав в грудь побольше воздуха, чтобы не дать волю раздражению, Саблин, стараясь говорить спокойно, объяснил, наверное, в тысячный раз за время своей работы в отделении, что реанимация — стерильная зона, и посещения больных родственниками категорически запрещены, и что всю информацию о состоянии больных имеет право давать только врач, а никак не медбрат, каковым он и является.

— Я вам не верю! — орал во весь голос муж Красиковой. — Вы что-то от меня скрываете! Мне сказали, что она в тяжелом состоянии! Она что, умерла?

Он попытался схватить Сергея за лацканы халата, но Саблин, занимавшийся в юности боксом, достаточно ловко увернулся и перехватил кисть разъяренного мужчины.

— Успокойтесь, пожалуйста, с вашей женой все в порядке, она сейчас находится под «системой», врачи постоянно наблюдают за ее состоянием. Она жива.

— Я хочу увидеть ее своими глазами! — продолжал настаивать Красиков, будто не слышал ни слова из Серегиных предыдущих объяснений. — Вы не имеете права не пускать меня к жене!

— Я вам повторяю: у нас стерильная зона.

Взгляд мужчины с подозрением остановился на халате Саблина. Да, вид халата как-то не очень соответствовал заявленным лозунгам о стерильности: на белоснежной еще утром ткани и на штанах остались бурые и желтые пятна после опорожнения дренажных флаконов, да еще несколько мелких кровяных пятен, попавших на халат, когда Серега ставил старику утреннюю капельницу.

Внезапно лицо Красикова резко изменилось, из агрессивного и яростного превратившись в жалобное и умоляющее.

— Я вас прошу, я вас очень прошу... Я должен увидеть ее... Я должен поговорить с ней, попросить у нее прощения... Я так виноват перед ней, так виноват... Ну пожалуйста, пропустите меня!

Саблин отрицательно покачал головой.

— Я вас пустить не могу, — твердо произнес он. — Все только на усмотрение доктора, эти решения принимает он, а не я. Как он скажет — так и будет.

— Где доктор?! — Красиков снова начал возмущенно вопить, от жалобного и просительного выражения не осталось и следа. — Позовите его сюда немедленно!

— Доктора пока нет. Подождите.

— Почему доктора нет?! Где он шляется?! А если моей жене станет плохо?! А если она умрет без медицинской помощи, пока ваш гребаный доктор где-то прохлаждается?!

«Ты бы лучше подумал о том, что твоей жене плохо и больно, когда бил ее, хватал и душил, — с неожиданной злобой подумал Саблин, хотя в принципе к родственникам больных всегда относился с сочувствием и пониманием и никогда не выходил из себя, с какими бы странными и неуместными просьбами и вопросами к нему ни обращались. — Тоже мне, защитник прав пациентов!»

Он развернулся и скрылся за дверью отделения. Зайдя в палату, сразу подошел к Красиковой.

— Там ваш муж пришел, — негромко произнес он. — Хочет вас видеть. Вы как? Хотите, чтобы его пропустили? Это, конечно, запрещено, но иногда врачи разрешают.

Губы женщины слабо шевельнулись, она что-то произнесла, но Сергей ничего не разобрал и наклонился поближе к ее лицу.

— Я не могу его видеть, — донесся до него еле слышный звук. — Я очень виновата перед ним. Нет мне прощения.

Из уголка левого глаза ее скатилась крупная слеза.

— Я умру? — с трудом разобрал Сергей.

Он не знал, что ответить. Правду? Судя по тому, что почки перестали работать, Красикова вряд ли выживет. Пока он собирался с мыслями, женщина повторила вопрос:

— Я умру? Пусть так и будет. Мне незачем жить. Мне нет прощения. На мне страшный грех.

— Ну зачем вы так, — укоризненно произнес Саблин. — Может быть, ваша вина и не так уж велика, чтобы хотеть умереть. Вот ваш муж, например, считает, что это как раз он перед вами виноват, а не вы перед ним. Он хочет поговорить с вами и попросить у вас прощения. Подумайте, может, вы все-таки хотите его видеть? Я могу поговорить с врачом, попросить его, чтобы вашего мужа пустили к вам на несколько минут.

Сергей был уверен, что сможет договориться: сегодня дежурил Олег Алексеевич, молодой доктор, который и сам, в точности, как Серега Саблин, долгое время работал медбратом и не считал нужным подчеркивать дистанцию между собой и нынешними студентами. Несмотря на его кажущуюся строгость, с ним всегда можно было договориться.

Но Красикова только отрицательно покачала головой, и из обоих глаз потекли обильные слезы.

Через некоторое время вернулся Олег Алексеевич, которого приглашали в токсикологию на консилиум. Мужа Красиковой он в палату не пустил, однако после разговора с ним вошел в ординаторскую несколько озадаченный. Серега не смог справиться с любопытством. Чем-то эта несчастная умирающая женщина глубоко задела его.

— Да ну... — махнул рукой доктор в ответ на вопрос Саблина. — Сына она «приспала». Шестимесячного. Это муж так думает.

— Что значит — муж думает? — не понял Сергей. — Он что, медик? Педиатр? Патологоанатом?

— Да непросто там все, — вздохнул Олег Алексеевич. — Судебно-медицинский эксперт поставил причиной смерти СВДС, ничего толком родителям малыша не объяснил, дескать, синдром внезапной детской смерти и есть синдром внезапной детской смерти. На то она и внезапная, что никто не знает, отчего приключается. Вот есть же козлы на свете! Папаша, само собой, не поверил, дескать, как это так: ребеночек все время был здоровеньким, веселым, хорошо кушал, даже не плакал. И как это он мог ни с того ни с сего умереть? Не бывает такого! Жена ему говорит, что малыш спал, а она на кухне ужин готовила, вернулась в комнату — и уже всё, поздно. А Красиков уверен, что она не ужин ему, придурку, готовила, а спать легла и ребенка с собой положила, вот и «приспала». И главное — мужик вроде нормальный, инженер какой-то по строительной части, и откуда у него в голове эти «присыпания»? Я даже спросил у него, откуда он про это знает. Так он знаешь что мне ответил?

— Что? — с нетерпением спросил Саблин.

— А ему соседка по подъезду сказала, что, мол, ежели ребеночек ни с того ни с сего внезапно умирает, так только потому, что нерадивая мамаша его сиськой придушивает. Как тебе это нравится? Красиков соседке-то верит больше, чем собственной жене, вот и накатил на супружницу с обвинениями. Муж рассказывал, что она пыталась как-то объясниться, оправдаться, а когда поняла, что он ей не верит, сначала впала в депрессию, а потом и сама уже начала сомневаться: а так ли уж она не виновата? Может, просмотрела что-то, не заметила, вовремя не сделала. А может, и вправду спать легла да «приспала» младенца пышным бюстом. Короче, когда мужик в очередной раз разъярился и накинулся на жену с обвинениями и побоями, а потом хлопнул дверью и ушел горе заливать в гараж, она и выпила эссенцию. Муж вернулся — она на кухне без сознания лежит, рядом пустая бутылка валяется. Теперь рыдает в коридоре, клянет себя, что погорячился, хочет прийти к жене, встать на колени, попросить прощения.

— А вот Красикова, наоборот, считает, что она сама во всем виновата, — заметил Сергей. — И уверена, что должна умереть, чтобы искупить свою вину. Может быть, она и в самом деле точно знает, что «приспала» сына, просто правды не говорит. Может такое быть, Олег Алексеевич?

— А судмедэксперт? — возразил доктор. — Он же поставил диагноз СВДС, а вовсе не «присыпание».

— Мог и просмотреть, — пожал плечами Саблин. — Все бывает.

На пятом курсе, во время цикла по судебной медицине, пожилой преподаватель рассказывал студентам, что диагностика смерти грудных детей очень сложна и требует специальной подготовки, которой зачастую рядовые судмедэксперты не обладают, и это нередко приводит к диагностическим ошибкам и к сведению всего разнообразия причин смерти младенцев к трем стандартным диагнозам: «присыпание», синдром внезапной детской смерти, аспирация пищевых масс. Тот же преподаватель цитировал им на занятиях монографию немецкого ученого Хельмута Альтхоффа, который утверждал, что в основном причиной смерти детей являются скрыто протекающие острые инфекционные заболевания. Кроме того, вскрытие трупа грудного ребенка принципиально отличается от вскрытия трупа взрослого, и при неправильном проведении вскрытия можно пропустить и явные признаки криминальной смерти, например, асфиксию, но не пресловутым «мягким предметом», как принято именовать молочную железу женщины, а ладонью. Студентам неоднократно объясняли, что к вскрытиям грудных детей необходимо относиться максимально ответственно и добросовестно, чтобы потом не было подобных ошибок, в результате которых виновной в смерти малыша считается мать, а истинный виновник остается на свободе и радуется жизни. Возможно, и при вскрытии трупа малыша Красикова эксперт проявил недостаточную квалификацию или добросовестность, просмотрел признаки скрыто протекавшей инфекции, результатом которой и стала внезапная смерть ребенка, выставил удобный и простой диагноз СВДС, вызывающий вполне закономерное недоверие, ибо в беспричинную смерть всегда трудно поверить. А в результате — семейная трагедия. Жила себе счастливо семья из трех человек, потом не стало ребенка, не сегодня-завтра скончается его мама, а там и до третьего трупа недалеко — убитый горем и чувством вины муж тоже наложит на себя руки.

— Ну вот, — произнес доктор-циник, словно подслушав мысли Сергея, — один суицид у нас уже наличествует, того и гляди — муженек тоже руки на себя наложит. И до чего ж люди любят чувствовать себя виноватыми! Напридумывают себе смертных грехов и сводят счеты с жизнью.

Да, мысленно согласился Саблин, напридумывают. Но что послужило толчком? Невнятный и необъяснимый для обывателя диагноз, дающий широкий простор воображению и порождающий необоснованные подозрения и обвинения. Вот почему эта несчастная Красикова так волновала его, вот почему Сереге Саблину было важно узнать, что толкнуло ее на такой страшный способ ухода из жизни! Снова сработала пресловутая интуиция, о которой ему рассказывала его любимая тетка, мамина старшая сестра. Именно сейчас, когда он должен принять на себя ответственность за будущего ребенка и решить, позволять ли Ленке делать аборт, если вдруг она не захочет рожать, ему и пришло понимание того, что самым страшным грехом женщина всегда будет считать убийство, пусть и непреднамеренное, собственного ребенка. Теперь для него очевидно: если Ленка испугается будущего материнства и всех сопутствующих этому трудностей и проблем и захочет прервать беременность, пока еще сроки позволяют, он должен костьми лечь, но не допустить этого. Положа руку на сердце, Серега Саблин не был уверен, что готов уже сейчас становиться мужем и отцом, но он не мог допустить, чтобы нежная, ласковая, беззащитная и слабенькая Ленка потом обвиняла себя в страшном грехе, осознание которого может довести до самоубийства.

После обеда Олег Алексеевич позвал Сергея в ординаторскую.

— Биохимия Красиковой пришла, — сказал он равнодушно, глядя в лежащий перед ним листок с результатами анализа крови. — Свободный гемоглобин в плазме — четырнадцать, гематокрит вырос до пятидесяти восьми, пи-аш крови — семь целых ноль две сотых. Ну, студент, отвечай, о чем говорит такой результат?

— Тяжелый гемолиз, нефропатия и ацидоз, — без колебаний ответил Саблин. — А вы что, меня экзаменуете?

— Да так, — усмехнулся доктор, — проверяю, можно ли на тебя больных оставить, чтобы в туалет спокойно сходить. Про тебя по отделению прямо легенды ходят, дескать, ты не хуже дипломированных врачей знаешь, что и как нужно делать, чтобы людей с того света вытаскивать. Вот я и решил лично убедиться, такой ли ты грамотный или так, фуфло.

Саблин недоуменно пожал плечами и вернулся к своим больным. Через час у Красиковой резко упало давление, и он немедленно поставил в известность Олега Алексеевича. Тот невозмутимо положил перед собой лист назначений.

— Ну, умник, подтверждай свою репутацию, говори, что ты стал бы делать.

Сергей подумал несколько секунд. В принципе, ответ был ему известен, он успел все обдумать, пока шел из палаты в ординаторскую, и сейчас просто на всякий случай проверил сам себя.

— Я бы увеличил объем инфузии, — помолчав, сказал он. — Добавил бы растворы электролитов и реополиглюкин.

— Ишь ты, щедрый какой! — фыркнул Олег Алексеевич. — Будто ты сам не знаешь, что реополиглюкин — страшный дефицит, его в отделении — считаные флаконы, и расходуется он только в самых экстренных случаях.

— Разве Красикова — не экстренный случай? Когда же еще применять этот препарат, если не сейчас?

— Вот именно, что не сейчас, — в голосе доктора зазвучало усталое раздражение. — Хотела баба помереть — и пусть себе помирает. У нас нечем лечить тех, кто жить хочет, а Красикова жить не хочет. Она ведь если и выкарабкается, останется инвалидом до конца жизни, будет манной кашкой через трубочку питаться. Ох, не люблю я этих суицидентов! Силы на них тратишь, препараты, знания и умения прилагаешь, а для чего? Для того, чтобы они пришли в себя, оклемались, нагло спросили врачей: «Зачем вы это сделали? Почему вы не дали мне умереть?», а потом повторили попытку. Лучше уж весь наш ресурс направить на спасение жизней тех, кто хочет жить и знает, как своей жизнью правильно распорядиться, а не тех, кто не справляется с собственной жизнью и не знает, куда ее девать и что с ней делать. Ладно, студент, все ты правильно говоришь, реополиглюкин будем вводить. Хотя и жалко каждый флакон до соплей.

И это тоже не было для Сереги в новинку, подобные рассуждения он слышал от врачей реанимационного отделения не один раз. Все-таки нет на свете ничего интересней, загадочней и притягательнее смерти! Во всяком случае, для него, Сергея Саблина. Он вот уже который год пытается разобраться и в механизме умирания, и в отношении людей к этому непознанному до конца явлению. И с удивлением обнаруживает самые разные виды, формы и проявления и самой смерти, и отношения к ней.

Он выполнил назначение Олега Алексеевича, однако через короткое время давление у Красиковой упало до показателей 60 на 20. Сергей кинул взгляд на дренажную банку от желудочного зонда и обратил внимание, что по дренажу идет не грязно-бурая мутная жидкость, а темно-вишневая кровь. Кровотечение!

Саблин бросился за доктором, который тут же помчался в палату, на ходу бросив:

— Возьми на первом посту аминокапронку, срочно капать!

Когда Сергей вернулся в палату, там кроме Олега Алексеевича находился и ответственный дежурный по отделению.

— Давай быстро аминокапронку, — обратился к нему доктор, — давай дицинон, готовь систему с преднизолоном, будем интубировать и на аппарат переводить.

На шум и суету в палате прибежал медбрат с соседнего поста и кинулся помогать Сергею. Они работали уже вчетвером. Из коридора донесся грохот колес — это катили аппарат искусственной вентиляции легких. Одна сестричка вкатила в палату аппарат ИВЛ, следом за ней тут же появилась вторая, державшая в руках реанимационный ящик, из которого извлекла и начала готовить инструменты к интубации трахеи. Саблин поймал себя на том, что не уверен до конца: правильно ли действуют врачи и что вообще происходит. Видно, рано его похвалили, и легенды, которые якобы ходят о нем по отделению, не имеют под собой никакого основания. Мало он еще знает, ох, как мало! Вот сейчас, если бы не было рядом врачей, он точно растерялся бы и не смог принять правильного решения. А в результате мог бы погибнуть больной. Учиться ему еще и учиться!

Красиковой заинтубировали, перевели на аппарат, и работы Сергею прибавилось.

— Олег Алексеевич, а почему вы ее не везете в операционную? — спросил он. — Ведь очевидно же, что желудочное или пищеводное кровотечение.

— Щас! — сквозь зубы откликнулся доктор. — Как хирурги ее на операцию возьмут с таким давлением? И что они там будут оперировать? Стенку желудка или пищевода со сплошным некрозом? Да она у них в руках расползаться начнет. Там же по сути одна сплошная язва. Будем ее тянуть на аппарате, аминокапронку капать, может, кровотечение само и остановится. Да, не забудь положить ей на живот пузырь со льдом.

Холод способствует спазму сосудов и уменьшает кровотечение, об этом Серега Саблин знал еще с детства.

Когда в 8 часов утра следующего дня Сергей уходил с суточного дежурства, Красикова так и лежала на аппарате ИВЛ, капала «система», в банке от желудочного зонда медленно повышался уровень буро-красной жидкости. Сдав палату сменщику, Сергей, перед тем как уйти, бросил взгляд на женщину-суицидентку. Он отчего-то был уверен, что больше не увидит ее.

Муж Красиковой все еще сидел в коридоре перед входом в отделение реанимации. Он поднял на Саблина глаза, в которых читалось непереносимое страдание.

— Она жива? — шепотом спросил Красиков. — Только правду скажите, я должен знать.

После бессонной ночи, проведенной на стуле в коридоре, лицо мужчины выглядело изможденным и страшным, а щеки, покрытые отросшей щетиной, казались грязно-серыми.

— Жива, — коротко кивнул Саблин и торопливо прошел мимо.

«Нет, — думал он, невольно ускоряя шаг, чтобы как можно быстрее отдалиться от убитого горем мужчины, — я не смогу. Я никогда не смогу. Хорошо, что она еще жива. А если бы нет? Если бы сейчас мне пришлось ему сказать? И увидеть смертный ужас и удушающую тоску в его глазах? Нет!!! Я никогда не буду клиницистом. Я не стану лечить людей. Я не хочу!!! Говорят, что у каждого клинициста есть свое кладбище, но зато и есть толпа тех, кто ему благодарен и готов отдать ему и всю свою любовь, и последний кусок. Мне не нужна ничья любовь. Мне не нужно, чтобы мне отдавали последний кусок. Пусть у меня ничего этого не будет, но у меня не будет и кладбища. Нет!!! Не хочу!!! Ни за что».

* * *

Когда через три дня Сергей Саблин заступил на следующее дежурство, он, как обычно, заглянул в журнал умерших, чтобы узнать, какие из реанимационных случаев закончились летальным исходом, и увидел в списке фамилию Красиковой. В краткой записи о причине смерти было указано: «Тяжелая степень отравления уксусной эссенцией. Ожог рта, глотки, пищевода, желудка и тонкого кишечника. Ожог верхних дыхательных путей. Экзотоксический шок. Токсическая нефропатия тяжелой степени». Вот и все. Остались позади свадьба, беременность, ожидание ребенка, радость материнства и отцовства, проблемы, трудности, минуты счастья, страшное горе, невыносимое чувство вины, несправедливые обвинения, скандалы, побои, принятие самого, наверное, трудного и самого неправильного, с точки зрения врача, решения, физические страдания отравившейся Красиковой и нравственные страдания ее нелепого и недалекого мужа. Теперь вся жизнь этой женщины уложилась в несколько слов, записанных в журнале умерших неразборчивым, типично «докторским» почерком. Один ее поступок привел к смерти, смерть повлекла за собой крушение целого мира, который никогда уже не будет таким, как прежде. Вот в чем необратимость смерти. Вот почему она так притягивает Серегино внимание.

Сергей отработал суточную смену, потом помчался в институт на занятия, которые честно высидел, несмотря на бессонную ночь. Домой идти не хотелось, и в то же время он понимал, что идти надо. Сегодня он должен объявить родителям о своем намерении жениться на Лене и о том, что через шесть с половиной месяцев у них родится внук. Или внучка. Он обещал Ленке сказать им сегодня о том, что позавчера они подали заявление в ЗАГС и через два месяца станут мужем и женой. Можно, конечно, протусоваться где-нибудь до позднего вечера, ведь для того, чтобы произнести три фразы, много времени не нужно. Сказать — и нырнуть в свою комнату, лечь под одеяло и крепко уснуть. Но Саблин понимал, что так не получится. Во-первых, он ужасно хотел спать и чувствовал, что до позднего вечера просто не дотянет, если не подремлет хотя бы часа полтора. А во-вторых, и в общем-то, в-главных, разговор о будущей женитьбе тремя фразами никак не ограничится, потому что Ленка не нравится его родителям. Точнее, она активно не нравится маме. Отец вообще обращает мало внимания на подобные обстоятельства, если они не имеют прямого отношения к его профессиональной деятельности. Отца, Михаила Евгеньевича Саблина, доктора наук, профессора и носителя множества регалий и наград, в том числе и международных, интересовала только ангиохирургия и возможности совершенствования операций на сосудах. Таким он был всегда, сколько Серега себя помнил: вечно погруженный в свои мысли, в свою работу, в специальную литературу, в своих больных. Ему было все равно, что подавали на ужин или какую сорочку мама приносила ему по утрам, он никогда не помнил дни рождения родственников и друзей и вообще ни одной памятной даты, не любил праздников и выходных дней и совершенно не умел отдыхать. Зато мама, Юлия Анисимовна, тоже доктор наук и тоже профессор, правда, без международного признания, старалась держать руку на пульсе, постоянно общалась с огромным количеством людей, всё про всех знала и помнила, всем помогала, без конца что-то устраивала и организовывала, за кого-то просила и о чем-то договаривалась, никогда не забывала поздравить и часто собирала гостей в их просторной квартире. При этом еще и кафедрой педиатрии руководила. Она не уставала от этой бурлящей жизни, более того, на взгляд сына, чувствовала себя в ней как рыба в воде и получала истинное удовольствие от того, что могла решить чью-то проблему и помочь. В ней всегда горел какой-то азарт: не может быть, чтобы она не смогла устроить, добиться, сделать, достать, организовать. И, уж конечно, она, в отличие от отца, была знакома с девушкой своего единственного сына и имела о ней вполне определенное мнение. Естественно, нелестное.

Мысли о Лене, женитьбе и будущем ребенке причудливо переплетались с мыслями о несчастной Красиковой, ее погибшем малыше и оставшемся в одиночестве на краю пропасти муже. В какой-то момент Сергей, уже подходя к подъезду своего дома, даже удивился тому, что совсем не нервничает перед предстоящим неприятным разговором с мамой — до такой степени глубоко засели в нем размышления о диагнозе «синдром внезапной детской смерти» и о возможных последствиях ошибок врачей-клиницистов и патологоанатомов.

— Мам, что ты думаешь по поводу диагноза СВДС? — спросил Сергей, с жадностью поедая поданный матерью суп — наваристую густую куриную лапшу.

Юлия Анисимовна, полноватая, рослая, очень ухоженная и по-прежнему красивая, мягко коснулась пальцами его щеки.

— Поешь, сынок, — улыбнулась она. — Не надо сейчас говорить о смерти. Вот покормлю тебя, и пока будем пить чай — поговорим.

— Ну ма-ам, — настойчиво протянул он. — Я после смены, я спать хочу. Какие там еще разговоры за чаем? Я же десяти минут не высижу, тем более после обильной еды. Давай поговорим, пока я питаюсь.

— Почему тебя заинтересовал этот вопрос? Ты же никогда, по-моему, не увлекался педиатрией.

Сергей как можно более кратко поведал матери историю самоубийцы Красиковой и ее глупого доверчивого мужа, доведшего своими тупыми подозрениями жену до гибели. Юлия Анисимовна слушала внимательно, понимающе кивала, однако выражение ее лица было отнюдь не сочувствующим.

— Сынок, — сказала она, глядя, как Сергей собирает ложкой последние капли супа из глубокой тарелки, — СВДС — это диагностическая помойка. Но я говорю тебе это только как будущему врачу, а не как сыну. Ты меня понял?

— Нет. Я твой сын и я будущий врач. В чем разница?

Мать убрала пустую тарелку и поставила перед ним другую, доверху наполненную макаронами «по-флотски».

— Разница в корпоративной медицинской этике, мой дорогой, — со странной интонацией произнесла Юлия Анисимовна, — согласно которой я не должна критиковать своих коллег и подвергать сомнению выставленные ими диагнозы, не обладая достаточно полной информацией. Тебе как медику я могу сказать, что на диагноз «синдром внезапной детской смерти» можно списать всё, что угодно, от ОРВИ до убийства. Но в нашей стране дети от вирусной инфекции умирать не должны — такова политика руководства, таково требование. За смерть детей от инфекций педиатрам головы отрывают. Поэтому смерть от ОРВИ если и диагностируют, то все равно ставят «СВДС». Это всем удобно и всех устраивает. Но тебе как моему сыну я должна ответить, что если диагноз СВДС предусмотрен Международной классификацией болезней в десятом пересмотре, то врачи имеют полное право его ставить. И никто не должен сомневаться в правильности их выводов.

— Но ведь никто до сих пор точно не знает, что такое СВДС, — возразил Сергей. — Я читал литературу, которую нам рекомендовали по курсу педиатрии, и там написано...

— Где написано? — Голос Юлии Анисимовны стал холодеть.

— В монографии Альтхоффа, например. Он считает...

— Хельмут Альтхофф — не педиатр, — перебила его мать. — Он паталогоанатом. Что он может понимать в проблеме внезапной детской смерти? Я читала его монографию и отлично помню, что он написал про желудочную форму гриппа. Желудочную! Где он ее видел? Или он перепутал ее с кишечной формой? Тогда грош ему цена как клиницисту. Он даже не видит разницы между желудочной и кишечной формами. Желудочной формы вообще в этих случаях не бывает. Или это ошибка переводчика, но тогда тем более нельзя полагаться на эту монографию. Кто знает, что они там напереводили? Ты опираешься не на тех авторитетов.

— Хорошо, — согласился Сергей. — Скажи, на кого нужно опираться. Назови имена.

Юлия Анисимовна перечислила несколько фамилий, из которых Сергею была знакома только одна — этот педиатр был автором учебника, по которому занимались студенты.

— А Цинзерлинг? — ехидно спросил он. — И старший, и средний, и младший. Что ж ты их не назвала? Три поколения прекрасных специалистов, а ты будто и не знаешь о них. Александр Всеволодович Цинзерлинг всю жизнь посвятил изучению патоморфологии детских инфекций, а в последние годы активно занимается в том числе проблемой диагностики СВДС. И не делай вид, что ты впервые об этом слышишь. Знаешь, меня всегда поражало, как медики используют больных в качестве разменной монеты. Вот говорят, что в реанимации становятся циниками. Но мы — просто нежные младенцы по сравнению с теми, кто тратит силы на вражду между научными школами во вред лечению больных. Скажешь, я не прав? Ты ведь не упомянула Цинзерлингов только потому, что московская педиатрическая научная школа издавна воюет с питерской. Так или нет?

Лицо Юлии Анисимовны приобрело выражение снисходительной усталости, уголки губ приподнялись, обозначая готовность улыбнуться такой, на ее взгляд, детской простоте, даже примитивности рассуждений сына.

— Ты напрасно меня упрекаешь, Сережа. Ты нахватался поверхностных сведений и пытаешься на их основании делать далеко идущие выводы. Если бы ты глубже разбирался в проблеме и побольше прочел о ней, ты бы знал, что я только что напрямую процитировала одного из Цинзерлингов. Я-то как раз с их трудами хорошо знакома, а вот ты, по-моему, не очень. Просто что-то слышал краем уха. А теперь пытаешься огульно обвинять всех педиатров и меня в их числе. Не стыдно?

Она шутливо взъерошила волосы на голове сына. Сергей замолчал. Мама, конечно, права, он никогда всерьез не увлекался педиатрией, дисциплину изучал не особо вдумчиво, просто, обладая превосходной памятью, вспомнил сегодня все, что удосужился услышать на лекциях и практических занятиях, сумел усвоить и успел когда-то прочитать. Но в словах матери ему послышалось тщательно скрываемое лукавство. Она пользуется тем, что знает больше сына, и пытается уклониться от серьезного разговора. Дожевывая вкусные макароны, Сергей прикидывал, как бы построить дальнейший разговор, чтобы сказать про Ленку, беременность и свадьбу и побыстрее «уместись» в свою комнату и завалиться на диван.

Он только-только успел сделать первый глоток ароматно пахнущего чая, который мама доставала непонятно где в условиях тотального дефицита продуктов, как зазвенел телефон. Юлия Анисимовна сделала ему знак: дескать, сиди, пей чай, я сама отвечу. Через минуту она вернулась на кухню.

— Иди, — недовольно проговорила она. — Это тебя.

Сергей сразу понял, что звонит Лена. Только на ее звонки у мамы бывала такая реакция.

Лену интересовал всего один вопрос: сказал ли он родителям и что они ответили. Разговор затягивался, Ленка плакала в трубку и говорила, что жить не сможет без Сергея и если они не поженятся, она не знает, что будет дальше, и ребенка ей одной не вырастить, и вообще, почему он так боится своих предков и тянет с решительным объяснением? Сергей успокаивал ее, уверял, что все не так, что он никого не боится и ничего не тянет, просто он совсем недавно пришел из института, еще даже поесть не успел, да и подходящего момента для такого ответственного разговора пока не представилось. В конце концов Ленка выколотила из него клятвенное обещание поговорить с матерью немедленно, как только он положит трубку.

Обещание он выполнил. То, что Сергей услышал от матери, было вполне ожидаемым, хотя от этого и не менее неприятным.

— Сынок, ты сошел с ума, — безапелляционным тоном заявила Юлия Анисимовна. — Я все понимаю, ты взрослый молодой мужчина, тебе нужно жить регулярной половой жизнью, ну и живи на здоровье, хоть с этой девочкой, хоть с кем. Но жениться-то зачем? Что ты будешь делать со своей Леной? Вам же даже поговорить не о чем. Тебе с ней будет скучно. Она тебе не ровня. Неужели ты сам не видишь? Это сейчас, когда у вас обоих в крови играют гормоны, тебе кажется, что вы никогда не захотите расставаться и вам всегда будет чем заняться. Но уверяю тебя, пройдет совсем немного времени, и тебе захочется хоть о чем-то поговорить с женщиной, с которой ты спишь. Пока ты молод — такой потребности не возникает, но как только ты повзрослеешь, ты сразу это ощутишь. Общение и духовная близость — это обязательные элементы близости физической, без них секс превращается в животную случку. Ты этого хочешь?

— Насколько я понимаю, — сухо ответил Сергей, — семьи создают не для того, чтобы разговаривать, а для того, чтобы растить детей. Я тебе уже сказал: Лена беременна, и ребенка мы решили сохранить. Ты верно заметила, я — мужчина. Пусть и молодой, но все равно мужчина, и за свои поступки буду в полной мере отвечать сам. И за свою жизнь тоже. Надеюсь, ты не собираешься настаивать на том, чтобы я уговаривал Лену сделать аборт? Имей в виду, для меня это неприемлемо.

Юлия Анисимовна тяжело вздохнула.

— Сынок, я — педиатр, поэтому ты прекрасно понимаешь, что об аборте речь идти не может. Пусть твоя Лена рожает, ради бога. Миллионы женщин рожают без мужей и прекрасно живут, даже наша Нюта — и та при всей своей безалаберности вырастила отличного парня. Разумеется, этот ребенок будет твоим, ты дашь ему отчество по своему имени, и даже можешь дать нашу фамилию, ты будешь помогать деньгами, платить алименты. Мы с папой обеспечим его самой лучшей медицинской помощью, какая только возможна. Мы не бросим его, можешь не сомневаться. Но жениться-то зачем? Не надо, Сережа, послушай меня. Лена не та девушка, рядом с которой ты сможешь прожить жизнь. У тебя сложный характер, ты вообще сложный человек, ты — тяжелый для тех, кто рядом с тобой. У тебя взрывной темперамент, ты настоящий внук своего деда, ты увлечен своей будущей профессией, и Лена никогда не сможет тебя понять и тебе соответствовать. И будет ревновать тебя к профессии. Тебе с твоим характером нужна не жена, а боевая подруга.

— То есть чтобы мне соответствовать, нужно быть дочерью академика? — зло спросил Сергей, который не терпел снобизма ни в ком и не собирался прощать его даже собственной любимой матери. — И носить норковые шубки и лайковые перчатки?

Юлия Анисимовна удрученно покачала головой:

— Ты не понимаешь. Соответствовать — это значит точно чувствовать, что тебе в каждый в каждый конкретный момент нужно: разговоры или молчание, общение или одиночество, бурная деятельность или полный покой. В принципе, в том, чтобы соответствовать, нет ничего сложного, если у тебя развито чутье на данного человека или сам человек не противоречив и достаточно предсказуем. Ты же соткан из сплошных противоречий, ты абсолютно непредсказуем и неуправляем, ты не поддаешься убеждению, и нужно быть совсем особенной женщиной, чтобы существовать рядом с тобой и сделать тебя счастливым. Лена этого не сможет, поверь мне. Надо было мне давно уже познакомить тебя с Оленькой Бондарь, я сколько раз собиралась, но ты же все время уклонялся, ты не хотел. Вот это достойная девушка, которая могла бы тебе соответствовать. Она с тобой в одной профессии, она будет тебя понимать, и потом, она умная девочка, школу закончила с золотой медалью, идет на красный диплом у нас во Втором меде, она начитанная и глубокая, она сможет дать тебе психологический комфорт и душевный покой, то есть именно то, что так необходимо любому врачу. Начнешь работать — поймешь.

Про Ольгу Бондарь Сергей слышал уже, наверное, раз сто. Девушка была дочерью какой-то маминой коллеги, и мама все уши ему прожужжала про то, что ему надо обязательно с ней познакомиться, потому что это в высшей степени удачная партия. Удачность «партии» заключалась в том, что у родителей Ольги был какой-то довольно близкий родственник, занимающий ответственный пост в Минздраве. Именно он в свое время перетащил их из глухой провинции в столицу, устроил на хорошую работу. Было это давно, Ольга практически выросла в Москве и свою жизнь в провинциальном маленьком городке не помнила. А добрый родственник продолжал опекать и поддерживать семью Бондарей, благодаря чему мамина коллега имела на работе весьма заметные преференции. Сергей сильно подозревал, что его маме нравится не столько сама девушка, сколько возможности и связи ее семьи.

— Начитанная и глубокая, говоришь? — Сергей презрительно прищурился и сжал губы точь-в-точь как дед Анисим. — Отличница? Да тебя это меньше всего волнует! Не надо мне сказки рассказывать. Тебе нужен этот Лукинов из Минздрава, я же все понимаю. Ты хочешь продать меня в рабство и получить в обмен связи и возможности Бондарей. Я не собираюсь знакомиться ни с какой Ольгой, мне нет до нее дела. Позавчера мы с Леной подали заявление в ЗАГС, через два месяца мы поженимся. Я, собственно, только хотел поставить тебя в известность.

— Через два месяца? — усмехнулась Юлия Анисимовна. — А чего ж так тянуть? Если твоя девочка действительно беременна, пусть принесет справку из женской консультации, и вас распишут на следующий день. Или она все-таки не совсем беременна, просто хочет за тебя замуж? Поэтому и справки никакой нет. А потом она что-нибудь придумает, например, выкидыш или еще что, женщины на такие дела большие мастерицы. Сереженька, сынок, возьми себя в руки, посмотри на вещи трезво: тебя пытается округтить деревенская девица с видами на московскую жизнь, мужа и жилплощадь. Неужели тебя это устраивает? Ты никогда и никому не позволял манипулировать собой, почему же ты допускаешь это сейчас? Опомнись! Тебе, наверное, кажется, что ты очень любишь эту свою Лену?

— Да, я ее люблю, — твердо ответил Сергей. — И мне это не кажется, я это точно знаю.

— Ну понятно, — мать покачала головой. — Ты просто не понимаешь разницы между сексом и совместной жизнью, и, как и все молодые, путаешь любовь с банальным вожделением. А ведь пора бы уже научиться видеть разницу, тебе двадцать шесть, ты давно не ребенок.

— Мама, я люблю Лену и женюсь на ней, и мы будем вместе растить и воспитывать нашего ребенка. Это все, что я хотел тебе сказать. И твое и папино мнение по этому вопросу меня интересует меньше всего. Жить мы с вами не собираемся, будем снимать комнату в коммуналке, это по деньгам вполне доступно. Только одна просьба: не надо говорить гадости про мою любимую женщину и будущую жену, не надо настраивать меня против нее и рассказывать, какая она плохая. У меня есть собственное мнение о Лене.

— Ну что ты сынок, — очень серьезно ответила Юлия Анисимовна. — Слова дурного не скажу. Но хорошо относиться к ней не обещаю. Тебе она нравится, а мне — нет, и я не собираюсь это скрывать и притворяться, чтобы сделать тебе приятное. Идиллической жизни в большой семье с бабушками и дедушками не жди. Тебя такие трудности не пугают?

— Не пугают. Я умею брать на себя ответственность. И плакаться к тебе не прибегу, можешь быть уверена.

— Но ты хотя бы понимаешь, как тебе будет трудно? Ты отдаешь себе отчет, на какую жизнь обрекаешь себя?

— Я все отлично понимаю. И ко всему готов.

Однако Юлия Анисимовна не собиралась сдаваться без боя, она снова попыталась апеллировать к здравому смыслу своего сына, выросшего в семье врачей.

— Сереженька, — мягко заговорила она, — вот посмотри, что получается. Ты двадцать четыре часа отдежурил, и не где-нибудь, а в реанимации, на тяжелейшей работе, где не то что поспать — присесть за сутки некогда. После этого ты бежишь в институт, где от тебя снова требуется внимание, концентрация, значительные интеллектуальные усилия. И вот ты пришел домой. Что сделала бы девушка, которая понимает, как ты живешь? Она покормила бы тебя, отправила в душ и уложила бы спать, при этом отключила телефон, чтобы никакой, даже очень важный, звонок случайно не разбудил тебя. А когда ты отдохнешь, она спросила бы, как прошло дежурство и какие сложные случаи были у тебя, внимательно выслушала бы, обсудила с тобой, при этом точно зная, как правильно реагировать на твои слова о том, что ты ошибся, чего-то не учел, чего-то недоглядел. И радовалась бы твоим удачам. А Лена твоя что сделала? Зная, что ты после суток и после института, она звонит тебе в то время, когда ты, по идее, уже должен крепко спать. И не просто звонит, а морочит тебе голову пустопорожними разговорами по полчаса, вместо того чтобы дать тебе отдохнуть.

В этот момент Сергей вдруг почувствовал, что действительно смертельно устал. Однако ему очень не хотелось, чтобы мама это поняла. Это подтверждало бы ее правоту насчет Ленкиного поведения.

— Да я не устал, я нормальный.

— Ага, — усмехнулась Юлия Анисимовна. — Это сейчас, когда тебе двадцать шесть. А когда ты будешь оперирующим хирургом, и тебе будет сорок, а она не будет давать тебе покоя перед операцией? Ты же видишь, как мы с папой...

— А с чего ты взяла, что я буду хирургом? — перебил ее Сергей.

— Ну как же, мы с папой...

— Вы с папой — это одно, а я — самостоятельная единица. Я не собираюсь становиться хирургом, я буду патологоанатомом. Я говорил вам с папой об этом тысячу раз, начиная чуть ли не с первого курса.

Это было правдой. Насколько Сергей Саблин любил медицину и интересовался ею с самого детства, настолько же он не интересовался людьми и не испытывал ни малейшего желания их лечить. Ему было неловко признаваться в этом и родителям, и однокурсникам, не перестававшим удивляться его настойчивому желанию заниматься патологической анатомией или судебно-медицинской экспертизой. А примерно курсе на четвертом Сергей вдруг отчетливо осознал, что он не только не хочет лечить больных, но еще и не готов их терять. И история с Красиковой и ее мужем еще раз это доказала. Не хочет он иметь свое кладбище. Не хочет он ответственности за чужую жизнь. Отец вообще ни во что не вникал, а вот мама была категорически против профессионального выбора сына и каждый раз объясняла ему, какую глупость он собирается сделать, в надежде на то, что непокорное чадо в конце концов одумается.

— Сыночек, — ласково заговорила Юлия Анисимовна, — ты просто не понимаешь, на что обрекаешь себя. Ты говорил, что не хочешь быть клиницистом. Я не могу этого понять, но готова принять. Но зачем же патанатомия? Зачем судмедэкспертиза? Не хочешь иметь дело с больными — мы с папой устроим тебя на чиновничью работу, будешь организовывать здравоохранение, разрабатывать программы, курировать научные исследования. В конце концов, можно немного сменить профориентацию и заниматься фармакологией или организацией санаторно-курортного лечения. Ты напишешь диссертацию, защитишься, сделаешь нормальную карьеру. Человеку с высшим медицинским образованием есть где применить свои знания и добиться успеха даже в том случае, если он не желает быть клиницистом.

— Вот я их и применю в патанатомии, — упрямо буркнул Сергей. — Или в экспертизе. И успеха добьюсь, можешь не сомневаться.

— Сереженька, — продолжала уговаривать мать, — ты хотя бы представляешь себе, кем хочешь стать? Ты понимаешь, какой работой собираешься заниматься? Ты готов к тому, что будешь иметь дело только со смертью или, в крайнем случае, с чужими несчастьями? У тебя не будет ни одного больного, которому ты вернешь здоровье или спасешь жизнь и который потом скажет тебе «спасибо» и посмотрит на тебя глазами, в которых стоят слезы благодарности. Это самое сильное чувство у врача — чувство удовлетворения от того, что ты смог помочь, что ты отвоевал человека у болезни или смерти, избавил его от мучений и страданий. И, кстати, его близких тоже. А ты собираешься добровольно лишить себя этого чувства, которое тебе не доведется испытать ни разу в жизни. Ни разу в жизни! Медицина — штука тяжелая, требующая огромных знаний и невероятных моральных затрат, тебе ли этого не знать. И благодарность спасенного больного и твое удовлетворение своей работой, которую ты сделал хорошо, это единственная награда за все те трудности, с которыми приходится сталкиваться врачу. Как же ты, выросший рядом с папой и со мной, можешь этого не понимать?!

— А ты, конечно, хочешь, чтобы за все, что ты делаешь, следовала награда, — Сергей ненавидел эти разговоры, в ходе которых мать пыталась повлиять на его профессиональный выбор. Юлия Анисимовна была права, когда говорила о взрывном темпераменте сына и его тяжелом и противоречивом характере. Если Сергею что-то не нравилось, он терял самообладание и переставал следить за выбором выражений и интонациями, забывая, что разговаривает все-таки с матерью, а не с приятелем. — Ты хочешь, чтобы все было красивенько и чистенько, чтобы благодарные больные носили коробочки с конфетками и букетики цветочков, а потом до конца жизни обеспечивали тебя разными благами, дефицитными товарами и были тебе обязаны, да?

— Сынок...

В глазах матери мелькнула нескрываемая обида, но Сергей этого не заметил. Его уже понесло.

— Неужели ты еще шесть лет назад, когда я выбирал, в каком из трех медицинских институтов учиться, не поняла, что я хочу жить только своим умом и принимать решения самостоятельно, а не под твою и папину диктовку? Я специально поступил не в тот институт, где ты руководишь кафедрой, а в другой, где сильная школа патанатомии, чтобы ты меня не доставала. Я не стану знакомиться и тем более жениться на девице, которую ты для меня присмотрела. И я не стану менять своего решения и выбирать другую специализацию, чтобы угодить вам с отцом. Я сам знаю, как, с кем и в какой профессии мне прожить свою жизнь. Это моя жизнь, а не твоя и не папина, и я проживу ее сам.

Так, как сумею и как посчитаю нужным. Я буду патологоанатомом или судебно-медицинским экспертом, и обсуждать здесь больше нечего.

— Только через мой труп, — заявила Юлия Анисимовна.

Сергей недобро усмехнулся и посмотрел на мать.

— Ну-ну... Ты хоть сама-то поняла, что сейчас сказала?

Юлия Анисимовна уже осознала всю двусмысленность своих слов и недовольно поджала губы.

— Господи, ну что у тебя за характер! — укоризненно произнесла она. — Вылитый дед Анисим.

* * *

В детстве больше всего на свете Серега Саблин любил три вещи: рассматривать старинное ружье дяди Васи, маминого старшего брата, есть молочную лапшу на кухне у тети Нюты и ходить с дедом Анисимом в пивную, где дед позволял себе маленькие радости. Обычно дед брал две кружки пива, а для Сереги — квас или лимонад. Дед разговаривал при этом только с внуком, общаться с другими посетителями пивной не стремился и желающих навязаться в собутыльники не поощрял. Выглядел Анисим Трофимович всегда хмурым, и взгляд его, обращенный на незнакомых людей, был неприветливым, так что желающих вступить с ним в разговор было, честно говоря, немного. Сереге же дед велел стоять рядом, внимательно слушать шум и разговоры за соседними «стоячими» круглыми столами и наблюдать за окружающими. Такими были дедовы уроки.

Анисим Трофимович Бирюков начинал свою службу еще в Гражданскую в Частях Особого назначения, потом был чекистом, служил в НКВД, затем в МГБ, организовывал во время войны партизанское движение на оккупированной немцами территории в Белоруссии, потом был назначен начальником горотдела НКВД во Львовской области и боролся с лесными бандитами. Даже теперь, давно уже выйдя в отставку, он не забыл своих привычек и старался привить маленькому внуку умение быть осторожным, внимательным, собранным, постоянно готовым к тому, чтобы дать отпор, но при этом не пугливым и не враждебным. Каждый заход в пивную сопровождался подробными и часто повторяющимися объяснениями: место надо выбирать так, чтобы видеть дверь и окна и чтобы за спиной была глухая стена. Кроме того, посещение пивной тренировало пацана и приучало не бояться большого скопления взрослых и не всегда трезвых мужиков, громких голосов и резких, выглядящих порой агрессивными жестов. «Нервы надо укреплять», — с усмешкой говорил он своей младшей дочери, Серегиной матери, когда та в очередной раз ловила отца на том, что тот водил мальчика в пивную.

— Дед, а почему мама не разрешает нам с тобой ходить в пивную? — спросил Серега, когда мама впервые показала свое неудовольствие их воскресными походами.

— Да не обращай ты внимания, — махнул рукой дед Анисим, — мало ли чего мать говорит, у тебя уши не резиновые, чтобы всех слушать.

— Но мама... — попытался возразить Серега, однако Анисим Трофимович перебил его, не дав договорить.

— Кто такая есть твоя мать, чтобы ее слушать? — грозно вопросил он. — Чего она в жизни понимает? Да она с малых лет только за книжками и просидела, жизни-то не видела, людей не знает и не понимает. И ладно бы еще правильные книжки читала, исторические или военные, так нет же, все ботанику какую-то зубрила, анатомию, биологию, химию, а с них какой прок? Умным, может, и станешь, а вот мудрым — нет. Ты, парень, с родителей пример не бери, они у тебя люди ученые, образованные, а душевного ума в них ни на грош. Ты на Нютку нашу равняйся, вот она у меня выросла правильной девкой, ни одного дня в своей жизни не прожила так, как ей самой не захотелось. Всегда на своем стояла, ни на шаг ни разу не отступила, делала только то, что считала нужным. Да, она высот не достигла, не то что твои родители, даже высшего образования не получила, но Нютка у меня выросла мудрой. Ты у нее учись, а не у матери своей.

— А тетя Нюта ведь тоже женщина, — неуверенно заметил паренек.

— Наша Нютка — не баба, ты не путай, она казак в юбке. Истинная казачка, любого мужика за пояс заткнет, раскусит и не подавится. Нютка у меня настоящая Бирюкова, и ты должен Бирюковым вырасти. А то ишь выдумали — Саблина из тебя сделать!

Анисим Трофимович носил фамилию Бирюков и часто повторял, что бирюк — волк-одиночка, живущий вне стаи — сильный и смелый, ни от кого не зависящий и ни на кого не оглядывающийся. Дед считал, что и сам полностью соответствует своей фамилии, и его дочь Анна Анисимовна, или Нюта, как ее называли в семье, выросла такой же. Теперь он хотел воспитать из своего внука Сережи достойного носителя «говорящей» фамилии.

Дед, бывший военный, не любил смотреть фильмы о войне, а Серега, наоборот, очень любил, его привлекала романтика войны и смерти, подвигов и геройства, истории о предательствах и неизбежном наказании за них. Серегу удивляло, что дед никогда не смотрит фильмов о войне.

— Ерунду там показывают, — дед брезгливо морщился, а глаза его светлели и как-то тяжелели, — на войне все не так. На войне страшно. Кино — это игра пионерская, «Зарница». Лепет дитячий. В кино тебе правду про войну никогда не покажут.

Когда дед Анисим вспоминал о войне, взгляд его делался каким-то потусторонним: зрачки сужались до размеров булавочной головки, серые глаза как будто белели, радужка становилась почти прозрачной, а лицо — холодным и безжалостным. «Наверное, на войне действительно было очень страшно», — думал в такие минуты Серега, поеживаясь под ледяным светом, исходящим из дедовых глаз.

Дедовы уроки Серега запомнил накрепко. Анисим Трофимович, потомственный казак, нрав имел крутой и жесткий и на попытки детей хоть на чемнибудь настоять плевал с высокой колокольни. Все трое детей — старший Василий, служивший в разведке, средняя Анна, та самая обожаемая Серегой тетя Нюта, и младшая, Юлия, Серегина мама, никогда не пытались спорить с отцом или возражать ему. И не потому, что боялись, а просто оттого, что знали твердо: это бесполезно. Отец не станет кричать, браниться, размахивать руками и скандалить, он тихо усмехнется в густые длинные усы и отвернется, а сделает все равно по-своему. Да и дети пошли характером в отца, такие же твердые и несгибаемые. Хотя и проявлялся этот характер у них поразному. Серегина мама, Юлия Анисимовна, брала упорством и настойчивостью, отлично училась и в школе, и в мединституте, рано защитила диссертацию, несмотря на то что приходилось возиться с маленьким сыном, и сделала блестящую карьеру, в весьма молодом возрасте заняв должность заведующей кафедрой педиатрии в одном из московских медицинских вузов. Ну, с дядей Васей и без того все понятно, имей он другой характер — вряд ли его взяли бы на работу в Первое Главное управление, которое занималось разведкой. А вот с тетей Нютой все было совсем иначе, хотя характер свой казацкий она проявила в полной мере. Родив в семнадцать лет внебрачного ребенка и при этом ни одной секунды не смущаясь и не опасаясь общественного осуждения, она только в двадцать три года встретила своего суженого, поляка по имени Януш. Но тут отец и брат Василий встали насмерть: при их службе и должностях невозможно иметь родственника-иностранца. Они, в общем-то, ничего Анне не запрещали, просто очень популярно объяснили, что ее замужество лишит их работы и карьеры. Анна все поняла. С поляком рассталась, а вот с Василием с тех пор не разговаривала. Вообще. То есть ни одного слова не произносила, не звонила, не писала, не общалась. Вычеркнула брата из своей жизни. Отца простила, а вот брата — нет. Почему же она не простила дядю Васю, если простила деда?

О том, что тетя Нюта «поссорилась» с дядей Васей, Серега знал с детства, не мог не знать, потому что был пареньком внимательным и наблюдательным, но на вопросы «почему» и «из-за чего» получал неизменно один и тот же ответ:

— Ты еще маленький. Вырастешь — расскажу, — говорила тетя Нюта, при этом усмехалась точь-в-точь как дед Анисим и негромко прибавляла: — Может быть. А может, и не расскажу.

При этом лицо ее на мгновение едва заметно менялось, губы искривлялись в каком-то зверином оскале, но тут же на лицо Анны Анисимовны возвращалась ее обычная насмешливая улыбка.

Серега и у мамы с папой, и у деда, и у дяди Васи пытался узнать, но с тем же результатом. Много позже, когда Анна Анисимовна умерла, задать свой вопрос Сереже стало некому. Сорок лет не разговаривать с родным братом! Это что же за характер такой, упертый и беспощадный, надо было иметь! И он страшно сожалел о том, что не проявил настойчивости и не попытался выяснить правду, пока Нюта была еще жива.

Но это все было потом. А в детстве Серега свою тетку боготворил. Она вовсе не казалась ему упертой и беспощадной, наоборот, Нюта была веселой, общительной, какой-то «неправильной», никогда не готовила на обед супы, не заставляла племянника есть то, чего он не хочет, разрешала все то, чего обычно не разрешала мама, в том числе бегать, шуметь, орать, визжать и играть в войну. Ее сын Вовка был старше Сергея на семнадцать лет, и когда Сережу мама стала отпускать к сестре в гости одного, Вовка уже стал совсем взрослым, самостоятельным, работал где-то на БАМе, и тетя Нюта жила одна. Когда-то она закончила медучилище и работала операционной сестрой, а потом ушла в кожно-венерологический диспансер и применяла свои знания в кабинете физиотерапии. Она была абсолютно, классически непедагогична и рассказывала Сереге анекдоты про сифилитиков и всякие байки, для ребенка явно не предназначенные. Когда ее младшая сестра об этом узнала, Анна Анисимовна без малейшего смущения заявила:

— Это касается здоровья человека, а все, что касается здоровья человека — это природа. Это естественно и не может быть ни стыдным, ни противным. Ты же сама врач, и муж у тебя врач, чего ж вы растите пацана не пойми кем? Он должен знать, как устроено человеческое тело и что бывает, если с ним неправильно обращаться.

Почему-то всегда такая разумная и умеющая все объяснить мама не нашла, что ответить. Сережа проводил у тетки много времени, впитывая от нее уважительное и заинтересованное отношение ко всему, что связано с телесной сферой, а также получая «дополнительное внешкольное» образование в сфере эротической и вольнодумной литературы. Дело в том, что у Анны Анисимовны был источник побочного дохода: она перепечатывала на машинке «самиздат». Разумеется, не Солженицына. При теткином характере и бурном темпераменте, склонности к похабным анекдотам, ее больше интересовали тексты, интеллигентно называемые «армянским радио», а также «Камасутра» и эротические рассказы, авторство которых приписывалось Александру Куприну и Алексею Толстому, что было весьма сомнительно. Она печатала, а Серега читал, предпочитая в подростковом возрасте особенно то, о чем в то время знал далеко не каждый взрослый. Читал с упоением. С удовольствием. Если что было непонятно — спрашивал, и тетя Нюта никогда не жалела времени на подробные объяснения, касались они строения гениталий или политической ситуации в пятидесятые годы до смерти Сталина.

И к дяде Васе, старшему сыну деда Анисима, Серега любил наведываться, правда, получалось это редко, потому что дядя Вася много времени проводил в длительных командировках. Но зато когда уж он возвращался в Москву, Сережа приезжал к нему при любой возможности. Конечно, Василий Анисимович был разведчиком, и это заставляло мальчишку смотреть на дядьку с восхищением, но главным все-таки было ружье. Дядя Вася никогда не скрывал, каким образом оно к нему попало.

Когда Анисим Трофимович в конце 30-х годов нес службу в Белоруссии, его жена с первенцем Васей и маленькой дочкой Нюточкой жила в Кировской области. Десятилетний Вася в 1939 году сбежал из дома и каким-то немыслимым образом самостоятельно добрался до места службы отца и разыскал его, за что был, разумеется, нещадно выпорот, после чего последовало глубокомысленное рассуждение Бирюкова-старшего:

— Казак вырос! Настоящий казак! Настоящий Бирюков! Ежели чего захотел — непременно добьется, хоть и пацан сопливый. И смелый, не побоялся. И находчивый, не растерялся. И мужественный, не пикнул ни разу, пока я его порол, а ведь рука у меня тяжелая. И упертый, ни за что назад возвращаться не хочет. Так я говорю, Васька?

Мальчик молча кивнул, затравленно глядя на отца и ожидая его вердикта.

— Ну так, стало быть, остаешься со мной, — вынес решение Анисим Трофимович.

Однако заниматься мальчиком было некому, а оставлять без присмотра — как-то боязно, и Анисим Бирюков отдал сына в имение старого графа-поляка, жившего после прихода большевиков на положении заложника. Граф был одиноким, мальчика принял с радостью, много занимался с ним, заставлял читать, кормил, водил не только на длительные прогулки, но и брал с собой на охоту уток стрелять. Свое ружье — великолепную двустволку-«горизонталку» с открытыми курками, настоящий «Зауэр» 16-го калибра — граф подарил Васе на прощание, когда его депортировали в Польшу, обменяв не то на какого-то деятеля, не то на ценности, не то на информацию. С тех пор Василий с ружьем не расставался, гордился им, всем охотно показывал. Серега с детства относился к оружию благоговейно, и каждый приход в гости к дяде Васе становился для него настоящим праздником, ведь можно было не только посмотреть замечательное старинное ружье, но и погладить стволы и гладкий деревянный приклад, и «вскинуться», и посмотреть в прорезь на точку в воображаемой мишени, и вообще почувствовать себя настоящим мужчиной. Воином.

Однажды Серега, знавший о конфликте Анны Анисимовны с братом, но не ведавший причин столь затяжной ссоры, спросил тетю Нюту:

— А ничего, что я к дяде Васе в гости хожу? Ты не обижаешься?

Анна Анисимовна удивилась, как показалось мальчику, совершенно искренне.

— Обижаюсь? Да на что же, миленький?

— Ну, ты ведь с дядей Васей не разговариваешь, я думал, вы поссорились... У меня в классе друзья есть, Пашка и Витя, Пашка на Витю обиделся и теперь с ним не водится, а со мной водится. А Витька со мной недавно подрался за то, что я с Пашкой в кино ходил, ему неприятно было, — объяснил свой вопрос Серега, надо признать, довольно сумбурно. Но тетя Нюта все поняла и рассмеялась.

— Сереженька, миленький, никогда не думай о том, что кому приятно или неприятно. Делай только то и только так, как сам считаешь нужным и правильным. На всех все равно не угодишь. У тебя есть характер, вот этим и дорожи.

— Характер? — теперь удивился уже Серега. — А мама всегда говорит, что у меня плохой характер, тяжелый, и мне надо меняться.

— Даже не вздумай! — замахала руками Анна Анисимовна. — У тебя замечательный характер, настоящий мужской нрав, наш, казацкий. Твоя мама хочет, чтобы ей было удобно с тобой жить, и я ее понимаю. Каждый человек хочет, чтобы ему было удобно. Но это не означает, что другие люди обязаны с этим считаться. Ты меня понимаешь?

В тот момент Сережа не все понял, так, кое-что уловил, в чем честно сразу же признался. Ему никогда не было стыдно признаваться тете Нюте в том, что он чего-то не понимает. Маме и отцу он бы даже под пытками такого не сказал, для них он старался выглядеть пай-мальчиком, прилежным учеником, для которого учеба и всяческие науки не представляют никакой сложности. А с тетей Нютой можно было не притворяться и быть самим собой, потому что она ничего от племянника не ждала и ничего не требовала, просто любила его и принимала таким, каким он был на самом деле.

Анна Анисимовна объяснила свою мысль снова, подробнее и проще, и он все понял.

— У тебя очень хороший характер, — еще раз повторила она, — правильный, настоящий, не поддельный. Конечно, всем удобнее иметь дело с людьми, которые умеют договариваться. Ты не умеешь. И не надо, не учись этому. У тебя есть на все собственное мнение, вот на него и опирайся. А на остальных наплюй. Ты не золотой червонец, чтобы всем нравиться. Ты — Сергей Саблин, самостоятельная единица, уникальная и неповторимая, и не нужно стараться никому угождать и делать приятное. Понял?

— Понял, — кивнул мальчик.

* * *

Собака еще раз дернула облезлым хвостом, и из уголка пасти потянулась струйка тягучей мутноватой слюны. Я смотрю на нее, и из середины груди по всему телу разливается огромный, ни с чем не сравнимый восторг: я — повелитель мира, я могу уничтожить то, что с таким трудом и изобретательностью создавалось природой. Эта собака еще недавно была живой, пусть бездомной, никому не нужной, со свалявшейся грязной шерстью и гноящимися глазами, но живой! Она чуяла запахи, слышала звуки, хотела есть и пить, кого-то боялась, к кому-то была привязана. А я взял ее жизнь в свои руки и распорядился ею по собственному усмотрению. Я предполагал, что это будет классно, но даже не думал, что настолько классно!

Когда я наступил на муравейник и вдруг понял, что случайно разрушил целое государство, целый мир, в котором обитали тысячи маленьких смешных жизней, я впервые испытал это странное ощущение могущества и всевластности. Я — властелин этого муравьиного царства, как я захочу — так и будет. Я могу пройти мимо, и разрушения, причиненные моим ботинком, останутся минимальными. Но я могу и не пройти. И разрушить этот мир до основания. Окончательно и бесповоротно. Просто стереть с лица земли.

И я сделал это. А теперь я сделал то же самое с бездомной собакой. Она умирает, а я наблюдаю за ее агонией. И снова радуюсь своей власти над ее никчемной жизнью. Да, я взял дома из маминой аптечки таблетки, растолок их в порошок и напихал в два пирожка с мясом, купленные в киоске у кинотеатра «Северное сияние». Да, я выбрал эту собаку, высмотрел ее на улице, рядом со стройкой. Да, я поманил ее, дав издалека понюхать пирожки, и она доверчиво и радостно потащилась следом за мной на пустую, давно заброшенную стройплощадку. И я скормил ей отравленные пирожки, равнодушно глядя на то, как она судорожно, с голодным лязгом зубов, глотала большими кусками собственную смерть. Но и теперь, когда она умирает, я еще могу все исправить, я могу выбежать на улицу, обратиться к кому-нибудь из взрослых, объяснить, что собака умирает и ей нужна помощь. Наверняка найдется кто-нибудь, кто сжалится над одиннадцатилетним мальчишкой и умирающей бездомной собакой, поможет отвезти животное в ветеринарку, а там, глядишь, и откачают псину. Я еще могу это сделать. А могу и не делать. Мое решение. Моя власть. Как захочу — так и будет. Я — царь и бог. Я всемогущ!

Жалко только, что никому рассказать нельзя. Маме — это уж точно. И Учителю нельзя. Это моя тайна, которой я ни с кем никогда не поделюсь. Хотя Учитель, наверное, меня не осудил бы. Он очень умный. И очень меня любит. Я это точно знаю.

Потому что Учитель — это мой папа. Я уверен в этом. Мама всегда говорила мне, что мой папа нас бросил и живет теперь далеко. И я, наивный и глупый, до поры до времени верил ей. А потом познакомился с Учителем и внезапно понял: это мой папа! Потому что только родной отец будет с таким удовольствием разговаривать и проводить время с мальчиком, угощать его мороженым и пепси-колой, ходить с ним в кино и в цирк, когда бывали гастроли, ездить далеко за город, рассказывать про природу, попутно показывая разные растения, насекомых, птиц, а если сильно повезет — то и кое-каких животных.

Мама рано научила меня читать и всегда говорила, что я намного умнее, чем полагается быть мальчику моего возраста. Правильно говорила! Я действительно очень умный. Поэтому быстро догадался, что и как. Мама специально сказала мне, что папа плохой, бросил нас и уехал далеко-далеко, в другой город. Чтобы я не искал его и не думал о нем. А на самом деле мой папа остался здесь. И никакой он не плохой. Он замечательный, добрый и умный. И очень меня любит. Он нашел меня, и теперь мы с ним постоянно встречаемся. Но я же умный мальчик, поэтому я понимаю, что мама об этих встречах знать не должна. Пусть думает, что сумела меня обмануть. Пусть считает меня доверчивым и наивным. Так мне будет проще ею управлять и добиваться того, что мне нужно.

Конечно, я не утерпел и как-то спросил Учителя:

— А вы случайно не мой папа?

Он ответил:

— Ну что ты, конечно, нет.

Но мне показалось, что он при этом как-то смутился и отвечал не очень уверенно. Я не стал ни на чем настаивать. Понятно, что если он признается, то я могу проговориться маме, а она сделает все, чтобы запретить нам встречаться. Мама у меня такая. Но я все равно обо всем догадался, ведь не зря же я столько взрослых книжек прочитал.

Я умный.

Я — царь и бог.

Я — повелитель мира.

ГЛАВА 2

Лена выпорхнула из примерочной и встала перед Сергеем, нетерпеливо притоптывая ножкой, обутой в кремовую изящную туфельку.

— Ну как?

Она повернулась вокруг своей оси и вопросительно взглянула на Сергея.

— Хорошо? Тебе нравится?

Он кинул на невесту хмурый взгляд и кивнул.

— Нормально.

— Нормально?! И это все? Но тебе самому нравится?

Ему было все равно. Настроение испортилось окончательно и бесповоротно несколько часов назад, во время дежурства на кафедре госпитальной терапии. Они договорились с Леной сегодня идти покупать платье для бракосочетания, и хотя ему было вовсе не до свадебных приготовлений, отменять поход в салоны он не стал, понимая, как важна для девушки подготовка к самому главному в этот период жизни мероприятию. Но справиться с настроением Сергей все-таки не сумел, и одолевавшие его мрачные мысли, казалось, окутывали темным тяжелым облаком все пространство вокруг него. Он не мог заставить себя проявлять интерес к платью или хотя бы делать вид, что для него все это не менее важно и значимо, чем для Ленки. Она не понимала, почему жених сидит злой и молчаливый, сердилась сама, теребила его вопросами, требовала ответов и обиженно дулась. Сергей пока не рассказал ей, в чем дело, хотя никакого секрета делать из этого не собирался. Просто Ленка прибежала к условленному месту встречи такой сияющей и окрыленной, что у него язык не повернулся ей рассказывать о своих проблемах. И разве можно в этом случае винить ее в том, что она искренне не понимает его состояния?

Лена примеряла уже седьмое или восьмое платье, и её все время что-нибудь не устраивало. Она показывалась Сергею, вертелась перед ним, пыталась объяснить и ему, и продавщицам, чего именно ей хочется, спрашивала совета у всех подряд вплоть до других покупателей, а Сергей сидел на жесткой, неудобной, обитой дерматином низкой банкетке и терпеливо ждал, когда же закончится весь этот цирк, казавшийся ему таким глупым и ненужным.

— Ну Сереж! — В голосе Лены зазвучало раздражение, смешанное с готовностью расплакаться. Что поделать — беременная женщина редко когда может справиться с эмоциями, Сергей относился к этому с пониманием и даже порой с умилением. — Ну что ты сидишь, как сыч, надулся и молчишь! Это что, только моя свадьба, что ли? Тебя она вообще не касается?

— Касается, — равнодушно ответил он. — Я все равно ничего не понимаю в ваших нарядах. Покупай то, что тебе нравится.

— А тебе? Я же хочу, чтобы тебе тоже нравилось. Это наша свадьба, и я должна быть на ней самой красивой в мире, чтобы ты меня такой запомнил на всю оставшуюся жизнь и никогда не разлюбил.

— Я тебя и так не разлюблю.

Ему удалось даже слегка улыбнуться, но надолго удержать улыбку на губах не получилось: слишком уж муторно было на душе.

— Посмотри, вот это платье мне в принципе нравится, — снова защебетала Лена, — но я боюсь, что живот... Как ты думаешь, через полтора месяца живот уже будет виден?

Срок беременности к моменту свадьбы достигнет всего четырех с половиной месяцев. Никакого особенного живота в это время обычно еще не видно. Так, слегка округляется талия, увеличивается грудь. Бывают, конечно, исключения, но Ленка в их число явно не попадает, во всяком случае, так казалось Саблину. Вопрос был совершенно невинным, однако сыграл роль детонатора: Сергей внезапно взорвался. И, как всегда в такие моменты, со дна сознания поднималась грязная зловонная муть, выносящая на поверхность самые несправедливые, граничащие с откровенным хамством, слова:

— Если тебя так волнует проблема живота, взяла бы справку в женской консультации, и нас расписали бы в течение недели, — задыхаясь от ярости, проговорил он. — Зачем ждать два месяца?

— Ну что ты, Сережа, — удивление Лены было столь велико, что она, казалось, даже не заметила его грубости, — я же хочу настоящую свадьбу, а не посиделки с друзьями в дешевом кафе. Мне нужно всех пригласить из Ярославля, и родителей, и родственников, подруг, и институтских девчонок собрать. И твои родные чтобы могли собраться, а то мало ли у кого какие планы, за неделю всех не соберешь.

— Мои-то родные тебе зачем?

— Пусть все видят, какая я у тебя красавица!

Она кокетливо улыбнулась и показала Сергею язык.

Лена действительно была настоящей красавицей, сероглазой, с точеным личиком и такой же точеной невысокой фигуркой. Особую гордость ее составляли волосы — каштановые, длинные, до талии, прямые, очень густые и очень блестящие, даже лучше, чем на фотографиях в женских журналах в рекламе шампуней. Она любила встряхивать волосами при любой возможности, давая окружающим шанс полюбоваться этой красотой, и даже позволяла себе расчесываться прилюдно, дабы привлечь дополнительное внимание к своей внешности. Конечно, это было, строго говоря, признаком дурного воспитания, но Сергея не раздражало, как, впрочем, не раздражало в девушке ничего. Ему все нравилось — и ее лицо, и ее тело, и ее неуемный сексуальный аппетит и неистощимая фантазия в постели, и ее детскость, наивность и простота. И сейчас он уже жалел о своей грубости и радовался тому, что Ленка, кажется, ничего не заметила и не обиделась. Ему стало неловко, и он решил сгладить ситуацию.

— Не сердись, Ленусик, — примирительно произнес он, — просто я не в настроении. Не обижайся на меня. Из меня сегодня плохой советчик и вообще никудышний компаньон в магазинных делах.

Глаза Лены мгновенно стали озабоченными и тревожными.

— Что-то случилось? Что-то серьезное? Почему ты мне сразу не сказал? Это касается нашей свадьбы? — посыпались вопросы.

Сергей покачал головой и вытянул вперед затекшие ноги: все-таки эта чертова банкетка была ему, рослому и крупному, явно не по росту.

— Со свадьбой все в порядке, — успокоил он невесту.

— Ну, это главное, — Лена с облегчением улыбнулась. — А что тогда?

— Да в институте...

Он не успел договорить, как Лена уже перебила его звонким смехом:

— В институте? Ой, ерунда какая! А я-то уже испугалась было, думала, что-то серьезное.

А это и было серьезным. Во всяком случае, для Сергея Саблина, проходящего субординатуру по терапии. Им, пятерым студентам-шестикурсникам, было сказано, что если в приемное отделение кого-нибудь привезут по терапии, их позовут, и им надлежит посмотреть больного, заполнить в истории болезни раздел «осмотр терапевта», а если будет что-то сложное — послать за дежурным терапевтом по больнице. И вот вечером поступил мужчина, которого осмотрели все пятеро субординаторов. Но принимать решение с молчаливого согласия остальных пришлось именно Сергею: все знали, что он уже пятый год работает в реанимации, и признавали за ним неформальное лидерство по крайней мере в вопросах медицинских знаний и опыта оказания врачебной помощи. Считать Серегу Саблина лидером было удобно для всех: лидер — это тот, кто способен взять на себя ответственность, другие же охотно уступают ему это чреватое последствиями удовольствие.

Больной немолодого возраста поступил с симптомами, на основании которых Сергей сделал вывод о транзиторной ишемической атаке. Он, разумеется, провел полный осмотр, как полагается, слушал легкие, мял живот и так далее, после чего распорядился госпитализировать мужчину в неврологическое отделение. Больного увезли из приемного отделения, а Сергей вместе с остальными вернулся в учебную комнату, прихватив с собой историю болезни, чтобы оформить «осмотр терапевта» во время приятного чаепития.

Примерно через час в учебную комнату ворвался разъяренный дежурный терапевт.

— Кто распорядился положить больного в неврологию? — спросил он вибрирующим от плохо сдерживаемого гнева голосом.

— Я, — спокойно ответил ничего не подозревающий Сергей.

— Пойдемте со мной, — коротко приказал врач и вышел из комнаты.

Студенты всем скопом двинулись следом за ним в неврологию. В палате на шесть человек лежал вновь поступивший больной и хрипел.

— Послушайте легкие, — ровным голосом предложил дежурный терапевт. — Вы первый, пожалуйста.

И выразительно посмотрел на Саблина. Сергей уже понял, что что-то не так. Но при этом не смог не оценить профессионализм доктора, который привел их, студентов-несмышленышей, чтобы продемонстрировать им их же промах, однако вел себя так, чтобы никто из больных даже на миг не заподозрил: доктор ошибся. Доктор недосмотрел. Доктор не разобрался. Показывать больным ошибки врачей — недопустимо.

Сергей начал слушать и помертвел: справа в подмышечной области — явный шум трения плевры! Это плеврит, очень тяжелое и при отсутствии своевременного лечения — смертельно опасное заболевание: воспаление в плевральной полости, при котором пленки фибрина покрывают и внутреннюю стенку грудной полости, и поверхность легкого. Именно поэтому, когда при вдохе поверхность легкого соприкасается с внутренней стенкой грудной полости, возникает очень характерный скрип, который трудно с чем-то спутать. Как он мог это пропустить?! Ведь слушал же! Почему так получилось? О чем он думал в тот момент, когда прикладывал фонендоскоп к телу больного в приемном отделении? Этот мужчина поступил с симптомами транзиторной ишемической атаки, и никто не знал, что у него плеврит, который пока еще находится в стадии «сухого», но если упустить, не начать вовремя лечить, то может появиться фиброзное осложнение, а может случиться, что сухой плеврит перейдет в экссудативную форму, и тогда возникнет угрожающее состояние. Он должен был услышать, он должен был обратить внимание и пригласить к больному терапевта или пульмонолога, но он этого не сделал, увлекшись неврологической симптоматикой.

Однако оказалось, что и это еще не всё: доктор в присутствии интернов провел осмотр больного, после чего стала очевидна еще одна ошибка интерна Саблина, куда более серьезная. Симптоматика свидетельствовала не о транзиторной ишемической атаке, а об остром нарушении мозгового кровообращения, а это — прямое показание для помещения больного в реанимацию, а не в отделение неврологии.

Как же так вышло?! Он, Серега Саблин, уже целых пять лет имеющий дело только с реанимационными случаями, направил его в неврологию, где пациенту не оказывали необходимого реанимационного пособия и где он мог просто умереть, если бы дежурный врач не перепроверил решение субординатора.

Больного срочно перевели в реанимацию, а дежурный врач пришел в учебную комнату. Столько нелицеприятных, но справедливых слов Сереге не приходилось выслушивать, наверное, за все двадцать шесть лет своей жизни. Возразить было нечего. Никогда прежде Саблину не было так чудовищно, мучительно стыдно.

— Вы даже не покраснели, — с неудовольствием заметил доктор. — Видимо, вам совершенно не стыдно, а ведь вы только что чуть не погубили больного своей халатностью и легкомыслием. Таким, как вы, не место в медицине.

Сергей действительно не покраснел. Краснеют парасимпатики. Саблин же принадлежал к симпатикам, которые в минуты эмоциональных вспышек, наоборот, бледнеют. Он и стоял бледный, неподвижный, испытывая невероятную злость на самого себя, стыд за свою оплошность, которая могла стоить человеку жизни, и ярость на собственное бессилие, потому что ничего не мог сказать в ответ на совершенно справедливые слова дежурного врача.

«Мне не место в клинической медицине. Он прав. Я, наверное, смогу стать неплохим медиком, но я никогда не стану хорошим врачом. Если я ухитрился отвлечься, пойти на поводу у первого же пришедшего мне в голову диагноза, если я позволил себе думать о чем-то постороннем, выслушивая легкие больного, и пропустить плеврит, то где гарантия, что это не повторится еще раз? Сегодня больного спасут, а потом что? Как все сложится при следующей моей ошибке? Как я смогу жить дальше с таким чувством вины, если буду знать, что из-за моего непрофессионализма умер человек, который мне доверился и на меня понадеялся? — думал Саблин. И тут же вспомнил глаза мужа несчастной Красиковой. — А потом мне придется выйти к родственникам и сказать им, что спасти их близкого не удалось, потому что я совершил грубую непростительную ошибку. Нет. Нет! Нет!!! Я не смогу с этим жить. Я не смогу».

Ничего серьезнее в этот момент для Сергея Саблина не было. А вот Ленка считала иначе... Но и это можно понять, ведь она не знает о том, что произошло, думает, наверное, что просто зачет какой-нибудь не сдал или получил замечание за прогул. Вот когда они закончат с покупкой платья для свадьбы, он поведет невесту в кафе и там спокойно все расскажет ей, тогда она, конечно же, поймет, отчего он сегодня такой мрачный и молчаливый. Поймет и разделит с ним всю тяжесть его нынешних переживаний. Для нее сейчас нет ничего важнее грядущего замужества и наступающего материнства, поэтому, конечно же, она считает, что расстраиваться Сергей может только из-за проблем со свадьбой. Милая, наивная, трогательная Ленка, его Ленусик, его нежное сладкое сокровище. Но как же муторно на душе!

— Со свадьбой все в порядке, — ответил он, стараясь, чтобы голос звучал достаточно спокойно.

В самом деле, ну чего он взялся на Ленку? Разве она в чем-то виновата? Права была мама, не умеет он держать себя в руках, не умеет удерживать в узде свой взрывной темперамент.

На принятие решения по поводу платья ушло еще почти два часа. Наконец наряд был куплен, и Сергей повел Лену пить кофе с пирожными в ближайшее к салону кафе. Ему страшно не хотелось признаваться своей любимой в собственной ошибке и описывать тот позор, который ему довелось пережить, но и не рассказать нельзя. Во-первых, она имеет право знать причину его отвратительного настроения, а во-вторых, Лена — его жена, ну, почти жена, во всяком случае, она мать его ребенка, и как он собирается с ней жить, не делясь самым главным и ничего не обсуждая?

Однако Лена выслушала его рассказ совершенно равнодушно и, как показалось Сергею, без всякого интереса. Она вертела головой, рассматривая других посетителей и особенно посетительниц молодого возраста, то и дело заглядывала в меню, подзывала официантку и заказывала то мороженое со взбитыми сливками, то кусочек еще одного торта, то стакан свежевыжатого сока. Сергей старался подавить нарастающее раздражение, говоря себе: «Ты — медик, ты — будущий врач, ты не имеешь права не понимать, что происходит с женщиной во время беременности, и не считаться с этим. У них появляются необъяснимые гастрономические пристрастия и разные капризы, им хочется то сладенького, то кисленького, то солененького, и вообще, они полностью сосредоточены на ребенке, и нельзя, неправильно требовать от них внимания и интереса к чему-то другому, с материнством не связанному».

— И что, вот из-за этой фигни ты мне весь день настроение портил? — спросила она, наморщив красивый изящный носик. — Я платье выбираю, мы с тобой к свадьбе готовимся, у нас новая жизнь начинается, а ты о какой-то ерунде думаешь, еще и мне голову морочишь. Ну Сереженька, ну ей-богу, нельзя же так!

Саблин оторопел. Смерть больного — фигня? Врачебная ошибка, едва не приведшая к трагедии, — ерунда? Да поняла ли она то, о чем он ей целых полчаса толковал?

— Лен, но ведь человек чуть не умер, — сквозь зубы проговорил он.

— Так не умер же!

Лена беззаботно махнула рукой и отправила в рот последний кусочек шоколадного торта, украшенного консервированными вишенками.

— Но я допустил ошибку, — он все еще надеялся заставить ее понять. — Даже две ошибки, одна серьезнее другой.

Однако усилия оказались напрасными. Еще через несколько минут, в течение которых они обменивались репликами, Сергей отчетливо осознал тщетность собственных попыток объясниться и быть понятым. Все-таки беременная женщина — это не тот слушатель, на которого можно наваливать свои проблемы.

Вечером, проводив Лену до общаги пединститута, Сергей поехал домой. Он не мог понять, расстроен ли отношением Лены к себе и своим переживаниям. Чего он хотел? Сочувствия? Вот уж нет. Серега Саблин отродясь ни в чьем сочувствии не нуждался. Чтобы Лена разделила с ним лежащую на сердце камнем тяжесть? Да нет, пожалуй, это ему тоже не нужно, Сергей привык быть один и со всем справляться в одиночку. Стало быть, ничего ему от Лены было не нужно. Так чего ж он так злится оттого, что ничего и не получил от нее?

Пришлось сказать самому себе правду. Даже две правды, одна неприятнее другой. Первая: он считал, что обязан оправдаться перед девушкой за свою вспышку и грубость, он переступил через себя, рассказывая ей о собственном позорном промахе и часах жгучего, не дающего дышать стыда, он надеялся хотя бы на понимание и хотел услышать в ответ какие-то мягкие утешающие слова, дескать, она вовсе не обижается, потому что понимает, как ему плохо. Этого было бы более чем достаточно. Но ничего даже близко похожего Сергей от невесты не услышал. Вторая правда состояла в том, что, похоже, мама была права. Разумеется, не во всем, об этом и речи нет. Но Лена действительно не в состоянии понять то, что составляет суть ежедневного переживания честного врача: его размышления о цене его же ошибок.

Мысль автоматически перескочила на предстоящий юбилей отца — Михаилу Евгеньевичу Саблину через две недели исполнялось 55 лет. После того разговора с матерью, когда Сергей объявил, что женится на Лене и у них будет ребенок, Юлия Анисимовна ни разу больше не предприняла ни одной попытки отговорить строптивого сына от скоропалительной женитьбы. Создавалось впечатление, что она смирилась с решением Сергея. Однако сочла возможным сказать:

— Лена станет членом нашей семьи только после официальной регистрации брака. Такова наша с папой позиция. Она имеет принципиальный характер, и мы с папой просим тебя отнестись к ней с пониманием и уважением.

— Это ты к чему? — не понял тогда Сергей.

— Это я к тому, — невозмутимо продолжала Юлия Анисимовна, — что на папин юбилей твоя невеста не приглашена. И мы очень надеемся, что ты не станешь настаивать.

Разумеется, настаивать Серега не стал. Да и зачем? От того, будет Лена присутствовать на юбилейном банкете или нет, ничего не изменится ни в его, ни в ее жизни. Родители не торопятся представить своему окружению будущую невестку? Ну понятно, они надеются, что все еще как-нибудь рассосется и само собой образуется. Да и пусть себе надеются, плохо они знают своего единственного сына, если рассчитывают на то, что он будет менять собственные решения. В особенности ТАКИЕ решения.

* * *

Банкет по случаю пятидесятипятилетия профессора Саблина организовали в одном из лучших ресторанов Москвы, арендовав для многолюдного праздника три зала — весь второй этаж. Огромное количество коллег, учеников, бывших пациентов, перешедших со временем в статус добрых приятелей или даже друзей, а также друзья и знакомые не из медицинского мира, и, разумеется, родственники. На первом этаже ресторана два просторных зала работали в обычном режиме, обслуживая посетителей, пришедших поужинать в приятной обстановке, а на первой ступеньке широкой лестницы, ведущей на второй этаж, стоял представительный мужчина со списком на нескольких листах, сличая фамилии из этого списка с фамилиями на открытках-приглашениях, заблаговременно разосланных или развезенных лично Юлией Анисимовной, дабы никто из посторонних не мог проникнуть в общество, сплошь состоящее из медицинских светил и всяческих ответственных личностей. Приехавший вместе с родителями Сергей приостановился возле мужчины со списками и попросил разрешения просмотреть их. Наткнувшись на фамилию «Бондарь», невольно нахмурился: Бондарей на банкете ожидалось трое. Значит, мамина коллега, ее супруг, а также дочь, та самая Ольга, с которой мама так давно мечтала познакомить сына и от контакта с которой этот сын более или менее ловко уклонялся. После известия о женитьбе на Лене Юлия Анисимовна больше ни разу об этой девушке не упоминала, и Сергей расслабился, поверив, что мама оставила свою глупую затею. А теперь вот выясняется, что она все еще лелеет какие-то надежды женить сына так, как ей самой хочется. Ну-ну. Губы Сергея искривились в презрительной ухмылке, но настроение не испортилось. Предупрежден — значит, вооружен. Так его с младых ногтей учил дед Анисим Трофимович.

Многие из гостей опаздывали, так что стоять на площадке второго этажа рядом с родителями и приветствовать приглашенных Сергею пришлось битый час. Рядом выставили два низких широких стола, на один из которых складывались красиво упакованные подарки, на второй — букеты и корзины цветов. Едва завидев поднимающуюся по лестнице троицу Бондарей, Серега с трудом удержался, чтобы не расхохотаться. Младшая Бондарь, полноватая, с очень плохой фигурой, короткими ногами, некрасивой формы вислыми ягодицами, ни при каких условиях не могла бы составить конкуренцию его невесте Леночке, настоящей красавице, которой впору быть моделью и рекламировать изысканные наряды, расхаживая по подиуму. И где у мамы глаза? На что она рассчитывала, столь упорно сватая своему сыну такую каракатицу?

Тем не менее он сделал приветливое лицо и растянул губы в обаятельнейшей, как ему казалось, улыбке, приветствуя семью маминой коллеги и принимая коробку с подарком и роскошный букет. Вместе с Бондарями подошел еще один гость, высокий импозантный седовласый мужчина с начальственным выражением лица, и Сергей понял, что это и есть Лукинов — крупный чиновник из Минздрава, родственник Бондарей, который помог им перебраться из провинции в Москву, помог с устройством на работу и всячески поддерживал и опекал. Сергей невольно впился глазами в его ухоженное лицо с правильными привлекательными чертами: «Значит, вот ради кого матушка пыталась продать меня в эту семейку... Интересно, что в нем такого особенного, в этом Лукинове, если маме так нужно приблизиться к нему? Необыкновенные возможности? Или что?»

И в этот момент он перехватил направленный на себя взгляд младшей Бондарь — Ольги. Глаза ее, оказавшиеся неожиданно большими и очень яркими, обрамленными невероятной длины и густоты ресницами, смотрели на Сергея с насмешливым любопытством, словно девушка без труда читала мысли своего несостоявшегося жениха и отлично понимала, о чем и о ком тот думает в этот момент. И даже — что именно он думает. Сергею стало весело, и он, не понимая, зачем это делает, вдруг подмигнул Ольге.

И она подмигнула ему в ответ. Длинные густые ресницы на нижнем и верхнем веках совершили плавное движение навстречу друг другу и тут же, будто передумав сближаться, отпрянули в разные стороны. Словно два бархатных черных веера в руках у испанской танцовщицы. И между этими веерами сверкнул лукавый огонек, на мгновение загоревшийся в радужке цвета черного шоколада.

Сергей обомлел. Но уже через секунду перед ним снова стояла группа очередных гостей, а троица Бондарей и Лукинов следовали в банкетный зал. Он посмотрел вслед Ольге, но в этот раз почему-то не заметил некрасивую фигуру, подчеркнутую вдобавок явно неудачным нарядом, а обратил внимание на крупные кольца черных волос, рассыпавшихся по плечам, обтянутым темно-красным бархатным жакетом.

Наконец все приглашенные собрались, расселись за длинными столами в соответствии с расставленными кувертными картами, Сергей занял место рядом с отцом и мамой, директор научно-исследовательского института, в котором трудился Михаил Евгеньевич Саблин, поднял бокал и произнес первый торжественный тост. Банкет начался, и на какое-то время Сергей совершенно забыл об Ольге Бондарь, увлекшись разговором со своей обожаемой теткой Анной Анисимовной — тетей Нютой, сидящей рядом с ним. Нюта, очень полная, оплывшая, отечная и весьма нездоровая, хотя ей в прошлом году исполнилось всего шестьдесят, по-прежнему не теряла оптимизма, бодрости духа и так любимого Серегой с детства слегка циничного юмора «на грани фола». Он совсем не слушал тосты и здравицы, предпочитая внимать теткиным рассуждениям и довольно язвительным характеристикам, даваемым ею каждому выступающему, и давиться от смеха, который вызывало буквально каждое ее слово.

Через час после начала застолья был объявлен первый перерыв, официанты кинулись убирать закусочные тарелки и готовить столы для подачи основных блюд, а гости поднялись и разошлись по помещениям второго этажа. Сергей вышел на длинную террасу, окаймлявшую две смежные стены здания, дошел до самого ее конца и закурил, прислонившись к балюстраде.

— Извини, — послышался за спиной незнакомый голос, — можно тебя побеспокоить?

Ольга стояла совсем рядом в своем нелепом красном костюме, который ей совершенно не шел, и улыбалась.

«Так, — подумал Серега, — начинается. Вот уже и первая атака, нашла-таки меня, хотя я старательно прятался. Видно, очень хотела найти. Сейчас заведет разговор о чем-нибудь многозначительном.

У этих дур подобное поведение именуется флиртом. Ладно, посмотрим, на что ты способна, Ольга Бондарь. Небось, про прекрасный весенний вечер, про природу-погоду, про то, какая у меня замечательная мама и какой выдающийся папа. Знаем мы, о чем девушка должна говорить, если хочет понравиться мужчине. А ты, Ольга Бондарь, знаешь?»

Ольга Бондарь, что сразу стало ясно, не знала. Или не хотела знать. Но возможно, просто делала вид. Во всяком случае, сказала она совсем не то, что ожидал Серега.

— Ты меня не прикроешь от предков? Они меня за курение гоняют. Если поймают с сигаретой — весь ливер на фарш переработают.

Сергей отступил от края балюстрады, пропуская Ольгу в уголок, образованный перилами и стеной здания, а сам встал так, чтобы крупную девушку не было видно из-за его спины, и протянул ей пачку сигарет.

— Спасибо, — Ольга покачала головой, — у меня свои. Я только попрошу тебя подержать сигарету и давать мне затягиваться. Если что — пусть думают, что это ты куришь, а я просто так рядом стою.

Сергей пожал плечами, с неудовольствием подумав, что эта несуразная девица вообще не имеет ни малейшего представления о современных канонах флирта и пользуется старыми, принятыми еще у прабабушек приемчиками, типа «мужчина, угостите даму папироской». Он подождал, пока Ольга прикурит свою сигарету и передаст ему. Первые несколько затяжек он держал сигарету ближе к зажженному концу, но потом ему пришлось перехватить ее поближе к фильтру, и когда он подносил пальцы к губам девушки, то с какой-то брезгливой неприязнью ощущал тепло ее дыхания. «Дешевка! — пронеслось у него в мозгу. — Дура! Надо же умудриться переть так тупо напролом! Сейчас еще, не приведи Господь, попытается дотронуться своими губами до моих пальцев, изображая нечаянный поцелуй. Ну, спасибо, маменька, удружила».

Он невольно дернул рукой, когда Ольга в очередной раз затягивалась, и девушка поморщилась.

— Что ж ты так меня боишься-то? — насмешливо проговорила она. — Я не кусаюсь. И если уж на то пошло, в жены к тебе не набиваюсь. Просто с предками скандалить не хочется, проще сделать, как они говорят. Они же вместе с твоей мамой спят и видят нас с тобой поженить, и даже то обстоятельство, что у тебя невеста беременна и свадьба через три недели, их не останавливает. Вот я подумала, что без толку пытаться что-то объяснить людям, которые таких элементарных вещей не хотят понимать. Только воздух зря сотрясать. Сделаю, как они просят, а потом скажу, что не понравилась тебе. Или ты мне.

Сергей удрученно молчал. Вообще-то обожаемая тетя Нюта частенько повторяла ему, что он совсем не умеет разбираться в людях, но Сережа никогда ей не верил, считая себя мастером общения и контактов. Что же получается, тетка права? Неужели можно было так глубоко заблуждаться?

Где-то на периферии сознания мелькнула обида, вызванная ее последними словами: «Скажу, что не понравилась тебе. Или ты мне». Ну, она-то ему не понравилась — это к бабке не ходи, но почему этой нахальной дуре мог не понравиться Сергей Саблин, по которому сохла половина девчонок на курсе? Что она вообще о себе возомнила, эта Бондарь с высокопоставленным родственником и отвратительной фигурой, в дурацком красном костюме с юбкой выше колен?! Ничего, сейчас он ей ответит — мало девице не покажется.

Однако, сам от себя не ожидая, он произнес вслух совсем другое:

— А что, я тебе в самом деле не понравился?

...Когда Серега, наконец, заметил стоящую рядом Юлию Анисимовну, то с огромным удивлением услышал от нее о том, что гости уже закончили есть основное блюдо, и через полчаса подадут десерт, и Сережу и Олю все потеряли.

— Дети, — с нескрываемым удовольствием продолжала мама, — я очень рада, что вы нашли общий язык и не скучаете. Но, может быть, вы пойдете потанцуете? Там играет очень симпатичная группа, все веселятся, а вы в уголок забились и глаз не кажете.

Сергей всей кожей почувствовал, какое наслаждение испытывала мать, произнося слово «дети» — как будто обращалась к давно и счастливо женатым сыну и невестке. Он собрался было по обыкновению огрызнуться в ответ, но внезапно понял, что повода-то нет. Они с Ольгой действительно нашли общий язык и вот уже битый час разговаривали о патанатомии, которой, к его огромному удивлению, очень интересовались оба. У себя на курсе он был самым большим любителем и знатоком этой дисциплины, ни один сокурсник не ориентировался лучше него в гистологии и патоморфологии, и он как-то уже попривык быть «первым среди равных», а то и «совсем неравных», но здесь он встретил собеседницу, которая не только не уступала ему в объеме знаний, но и, пожалуй, кое в чем превосходила, демонстрируя горячую увлеченность патанатомией, граничащую с влюбленностью.

И тут он отчего-то смутился, хотя застенчивостью никогда не страдал. Ему хотелось продолжать разговор с Ольгой, но в то же время страшно не хотелось признавать правоту Юлии Анисимовны, радостно взирающей на результат собственных усилий: ее сын с удовольствием общается с девушкой — «ровней» и по воспитанию, и по образованию, и по происхождению, и по интеллекту, и по кругу интересов. Все происходит именно так, как она и предрекала. Сергей попытался выкрутиться из ситуации без ущерба для собственного самолюбия.

— Неужели все горячее уже съели? А я так мечтал о хорошем куске бараньей ноги! — с деланым весельем заговорил он. — Что ж вы нас раньше не позвали?

— Ну, — Юлия Анисимовна двусмысленно улыбнулась, — мы не хотели вам мешать, вы тут стояли как два голубка, головы друг к другу склонили и что-то очень живо обсуждали.

— Мы обсуждали специализацию, — спокойно и ни на секунду не смутившись, ответила Ольга. — Но от горячего я бы тоже не отказалась. Там еще что-то осталось на столе или уже все унесли?

— Ваши тарелки стоят, — объявила мать Сергея, — вообще-то официанты убирают и накрывают «сладкий стол», но можно попросить их принести вам баранину, она и в самом деле удалась на славу.

За огромным столом в почти безлюдном зале они сидели вдвоем, с аппетитом поедая баранину с изысканным гарниром и не переставая болтать, делясь впечатлениями о своих институтах: Ольга училась как раз там, где заведовала кафедрой Юлия Анисимовна Саблина, а Сергей принципиально поступал в другой медицинский вуз, благо в Москве их было достаточно: Первый, Второй и Третий мединституты и еще медицинский факультет Университета дружбы народов имени Патриса Лумумбы. Ольга Бондарь собиралась стать патологоанатомом и с полуслова поняла Сергея, который стал объяснять ей, почему не хочет заниматься лечебной работой. Ей, в отличие от Лены, не нужно было приводить подробные обоснования такого решения: о моральной ответственности врача, о страхе совершить ошибку, о боли при потере больного она рассуждала даже, наверное, более глубоко, чем сам Сергей.

— А как получилось, что ты вообще выбрал медицину? — спросила Ольга. — Когда ты принял решение стать медиком?

И Сергей с упоением принялся рассказывать о тете Нюте, о том, как она прививала ему, совсем еще сопливому пацану, интерес к естествознанию, к человеческому телу, к биологии, химии, анатомии, физиологии. И к смерти.

— Неужели к смерти? — не поверила Ольга. — Ох, как тебе повезло, что рядом с тобой оказалась такая тетя Нюта! Она, наверное, необыкновенная женщина, да?

Сергей вскочил, ножки стула громко проскрежетали по паркету.

— Пошли, — он сам не заметил, как схватил Ольгу за руку и потянул за собой, — я тебя сейчас с ней познакомлю, она здесь. Может, ты видела — она в начале банкета рядом со мной сидела.

Ольга послушно встала, но руку почему-то выдернула и негромко произнесла, с улыбкой глядя прямо ему в глаза:

— Да нет, Сережа, не она с тобой рядом сидела. Это ты рядом с ней сидел.

— Что? — переспросил он, не поняв.

— Ничего, — она усмехнулась. — Пойдем знакомиться с Анной Анисимовной.

Тетя Нюта, страдавшая в последние годы от ожирения и болезни ног, сидела на мягком диванчике в прохладном холле перед входом в зал, где играли музыканты и танцевали гости.

— Душно там, — пожаловалась она, когда Сергей подвел к ней Ольгу Бондарь. — Дышать нечем. А мне-то с моим весом вообще всегда жарко.

Они принялись болтать втроем, и Сергей не переставал удивляться тому, что у них находится столько общих тем для разговора. Ольгу позвали родители, она отошла, а Нюта выразительно похлопала ладонью рядом с собой, приглашая племянника присесть. Тот послушно опустился на диванчик.

— Серенький, — этим ласковым словом Серегу называла только она, — я тебя никогда в жизни таким не видела. Подумай об этом.

— Каким — таким? — переспросил он. — Я такой же, как всегда. Даже почти и не выпил, только пару рюмок под хорошую закуску. Или ты намекаешь, что я изрядно нетрезв?

Он действительно выпил совсем мало, но не потому, что был трезвенником — в компании приятелей и сокурсников мог позволить себе весьма прилично набраться. Но сегодня праздник у его отца, и недопустимо, чтобы гости получили повод говорить или хотя бы подумать: «Н-да, ну и сынок у нашего уважаемого Михаила Евгеньевича!»

— Я сказала, что никогда не видела тебя таким, — с непонятной значительностью в голосе повторила Анна Анисимовна. — А я ведь знаю тебя с рождения. Всяким повидала. А вот таким — не доводилось. И я еще раз предлагаю тебе подумать об этом. Как следует подумать.

Но до конца банкета и ухода последнего гостя думать о таких глупостях Сереге Саблину было некогда. Он потанцевал с мамой, с несколькими ее подругами, два танца — с Ольгой, после чего они вновь оказались на террасе, радуясь одному из теплых вечеров, которые в последние годы нередко баловали москвичей в конце апреля. Расстались они, когда семейство Бондарей собралось уезжать, и на прощание Сергей попросил у Ольги номер телефона. Если бы она спросила «зачем?», он не смог бы ответить.

Но она не спросила. Просто продиктовала семь цифр, и он записал их на взятой со стола кувертной карте с именем человека, которого Сергей Саблин никогда не знал.

* * *

Ночью разразился ливень, но Сергей не стал закрывать окно, несмотря на то что дождем заливало подоконник и вода попадала даже на паркет, который Юлия Анисимовна очень берегла. Он точно знал, что если мать обнаружит мокрый пол, упреков и обвинений в безалаберности и в неумении бережно относиться к вещам и собственному жилищу не избежать. Но ему было все равно. Он ворочался с боку на бок на своем диване, то натягивая одеяло до самого подбородка, то покрываясь испариной и отбрасывая его, и все не мог найти положения, которое принесло бы успокоение и вернуло ясность мысли.

В голове вертелись невесть откуда выплывшие слова:

> Я смог без тебя весь вечер нести
> Тяжесть своих одиноких шагов...
> Больше я так не хочу —
> Без тебя.

Это стихотворение французского поэта Эжена Гильвика Сережа с раннего детства неоднократно слышал от тети Нюты. Даже ребенком он понимал, что речь идет об одиночестве. Стихи казались ему волшебными, какими-то неземными, а поскольку само стихотворение было довольно коротким, он быстро, со второго раза запомнил его наизусть.

Нюта читала его нечасто, только когда речь заходила о ее несостоявшемся женихе-поляке, от которого она и узнала о творчестве Гильвика. Сама-то Анечка Бирюкова натурой поэтической отнюдь не была и литературой в молодости не интересовалась, все больше личной жизнью увлекалась да сынишку, рожденного в семнадцать лет, пыталась растить без мужа, не до книжек ей было, профессию бы дельную получить да работу, дающую возможность приработка, а еще лучше — мужа бы найти, который примет ее с ребеночком и хоть как-нибудь обеспечит. А вот поляк Януш, ее самая большая любовь, литературу и особенно поэзию знал очень хорошо и вообще был человеком в высшей степени образованным и одаренным. И все, что осталось в памяти Анны Анисимовны о днях, проведенных с ним, хранилось бережно и любовно. Вот и это стихотворение, прочтенное ей Янеком много лет назад, она декламировала маленькому племяннику с выражением необыкновенной нежности и грусти. Глаза ее в эти минуты становились глубокими и темными, а в голосе появлялись незнакомые Сереже интонации, волнующие и почему-то вызывающие у мальчика слезы.

Примерно лет до семнадцати Сереге казалось, что это стихотворение — вершина поэтического творчества всей мировой литературы. Однако стоило ему закончить школу, провалиться на физике при поступлении в мединститут и пойти работать санитаром в реанимацию больницы «Скорой помощи», как ореол вокруг Гильвика померк, постоянные грязь, боль, запахи, стоны, слезы, смерти и практически непреходящая усталость быстро вытеснили из юной головы всякий романтизм, и любимые с детства строки стали казаться наивными, смешными и в общем-то пустыми.

Юлия Анисимовна была в ужасе, узнав о том, что сын не поступил в институт, и на протяжении двух следующих месяцев все разговоры с Сергеем велись на повышенных тонах и касались только трех тем:

— Ну почему ты меня не послушался и не подал документы в мой институт? У нас тебя не завалили бы на физике, ведь ты ее великолепно знаешь! Почему ты такой упрямый? Зачем тебе нужен был этот другой вуз? Что ты хотел нам с папой доказать?

— Ты хоть понимаешь, что весной тебя заберут в армию? Тебя могут отправить в Афганистан, тебя могут убить!

— Почему ты уперся с этой своей реанимацией? Почему районная больница? Неужели мы с папой не устроили бы тебя в приличное место?! Да вот хоть к Виктору Владимировичу, ты бы там как сыр в масле катался. Или даже в Склиф. Почему ты такой упрямый? Что и кому ты хочешь доказать?

Серега никому ничего доказывать не собирался. Кроме самого себя. Ему важно было проверить и убедиться: действительно ли он хочет заниматься медициной? Действительно ли может? Выдержит ли? Сумеет ли? Будет ли это так же интересно, как ему казалось, когда тетя Нюта рассказывала о строении и функционировании человеческого тела? По плечу ли ему самая тяжелая и грязная работа? И, в конце концов, мужик ли он, мужик с упрямым жестким казацким характером, о котором говорил дед Анисим?

Именно поэтому он и выбрал работу санитара в отделении реанимации одной из московских «скоропомощных» больниц: здесь можно было увидеть все — и болезни, и травмы, и отравления, одним словом, все, что угодно. Жизнь в отделении кипела и ни на минуту не замирала, вся работа казалась одним сплошным экстримом, хотя обязанности у юного санитара были весьма далеки от возвышенных материй: мытье полов, мытье, перевозка и переноска больных, помощь среднему медперсоналу. Но работа Сереге нравилась, и ни на какую другую он ее не променял бы.

Кроме того, здесь была смерть. Много смерти. Самой разной. От самых разнообразных причин. И это привлекало Серегу Саблина, пожалуй, больше всего. Он не мог бы тогда объяснить, почему его так манит, так притягивает тайна смерти. Он просто это ощущал.

В обязанности санитара входила и перевозка трупов умерших в больничный морг, который в целом принадлежал патологоанатомическому отделению больницы, но одна секционная была отдана для нужд Московского городского бюро судебно-медицинской экспертизы, где вскрывали трупы тех, кто умер в этой больнице от травм и отравлений. Месяца через три после начала работы Сергей стал регулярно в свободное от дежурств время заходить в секционные — ему разрешали присутствовать на вскрытиях. Многих из этих людей, лежащих на секционном столе, он видел у себя в отделении, когда они были еще живы, знал о том, что с ними произошло, видел, как приходили следователи и еще какие-то люди из правоохранительных органов (в то время Серега еще не очень разбирался во всех этих тонкостях). А потом видел их мертвыми. И каждый раз испытывал жгучий интерес к тому, что сам для себя называл «механизмом запечатлевания»: как, каким образом то, что произошло раньше, наложило свой отпечаток на организм человека, какие следы оно оставило, как эти следы выглядят и как их можно найти? Как их увидеть? Как правильно объяснить? Какие изменения происходят в человеке, пока качество «жизнь» медленно, а порой и стремительно переходит в качество «смерть»?

О выборе профессии судмедэксперта он в то время совсем не думал, особенно после одного разговора с медбратом — студентом пятого курса, который работал в реанимации этой больницы уже давно, тоже начинал с санитаров и знал здесь каждого человека и каждый закуток. Однажды Серега повез в морг тело умершего и застал перед секционной судмедэкспертизы довольно неприглядную картину: двое санитаров оттаскивали в сторону входной двери рыдающую женщину, а врач-судмедэксперт, совершенно пьяный, стоял, пошатываясь, и кричал ей какие-то отвратительно грубые слова, перемежаемые обильным незатейливым матом.

Вернувшись в отделение, он столкнулся с медбратом-пятикурсником.

— Чего у тебя рожа такая перевернутая? — спросил тот. — Случилось что?

Серега, не скрывая недоумения, поделился с ним впечатлениями об увиденном. Медбрат понимающе хмыкнул:

— Ну и чему ты так удивился? Ты что, не видел, что эксперты — через одного бухие на работе? Это еще у нас, на выезде, так сказать, среди чужих. А у себя в Бюро, среди своих, вообще не просыхают.

— Но как же так? — удивился Серега. — Как же можно работать пьяным? Они же могут ошибиться с диагнозом.

— Ошибиться с диагнозом? — пятикурсник громко заржал. — Да они не только с диагнозом — эти трупорезы с окном и дверью ошибиться могут, в окно выйти попытаются, в дверной проем не попадут, когда крепко «взямши». А ведь они в таком состоянии трупы вскрывают.

Но Сергей все еще не верил, что такое возможно. Тогда медбрат, понизив голос и оглядываясь по сторонам, поведал историю о некоем начальнике одного Бюро судмедэкспертизы, который регулярно и сильно квасил на рабочем месте со своим заместителем, и в один прекрасный день между ними возникла ссора, в ходе которой этот самый заместитель схватил со стола телефонный аппарат да и вмазал им по голове шефа. А шеф возьми и умри. Дело возбудили сперва, потом замяли, на тормозах спустили, а заместителя-убийцу ничтоже сумняшеся назначили на место убитого.

— Вот и прикинь, какие нравы там царят, в этой экспертизе, и что за народ туда идет, — огласил резюме пятикурсник.

— То есть сам ты не пошел бы туда работать? — спросил Серега.

— Туда? — тот презрительно прищурился. — Жмуров потрошить? Да на фига мне это надо?! Это же полная деградация, самый отстой медицины. Там с ними сопьешься за пять лет.

— А если не пить?

Пятикурсник посмотрел на юного санитара как на недоумка.

— Ну как не пить-то? Ты головой своей подумай: как не пить, если все время несут? Это ж какие нервы надо иметь, чтобы держать бутылку в руках и не выпить.

— А кто несет? — не понял Серега, который после окончания школы видел настоящую взрослую жизнь только здесь, в палатах отделения реанимации, и о многих грязноватых сторонах советского бытия не имел ни малейшего представления.

— Как это — кто? Менты несут, чтоб побыстрее результат был и чтобы в акте экспертизы написали так, как надо. Родственники умерших несут. Но не всегда бутылками, иногда и деньгами, причем хорошими, им ведь надо, чтобы покойного забальзамировали, помыли, подкрасили, короче, чтобы к похоронам все было чин-чинарем. Опять же за суть экспертного заключения нередко платить готовы. Смерть, знаешь, она штука денежная, на ней всегда можно хороший урожай «капусты» поднять. Но это игрушки опасные, залетишь — и всё, кранты, можно сливать воду. Так что никакого резона идти в экспертизу нет: ни славы, ни денег, одни трупы и сплошной геморрой.

Слова медбрата накрепко засели в голове у Сереги, который в то время еще совсем не представлял, какой именно отраслью медицины хотел бы заниматься. Знал твердо одно: он будет врачом, а уж каким — время покажет. Поступит в институт, узнает побольше о разных дисциплинах, тогда и определится. Но судебно-медицинским экспертом он не станет никогда!

Он попал в весенний призыв 1984 года. Юлия Анисимовна плакала каждый день, понимая, что с упрямым сыном справиться не сможет: он хочет служить, он хочет стать мужчиной, тем более что в армию призывают и многих его знакомых, одноклассников, не поступивших в вузы.

— Как я буду в глаза смотреть ребятам, которые так же, как и я, провалились на экзаменах сразу после школы? Они в армии, а я почему нет? Потому что у меня папа — знаменитый хирург, а у мамы полно нужных знакомых? Я не хочу, чтобы мне потом всю жизнь было стыдно. Пусть лучше меня убьют, чем жить в стыде. Let life be short; else shame will be too long. Если ты не поняла — я переведу: Пусть жизнь будет коротка, иначе позор будет слишком долог. Шекспир, «Генрих V».

— Вот видишь, — восклицала Юлия Анисимовна, — ты сам все понимаешь! Ты свободно говоришь по-английски, ты читаешь Шекспира в оригинале и цитируешь наизусть! И ты считаешь нормальным при такой эрудиции работать санитаром и служить в армии?! Ты хоть сам-то отдаешь себе отчет, насколько это ненормально?

Сергей только пожимал плечами: дескать, ничего ненормального он тут не видит. С генами Анисима Трофимовича сделать ничего оказалось нельзя. И Серега отправился служить в зенитный ракетный полк, в технический дивизион, в отделение сборки и снаряжения ракет.

Поздней осенью он свалился с тяжелой ангиной и загремел в санчасть. Начальник медслужбы полка уехал в Штаб округа по делам, оставив вместо себя начальника медпункта, о котором среди солдат и прапорщиков ходили смутные слухи: якобы он был не то патологоанатомом, не то судебно-медицинским экспертом, что-то напортачил и в наказание был на два года призван в армию из запаса. Сергей валялся на койке с температурой 39,3, а начмед вольготно выпивал в своем кабинете на пару с приехавшим в часть из дивизиона офицером, остановившимся переночевать в санчасти: при отсутствии особо опасных больных изоляторы санчасти обычно всюду использовались как гостиничные номера. В какой-то момент вышедший в сортир командировочный не закрыл по возвращении за собой дверь в кабинет, и до Сереги стали доноситься голоса, приглушенные дверью в коридор. Ему было скучно, и он встал и открыл дверь, чтобы лучше слышать разговор, который первые минут двадцать крутился вокруг каких-то неизвестных Саблину офицеров Штаба и их служебной карьеры, а потом плавно съехал на карьеру самого начмеда.

— И знаешь, на чем я погорел? — уныло рассказывал тот. — На жене второго секретаря обкома. Нашли повешенной в собственном доме. Ну, я уж молчу про обстановку на месте происшествия — так в реальной жизни никто не вешается, так только в книжках и в кино бывает. Но это еще ладно, а вот на столе совсем другая картина получилась. У трупа на шее петля намотана в восемь витков с пятью узлами, причем намотана туго-туго! Вскрываю и вижу сливные кровоизлияния в мягких тканях шеи...

— Чего-чего ты там видишь? — нетрезвым голосом переспросил командировочный.

— Да ладно, не морочься, ты ж не медик. Короче, душили бабу веревкой, а потом подвесили, чтобы имитировать самоубийство.

— Да брось ты, — недоверчиво протянул офицер. — Кто ее мог душить в доме второго секретаря обкома? Сантехник, что ли?

— Так и я о том же, — горячо подхватил начмед; по этой горячности и вмиг протрезвевшему голосу Серега понял, как сильно будоражит медика эта история, как глубоко она его задела. — Никто не мог ее там душить, кроме сам понимаешь кого.

— Ну, и чего ты сделал?

— Написал в экспертизе все, что думал. Через день приходят двое, в черном костюме — из обкома, в сером — сам понимаешь откуда. Короче, за один день меня как савраску отымели сначала эти, в костюмах, потом начальник Бюро, потом заведующий моргом, которому за мое заключение уже приличную клизму вставили, дескать, он должен был меня, барана, вовремя остановить. Экспертизу у меня забрал начальник Бюро, а через неделю я уже и повестку получил. Но это мне еще повезло, что в армию призвали. А то ведь могли — сам понимаешь что.

— Ни хрена себе, — выдохнул гость из дивизиона. — То-то о тебе слухи ходят... Ну ладно, а кончилось-то чем? Нашли убийцу?

— Ты что, больной? — тихо спросил начмед, в голосе которого послышалась черная пыльная тоска.

На следующий день начмед повез рядового Саблина в районную больницу на рентген — он заподозрил пневмонию. Опасения оказались напрасными, и после исследования начмед, мрачный и тяжелый после вчерашних возлияний, отправился в больничный морг, ничего Сереге не объясняя. Тот, слегка пошатываясь от слабости и не понимая, куда его ведут в такую промозглую сырую погоду, если еще накануне у него была высокая температура и ему предписали постельный режим, покорно плелся следом. У входа в отдельно стоящее одноэтажное небольшое строение начмед буркнул:

— Посиди пока, я недолго.

И скрылся за дверью.

Его не было уже минут тридцать, и окоченевший Саблин рискнул нарушить приказ старшего по званию. Он открыл дверь и вошел внутрь. Уже через несколько шагов Серега стоял на пороге секционной, не веря своим глазам: его начмед и еще какой-то очень пожилой врач, оба в халатах, вскрывали труп мужчины.

— А ну выйди отсюда, — зло скомандовал начмед, — нам и без твоего обморока тут дел хватает.

Однако услышав, что боец до армии год проработал санитаром в реанимации и много раз присутствовал на вскрытиях, пробормотал сквозь зубы разрешение остаться и посмотреть. Серега внимательно наблюдал и одновременно слушал. Скоро ему стало понятно, что труп мужчины обнаружили на автотрассе, то ли сбит он был неустановленным автомобилем, то ли выпал из кузова, и теперь для выяснения механизма травмы эксперты ищут точку приложения травмирующей силы и ее высоту от подошв, чтобы определить высоту бампера автомобиля, а также признаки переезда тела колесами. Сереге было страшно интересно, но вызванная болезнью слабость перешла в головокружение и дрожь в ногах, и хотя он изо всех сил старался не показывать, как ему плохо, пожилой доктор заметил-таки серо-зеленый цвет лица рядового Саблина и велел ему выйти и где-нибудь посидеть.

После окончания исследования трупа начмед нашел Серегу на деревянном колченогом стуле с рваной обивкой, стоящем в тамбуре.

— Ты как, ничего? — равнодушно спросил начмед. — Сейчас дежурная машина подъедет.

Серега с удивлением подумал о том, что начмеду, образно говоря, пофигу здоровье солдата, которого он, занимаясь своими делами, продержал на ногах в холодном сыром помещении, вместо того чтобы отвезти его назад в часть и уложить в постель. Разве врачи бывают такими?

— Товарищ старший лейтенант, — обратился к нему Сергей, — почему вы участвовали во вскрытии? Вы же не эксперт.

— Был когда-то, — усмехнулся начмед. — И даже, говорят, неплохим. Попросили меня поучаствовать — случай больно мудреный, в таких делах дополнительные глаза лишними не бывают.

— Ну и как, разобрались, что к чему? — полюбопытствовал Саблин.

— А то! Не сбивала этого мужика машина. Упал он откуда-то с небольшой высоты с ударом затылком и правой боковой половиной туловища, при этом в момент падения скользил по грунту.

— А что это означает?

— А означает это, что он, возможно, выпал или был выброшен из открытой двери движущегося автомобиля. Или свалился с заднего сиденья мотоцикла, двигавшегося на большой скорости.

— Неужели это по следам на трупе видно?

— Еще как видно! Трупы — они, знаешь ли, просто кладезь информации, если иметь терпение ее искать и умение ее читать.

Серега с восхищением посмотрел на начмеда, мгновенно забыв свою недавнюю обиду.

— Это сколько же всего нужно знать, чтобы уметь искать такую информацию и правильно ее считывать?

— Ты прав, — начмед удрученно вздохнул, — знать надо много. Знания, необходимые судмедэксперту, по объему всегда больше знаний любого врача-специалиста. Окулист только в глазах разбирается, гинеколог — сам понимаешь, в чем, а эксперт должен разбираться во всем, иначе грош ему цена.

Сергей ушам своим не верил. А как же многоопытный медбрат-пятикурсник, который с видом знатока уверял, что судмедэкспертиза это полный отстой, там все алкаши и халтурщики, и вообще туда идут только те, кого уже отовсюду поперли за ошибки, безграмотность, халатность или пьянство?

— А, — махнул рукой начмед, и губы его искривила презрительная ухмылка, — ты идиотов всяких больше слушай! Конечно, в экспертизе всякой твари по паре, есть и такие, которых отовсюду попросили, и сильно пьющие есть, и взяточники, и дураки. Так а где их нет-то? Какую профессию ни возьми, в какое рабочее место ни ткни — найдешь таких. Но я лично в экспертизу пошел только потому, что хотел этого. Мне было интересно.

— Интересно?

— Интересно, — кивнул начмед. — Интересно искать истину. И еще более интересно ее обосновывать и доказывать. Знаешь, когда ловишь настоящий кайф? Когда понимаешь, что никто, кроме тебя, истину установить не сможет, и только от тебя зависит, удастся ли узнать, как все было на самом деле. И вот ты стоишь у секционного стола часами, смотришь, прикидываешь, думаешь, отбираешь материал для гистологии и химии, потом ждешь результатов дней десять, и все эти десять дней у тебя случай из головы не идет, потом приходят остальные исследования, ты смотришь, анализируешь, сопоставляешь с тем, что видел на вскрытии и читал в материалах дела, и внутри все дрожит аж до звона: понимаешь, что либо ты — либо никто. Если ты не разберешься, если ты ошибешься — истины никто не узнает. А потом у тебя складывается картина: как все было, что произошло, от чего человек умер. Вот где настоящий кайф! А вовсе не в бутылке. И не в постели с бабой, даже самой сладкой.

В том, что образование он будет получать медицинское, Серега Саблин никогда не сомневался, твердо решив стать врачом еще в 12 лет. Но после разговора с начмедом в его голове стало все отчетливее формироваться понимание того, чем именно он хочет заниматься...

Все это он рассказывал Ольге сегодня вечером и видел в ее глазах не только интерес к самому рассказу, но и абсолютное понимание. Она не стала уверять его в том, что заниматься чистой патанатомией куда лучше, и спокойнее, и безопаснее, и как бы даже приличнее. Она просто кивнула, когда Сергей сказал, что хочет заниматься судебно-медицинской экспертизой, и тихонько рассмеялась, услышав, что Юлия Анисимовна категорически не одобряет этот выбор.

— Кто бы сомневался, — заметила она. — Ее можно понять. Но я думаю, Сережа, что если ты хочешь стать действительно хорошим экспертом, тебе надо пройти интернатуру именно по патанатомии, а не по судебной медицине. Хороший эксперт должен обязательно быть хорошим гистологом.

Такого ему еще никто не говорил! Мама вообще слышать не хотела о судмедэкспертизе и даже о патанатомии, Ленка просто не понимала, чем он собирается заниматься, а когда он объяснил, что лечить больных не будет, пожала плечами и как-то погрустнела. Отец в обсуждениях не участвовал, погруженный в собственную работу и любимую науку, и если и имел какое-то мнение, то его вполне успешно, регулярно и громогласно озвучивала Юлия Анисимовна, произнося сакраментальное:

— Мы с папой считаем... Мы с папой решили... Мы с папой...

Ольга Бондарь оказалась первым человеком, не считая преподавателей кафедры судебной медицины, который отнесся к его выбору серьезно и с огромным уважением.

Но почему же из головы не идут строки Гильвика?

* * *

К утру ливень приутих и превратился в ровный, навевающий сон и скуку осенний дождь. Даже не похоже на конец апреля, скорее уж начало ноября. Сергей заснул в шестом часу утра, измучившись осознанием такой простой и пугающей мысли: он совершил ошибку, непоправимую ошибку. И пути назад у него нет. Ничего изменить уже нельзя, иначе он не сможет сам себя уважать.

Мысль, одолевавшая его всю ночь, имела две составляющие. Первая заключалась в том, что Лена — совершенно определенно не тот человек, с которым Сергей Саблин хотел бы прожить жизнь. Но она ждет ребенка, их ребенка, поэтому он обязан жениться на ней и стать хорошим мужем и хорошим отцом. В этой составляющей у него не было ни малейших сомнений, все очевидно, и глупо закрывать на это глаза. Одно плохо: мама оказалась права. И нужно во что бы то ни стало постараться скрыть от нее этот факт. Никогда, ни за что на свете Серега Саблин не признает чужую правоту, если сам до этого отстаивал другое мнение. Он легко принимал точку зрения собеседника, если не высказывал собственную позицию. Но стоило ему обозначить суть собственного убеждения, отступить от него он уже не мог, даже сознавая, что ошибался, что упорствует в нелепом и ненужном заблуждении. Серега Саблин был в общем-то сильной личностью, но были вещи, делать которые он не мог органически: признавать свою неправоту и просить прощения. А уж признавать собственную неправоту перед мамой было выше его сил при любых раскладах.

Вторая составляющая ночных переживаний оформилась не столь отчетливо, она волновала и пугала Сергея. Он так и не понял, почему слова Эжена Гильвика не давали ему покоя, всплыв на поверхность сознания из бог весть каких глубин:

Я ходил без тебя в леса,
Я ходил без тебя в луга,
Без тебя я смог сто тропинок пройти,
Без тебя я смог у ручья прилечь,
Без тебя я смог весь вечер нести
Тяжесть своих одиноких шагов.
Больше я так не хочу —
Без тебя.

Он не мог бы поручиться за точность цитирования, прошло слишком много лет с той поры, когда тетя Нюта их декламировала, а Сережа замирал, охваченный нежностью и неясной тревогой. Но в целом был уверен, что помнит стихотворение достаточно близко к тексту. И с чего оно так назойливо крутится в голове, и звучит в ушах голос тети Нюты, и неясная тревога, щемящая и в то же время сладкая, не дает ему покоя?

Ответа он, проснувшись, не нашел, но зато нашел, как ему показалось, очень правильное и рациональное решение: позвонить Ольге. Телефон у него есть. Ольга вчера показала себя вдумчивой, умной и заинтересованной слушательницей, если рассказать ей о своем смятении, вызванном Гильвиком, то она обязательно поможет разобраться. Она проанализирует каждое слово в стихотворении, каждую мысль, о которой Сергей ей расскажет, она вникнет во все обстоятельства и непременно поможет ему справиться с этой томительной и необъяснимой тревогой. Сам он причин для тревог не видел. Он видел причины только для отчаяния из-за ошибочно принятого решения, отменить которое он не в силах. А тревога-то тут при чем? Тревога — это симптом отсутствия информации, непонимания, ощущения того, что ты не управляешь ситуацией, не контролируешь ее. Ничего подобного в своей жизни Серега Саблин в данный момент не наблюдает.

Поэтому он без малейших колебаний вытащил из кармана кожаного пиджака, в котором накануне был на банкете, глянцевый прямоугольник, на котором с одной стороны было каллиграфическим почерком выведено незнакомое имя, а с другой — нацарапан номер телефона. Хорошо, что банкет по случаю юбилея Михаила Евгеньевича состоялся в субботу, сегодня выходной, и дежурства у него нет, и Ольга, надо надеяться, свободна.

Она ответила сразу же, словно сидела возле телефонного аппарата или в момент звонка проходила мимо.

— Конечно, — согласилась она, едва услышав просьбу Сереги о встрече, — только где? На улице такой дождь, не хочется промокнуть.

— Может, в кафе посидим? — предложил он.

Девушка рассмеялась в трубку.

— А до кафе как добираться? На ковре-самолете? Если хочешь, можешь приехать ко мне домой, родители уехали на дачу с самого утра, несмотря на погоду. Вот охота же этим маразмом заниматься! Меня на дачу даже под расстрелом не вытащишь.

Сергей ошарашенно молчал. Он готовился уговаривать, выслушивать отказ — а как же иначе должна повести себя девица на выданье, когда ей предлагает встретиться молодой мужчина с явно не матримониальными намерениями? Зачем им встречаться, если это не романтическое свидание?

— Чего ты молчишь? — снова послышался ее смех. — Не бойся, я тебя приглашаю к себе без всякой задней мысли. Ничего такого я в виду не имею. Впрочем, может быть, и имею. Это уж как пойдет.

— Что пойдет? — испуганно спросил Серега, который при всей быстроте ума никак не мог угнаться за ее прихотливым юмором. — Куда пойдет?

— Пойдет туда, куда надо, — девушка уже откровенно хохотала. — Да не волнуйся ты, против твоей воли ничего плохого с тобой здесь не случится. Я тебя не обижу.

Ее грудной, чуть хрипловатый смех звучал так задорно и открыто, что Сергей опомнился и тоже невольно улыбнулся. Не привык он к такому, Ленка никогда не была прямой и откровенной, она жеманилась, намекала, одним словом, «давала понять». И если прежде Сергею это нравилось и даже умиляло, то сейчас он вспомнил об этом с неожиданным, непонятно откуда взявшимся раздражением.

Он записал адрес, накинул ветровку с капюшоном, схватил зонт и выскочил на улицу. Поймать машину в такую погоду в Москве — дело совершенно нереальное, но ему все-таки удалось остановить какого-то бомбилу на раздолбанных «Жигулях» первой модели с ржавым задним правым крылом и изрядно поцарапанными дверцами. Да какая разница! Лишь бы довез.

Ольга открыла ему дверь вся в черном: черные широкие брюки с высоким широким поясом, которые в первый момент Серега даже принял за длинную юбку «в пол», черная облегающая трикотажная кофточка с глубоким вырезом, в котором сияла белоснежная кожа пышной груди, два ярких пятна — бирюзовый шарф, перехватывающий высоко поднятые на затылке густые вьющиеся волосы, и крупная подвеска из бирюзы в серебряной оправе, висящая на серебряной же цепочке. Сергей обомлел. Да та ли это девушка, которую он вчера впервые увидел и ничтоже сумняшеся сравнил с каракатицей?! Куда делись короткие ноги? Где некрасивой формы ягодицы? Где пресное, неинтересное лицо, единственным достоинством которого ему казались только обрамленные длиннющими ресницами темно-карие глаза? Куда это все девалось? Ведь вчера все эти чудесные «достоинства», подчеркнутые красным костюмом, громко заявляли о себе!

Ольга отступила назад, пропуская его в прихожую, и усмехнулась, глядя на его растерянное лицо.

— Ну, я вижу, шоковая терапия пошла на пользу. Ты даже цветочка не принес. В голову не пришло, да?

Он удрученно кивнул и принялся стаскивать промокшую ветровку, с которой вода капала на лежащий в прихожей дорогой палас.

— Значит, я вчера хорошо постаралась, — весело продолжала Ольга. — Я же понимала, с какими мыслями ты будешь со мной общаться, и ситуацию твою знала, меня просветили. И мне было ужасно жалко тебя уже заранее. Потому я и костюмчик такой надела, специально выбирала, неделю голову ломала, во что бы такое нарядиться, чтобы ты с первого взгляда понял: я не стараюсь тебе понравиться и ни на что не претендую. Не хотела, чтобы ты зря нервы тратил на этот маразм. Я же знаю, что моя фигура так же далека от совершенства, как уши от пяток, и ноги короткие, и все остальное не очень, но я знаю, как нужно одеваться, чтобы это всё выглядело пристойно, а как одеваться не нужно, чтобы не подчеркивать мою чудесную красоту. Вот вчера я как раз и оделась так, как не нужно. Тебе понравилось?

И она снова расхохоталась искренне и безудержно. Но Сереге не было смешно. Он чувствовал себя растерянным и никак не мог сориентироваться в заданном Ольгой тоне. Она шутит? Или говорит серьезно? Чего она ждет от него, каких слов:

искренних комплиментов, на которые он никогда не был мастером, или язвительного подшучивания? Может, лучше ничего не отвечать насчет ее внешности, а то так недолго и впросак попасть. А попасть впросак, да еще с малознакомой девушкой, Серега Саблин позволить себе не мог — самолюбие всегда было выше любых резонов.

— Я насчет цветов не понял, — признался он, с недоумением ощущая, что впервые в жизни ему легко признаваться совершенно, в сущности, постороннему человеку в том, что он чего-то не понимает. В своем окружении Сережа Саблин всегда был самым умным, самым начитанным, самым способным и самым ловким. Он был неформальным лидером в любой группе, к которой соизволял примкнуть. Ему смотрели в рот, к нему прислушивались, им восхищались. И, уж конечно, ни о каком непонимании чего бы то ни было с его стороны даже речь идти не могла. А тут... Какая-то девица, да еще на три года моложе его самого. И он без малейшего усилия говорит о том, что «не понял». Даже на душе не заскребло.

— Я сделала вчера все, чтобы ты не относился ко мне как к существу противоположного пола. Я хотела, чтобы ты не видел, что я женщина. Ты должен был увидеть во мне просто человека, возможно — товарища, в любом случае — собеседника, но никакой романтики. Раз ты не принес мне цветы, значит, у меня все получилось. Или нет?

— А ты действительно женщина? Не девушка?

Спросил — и обмер. Слова вырвались прежде, чем он сумел их осознать, обдумать и удержать внутри себя. Зачем он спросил? Какая ему разница, есть у Ольги сексуальный опыт или нет? Что она теперь о нем подумает?

Он еще пытался спасти положение, поэтому глупо добавил:

— Или это просто фигура речи, и под словом «женщина» ты имела в виду, что ты не мужчина?

Она снова расхохоталась и пошла в гостиную. Серега последовал за ней.

— Саблин, — Ольга повернулась к нему, лицо ее было совершенно спокойным, без тени смущения, — ты окончательно зарапортовался и сам себя загнал в угол. Давай я помогу тебе выпутаться.

— Давай, — покорно кивнул Серега, не очень отчетливо понимая, что происходит.

— Ты совершенно правильно заметил: я не мужчина. Более того, я действительно женщина, то есть я уже очень давно не девушка. Если тебя это интересует, то добавлю: сейчас я свободна. А теперь рассказывай, что случилось и какой у тебя ко мне разговор. Ты что пьешь, чай или кофе?

— Чай, — пробормотал он, — крепкий, сладкий, с лимоном. А курить у вас в квартире можно?

— Тебе — можно. А мне нельзя. Но я тобой прикроюсь.

— Что значит — мне можно? — он снова ничего не понимал. — Ты что, собираешься сказать родителям, что я к тебе приезжал?

— А почему нет? — ответила она вопросом на вопрос. — Что мне скрывать-то? Что плохого в том, что ты приезжал? Наоборот, они будут совершенно счастливы, что их усилия увенчались успехом. Да расслабься ты, Саблин! Запомни: я никогда не вру предкам. Врать — это не уважать саму себя. Потому что если ты делаешь то, в правильности чего ты уверен, то ты обязан свою точку зрения отстаивать. А если ты знаешь, что делаешь неправильно, и пытаешься это скрыть и наврать, то ты козел, который знает, что делает гадость, и все равно делает.

И при этом пытается делать вид, что этого не делает. Такой козел права на самоуважение не имеет. Согласен? Тогда пошли на кухню, будем пить чай, курить и разговаривать, а вечером я скажу, что ты приезжал и накурил тут.

— А как же курение? — Сергей не удержался, чтобы не поддеть ее. — Ты же только что сказала, что не врешь?

— Так я и не вру. Я умалчиваю. Если они спрашивают: «Ты что, курила?», я всегда признаюсь, не отнекиваюсь и не выкручиваюсь, хотя и понимаю, что сейчас начнется. Оно и начинается. Но если не спрашивают напрямую, то молчу, конечно. Что я, враг себе? Я скажу, что ты приезжал и накурил. Если они спросят, курила ли я вместе с тобой, признаюсь. Если не спросят — промолчу. Вот и все.

Они устроились на уютно обставленной идеально чистой кухне, Ольга заварила чай в красивом чайнике из английского фарфора, поставила чашки и сахарницу, нарезала тонкими ломтиками лимон. Предложила Сергею сделать бутерброды, но он отказался.

— Ну, рассказывай, — Ольга села напротив него, немного отодвинув стул от края стола, положив ногу на ногу, с прямой спиной и расслабленными руками: в одной руке сигарета, другая свободно лежит на подлокотнике полукресла.

Он мучительно соображал, с чего начать. Что он хотел ей сказать? О чем спросить? О тревоге и беспокойстве, вызванными давно забытыми стихами? Как-то глупо... Но Серега Саблин был по-казацки упрям и упёрт: если начинал, то доводил до конца, даже понимая, что начинать-то и не надо было. Он не из тех, кто, ввязавшись в драку, трусливо бежит с поля боя.

— Ты стихи любишь? — с места в карьер начал он.

— Нет, — спокойно ответила Ольга. — Я люблю прозу. Стихов я не чувствую и ничего в них не понимаю.

Сергей опешил. Такого он не ожидал. Как же можно навязывать разговор о поэзии человеку, этой поэзией ни на минуточку не интересующемуся? Но как-то же надо подойти к Гильвику!

— Тебе понравилась моя тетя Нюта?

Ольга кивнула и улыбнулась.

— Удивительная женщина. От нее веет какой-то неземной силой. Я всегда почему-то думала, что такими должны быть гадалки и колдуньи.

— А она и есть колдунья, — признался Серега. — И гадалка заодно. У меня в роду по материнской линии все сплошь ворожили и гадали. Не знаю, была у них какая-то особенная способность или все это шарлатанство, не разбираюсь я в этом и судить не могу. Но то, что у всех женщин потрясающая интуиция и от всех веет какой-то загадочной силой — это правда. А Нюта у меня очень хорошая, она меня, считай, вырастила и воспитала, маме не до меня было, у нее сначала кандидатская, потом докторская, лекции, студенты, аспиранты, докторанты, конференции, заседания кафедры, монографии и все такое... В общем, ей всегда было некогда. Про отца я уж вообще молчу, для него весь мир ограничен площадью операционного стола. А у Нюты всегда находилось для меня и время, и внимание, и любовь. Все, что я знал в детстве, я знал от нее. И про строение человеческого уха, и про «холодную войну», и про «Собачье сердце» Булгакова, которое тогда было в списке запрещенной литературы. Даже про Каныка я от нее знаю.

Ему казалось, что к вопросу о поэзии он довольно ловко подобрался с другой стороны.

— Канык? — повторила Ольга задумчиво. — Что это?

— Не что, а кто, — Сергей снова почувствовал себя, наконец, в своей тарелке: он знает больше. — Это турецкий поэт, Орхан Вели Канык. Не слышала никогда?

Она отрицательно покачала головой.

— Он жил в первой половине нашего века, умер совсем молодым, прожил всего тридцать шесть лет. Вот послушай:

Каждый ли день настолько красиво это море?
Всегда ли выглядит небо таким,
Всегда ли настолько прекрасна
Эта вещь, это окно,
Нет,
Ей-богу, нет;
Что-то здесь не так.

Канык был одним из тех поэтов, чье творчество так нравилось поляку Янушу, возлюбленному тети Нюты. Он читал его наизусть, а потом Нюта читала эти стихи маленькому Сереже. У Януша было два любимых поэта — Канык и Гильвик, и что же удивляться тому, что именно они стали единственными Настоящими Поэтами в глазах Анны Бирюковой, которая никаких других стихов в своей жизни не читала и не знала. Турецкий и французский поэты навсегда связали ее с Янеком, которого она любила так сильно, как ни одного другого мужчину в своей жизни, а было этих мужчин более чем достаточно: пышнотелая, веселая, оптимистичная и добрая красавица Анечка всегда пользовалась повышенным вниманием со стороны противоположного пола. И Сереже, выросшему рядом с теткой, эти поэты казались гениями довольно долго, пока он не повзрослел. Он пытался однажды почитать стихи Каныка Лене, чтобы поговорить о том, как меняется восприятие с годами, но ей сразу стало скучно, и она не дослушала до конца даже первое стихотворение, совсем коротенькое, всего из трех строк. Интересно, что скажет Ольга, которая открыто заявляет, что поэзией, как и Лена, не интересуется.

Брови Ольги слегка приподнялись, в глазах засветился неподдельный интерес. Однако вопрос, который она задала, оказался для Сергея совершенно неожиданным.

— Какого года это стихотворение?

Он замялся, вспоминая. Нюта говорила, она точно помнила даты написания всех стихов Каныка, потому что их помнил и называл Янек. Да и стихов-то было не так много, поэтому знание хронологии особых трудностей не представляло.

— Сорок шестого, кажется. Или сорок восьмого... Нет, точно, тысяча девятьсот сорок шестого.

— А год рождения какой? — продолжала допытываться Ольга.

— Четырнадцатый.

— Значит, ему было тридцать два года, — задумчиво проговорила она. — Ну что ж, тогда понятно. Хотя и поздновато, конечно, по нынешним-то меркам.

— Поздновато? — он опять ничего не понял, и опять не постеснялся в этом признаться.

Чудеса, да и только. Что с ним происходит? И вообще, что происходит?!

— Ну да, поздновато. Я, например, к этой мысли пришла лет в двадцать. Но нужно делать скидку на акселерацию и информационные потоки. Наше поколение раньше приобретает опыт. А в первой половине двадцатого века тридцать два года — самый подходящий возраст для осознания того, что в каждый момент своей жизни ты смотришь на вещи разными глазами. И то, что казалось тебе прекрасным сегодня, завтра покажется отвратительным, а послезавтра вызовет только снисходительную улыбку, и ты будешь удивляться и недоумевать: что тебя так восхищало в этом? и почему тебе это потом так не нравилось? Глаза, которыми мы смотрим на мир, меняются не то что каждый день — каждый час. Так что все правильно. Закон жанра.

Ну да, вот и с Леной у него получилось точно так же. Еще вчера утром его сердце плавилось от нежности к ее простоте, детскости, невинной кокетливости и привычке обиженно надувать губки. Однако прошли всего сутки, и все это кажется ему глупым, пошлым, непривлекательным и не вызывающим ничего, кроме недоумения и отторжения. Он хотел было сказать об этом Ольге, но остановил сам себя: все-таки это было бы гадостью по отношению к Ленке. Гадостью и предательством. Она ни в чем не виновата, она доверилась ему, он ее приручил, он дал ей уверенность в том, что всегда будет рядом и никогда не оставит, и как же теперь он может отступить? Всем известны слова о том, что мы в ответе за тех, кого приручили. Общее место, даже повторять неловко.

Но в то же время он не мог подавить чувство удовлетворения: он управляет ситуацией, он контролирует ее, и все идет так, как хотел Сергей! Он тоже увидел в этом стихотворении изменчивость восприятия, и как раз об этом и хотел поговорить с Ольгой. Переход к Гильвику и его откровенно любовным стихам получился вполне непосредственным и не имеющим романтической окраски. Он прочел Ольге «Без тебя» и поделился своими новыми и неожиданными ощущениями от давно забытых слов.

— Не пойму я, почему мне так обломно от этих стихов, — закончил он свой рассказ. — Я женюсь на Ленке, я буду вместе с ней растить нашего ребенка, у меня свадьба через две недели. Да, я отчетливо понял, что не хочу этого. И точно так же отчетливо понимаю, что ничего не хочу и не имею права переигрывать назад. Иначе буду считать себя скотом. Оль, ведь все же ясно, все точки над «i» расставлены, никаких сомнений в собственной правоте у меня нет. Так что ж я дергаюсь так, что спать не могу?

Она смотрела на него с улыбкой и молчала. И вдруг он понял. Он все понял. Даже не нужно было ничего говорить. Он не понимал Гильвика, пока его самого не «накрыло». Ты никогда не поймешь до конца переживания другого человека, пока сам не пройдешь через это. Больше он не хочет жить так, как раньше. Он не хочет и не может жить без этой девушки с вьющимися густыми волосами, длинными ресницами и спокойной улыбкой.

— Что же теперь делать? — растерянно и тихо спросил он.

— Ничего, — так же тихо ответила Ольга. — Теперь уже ничего. Давай я тебя покормлю.

Он был благодарен ей за то, что она всего несколькими словами снизила накал происходящего и не стала углубляться в опасную тему. Но как же она его понимает! Без слов. Даже без взглядов. Как будто улавливает его мысли вместе с дыханием.

— Я так понимаю, что стихи Каныка ты тоже в детстве любил, а потом разлюбил, — спокойно проговорила она, доставая из холодильника накрытую крышкой сковородку и еще какие-то продукты в упаковках и консервных банках.

— Ну да, — подтвердил Сергей.

Она стояла к нему спиной, и он с удовольствием рассматривал закрывающие нежную шею кудри и тонкую талию, подчеркнутую высоким поясом брюк.

— А теперь кого из поэтов ты любишь?

— Сашу Черного и Федора Сологуба.

— Почитаешь?

— Что именно?

— Твое самое любимое.

— Тебе правда интересно? Ты же не любишь поэзию, — засомневался Сергей.

— Поэзию? — она как-то странно усмехнулась. — Поэзию не люблю.

Ему стало жарко. Черт возьми, как же она ухитряется разговаривать с ним без слов? Он перевел дыхание и начал читать, стараясь, чтобы голос звучал уверенно и спокойно:

> Никого и ни в чем не стыжусь,
> Я один, безнадежно один,
> Для чего ж я стыдливо замкнусь
> В тишину полуночных долин?
> Небеса и земля — это я,
> Непонятен и чужд я себе,
> Но великой красой бытия
> В роковой побеждаю борьбе.

Он сделал паузу, закончив читать стихотворение, и добавил:

— Федор Сологуб.

Она слушала, не поворачиваясь, и Сергей не видел выражения ее лица.

— Ну как? — спросил он, не дождавшись отклика. — Тебе понравилось?

Она повернулась и внимательно посмотрела на него, потом усмехнулась.

— Все правильно, я так и предполагала.

— Ты о чем?

— О том, что ты — авторитарная личность. В чистом виде. Я надеюсь, ты хотя бы не антисемит? А то ведь я наполовину еврейка, предупреждаю сразу.

— Господи, — перепугался Саблин, — Оль, ты о чем? С чего ты взяла, что я антисемит?

Антисемитов в семье Саблиных, равно как и в семье Бирюковых, никогда не было, и над этой проблемой Серега ни разу в своей жизни не задумывался: повода не представилось. Национальный вопрос его вообще не волновал.

— Саблин, ты же такой умненький, образованный мальчик, во всяком случае, твоя мама именно так тебя подавала каждый раз, когда приходила к нам в гости. Неужели ты не знаешь, что антисемитизм и вообще ксенофобия являются одним из основных качеств авторитарной личности?

— Нет, — растерянно признался он. — Впервые слышу. А с чего ты вообще взяла, что я авторитарный? Я вроде не замечал за собой...

— Сережа, — она мягко и чуть хрипловато рассмеялась, — это нормально, люди никогда ничего за собой не замечают. У них взгляд изнутри. А со стороны все выглядит совершенно иначе. Ты любишь стихи Черного и Сологуба. Этим всё сказано.

— Что — всё?

— Твой склад личности. О нем можно судить по тому, какие поэты тебе нравятся. И особенно по твоим любимым стихам. Черного и Сологуба любят именно авторитарные личности. Так что все правильно.

— Но погоди, — не сдавался Сергей, — ты меня запутала. Ты же сказала, что ты так и предполагала. То есть предполагала до того, как я стихи начал читать. Значит, ты свой вывод сделала на основании чего-то другого?

Она поставила перед ним на стол большую красивую тарелку, на которой лежали котлеты с гречкой и зеленым горошком, положила приборы и пододвинула к нему солонку:

— Попробуй, может быть, соли маловато, я не люблю соленое, поэтому, когда готовлю, кладу ее совсем мало, а все потом подсаливают.

— Ты не ответила, — с сердитой настойчивостью проговорил он. — Почему ты «так и предполагала»?

— Потому что ты сначала делаешь, а потом думаешь. И когда понимаешь, что сделал не то и не так, не отступаешь, не признаешь свою ошибку, а продолжаешь упорно доводить начатое до конца. Типичная авторитарная личность.

— Да с чего ты взяла?! Ты меня совсем не знаешь, мы знакомы без году неделя, а ты уже делаешь такие выводы! Или тебе моя дражайшая матушка напела, какой у меня отвратительный характер?

— Саблин, я давно уже живу своим умом и не слушаю, что мне рассказывает Юлия Анисимовна. Ешь, пожалуйста.

— Нет, ты ответь!

— Хорошо, я отвечу. Ты позвонил мне и предложил встретиться. Когда ты приехал, ты вдруг понял, что поступил глупо. Тебе казалось, что ты хотел поговорить со мной о Гильвике, но как только ты меня увидел, ты сразу понял, что не в Гильвике дело. Ты все понял, еще стоя у двери, Саблин. Это было видно по твоему лицу, это было слышно по твоему голосу. Но ты не признался в этом самому себе. Ты не признался в этом мне. Ты продолжал упорно гнуть свою линию: ты приехал для того, чтобы поговорить о Гильвике. И теперь ты понимаешь, что упустил время. Через полтора часа мне нужно будет уходить. Но ты же удавишься — а не признаешься в том, что я права. Потому что ты — личность авторитарная. Уверена, что ты еще и извиняться не умеешь. Ведь не умеешь?

Сергей подавленно молчал. Он ожидал чего угодно, только не этого. Он упустил время, через полтора часа Ольге нужно будет уходить. А он, как дурак, подбирался к возможности поговорить о том, о чем и говорить-то не надо было: будь он посмелее и пооткровеннее с самим собой, он бы еще ночью — нет, еще вчера вечером понял бы, что произошло. Еще вчера он почувствовал исходящий от этой девушки зов, на который мгновенно откликнулось все его нутро. Он знал за собой эту способность — ощущать, улавливать исходящие от женщины флюиды интереса к себе и желания, он их чувствовал всегда, еще с шестнадцати лет, с момента своего первого сексуального опыта со старшей сестрой товарища по спортивной секции, в которой Саблин занимался боксом. И вдруг именно сейчас, сидя на этой тщательно прибранной просторной кухне, он осознал, что от Ленки такой зов никогда не исходил. Она была затейлива и изобретательна в постели, неутомима и ненасытна, но этого жадного, вибрирующего зова Женщины он не слышал. Ленка хотела устроиться в Москве, удачно выйти замуж за парня из хорошей, обеспеченной семьи с возможностями, она безумно привлекательна внешне и очень технична в плотских утехах, так что кандидатов на роль мужа у нее было достаточно. Из всех кандидатов она выбрала того, кто показался ей наиболее симпатичным. Грубо говоря, наиболее приемлемым. А если уж совсем откровенно — наименее противным. Она никогда не хотела его по-настоящему, она никогда не любила его, она просто терпела его и старалась привязать при помощи секса, чтобы обеспечить собственное будущее. Но бросить беременную женщину, на которой ты пообещал жениться, — это недопустимо. Даже если ты понимаешь, что она тебя просто использует.

Вчера он встретил Ольгу. Он встретил Свою Женщину. И оторваться от нее не сможет больше никогда.

А извиняться он действительно не умеет...

— Я пойду, — он резко отодвинул стул и встал, оставив еду на тарелке нетронутой.

Ольга не стала его останавливать и молча стояла, пока он одевался. Застегнув «молнию» на ветровке и взявшись за ручку двери, Сергей внезапно остановился и повернулся к девушке:

> Жду,
> Приди в такую погоду,
> Чтобы невозможно было отказаться.

— Каныk? — полуутвердительно спросила Ольга.

Он кивнул, во рту пересохло, язык плохо слушался.

— Для нас с тобой такая погода будет всегда, — сказала она. — Если ты захочешь.

...Он ушел через три с лишним часа, на прощание поцеловав Ольгу в обнаженное плечо, выглядывающее из пледа, в который она завернулась, чтобы проводить его до двери. О том, что ей нужно было уходить «через полтора часа», она даже не вспомнила.

ЧАСТЬ ВТОРАЯ

ГЛАВА 1

Сергей и сам не знал, радоваться ему или расстраиваться: сегодня Ольга снова предложила ему воздержаться от близости.

— Оль, я так соскучился, — жалобно проныл он, жадно водя руками по ее груди, обтянутой шерстяной «водолазкой» с глухим воротом. — Ну не вредничай!

Она с мягкой улыбкой положила руки поверх его ладоней, крепко прижимая к себе.

— Сереженька, я тоже ужасно соскучилась, — призналась она. — Ты даже не представляешь, насколько я соскучилась. Но я не могу смотреть на твой измученный вид. Тебе нужно хоть чуть-чуть отдохнуть, поспать. Поезжай домой, раз у тебя выдался свободный вечер, ляг спать пораньше. Ну пожалуйста! У меня сердце разрывается, когда я вижу, как ты устаешь!

Н-да, домой и спать... Если бы это было возможно! Сергей поступил именно так, как и заявлял в разговоре с матерью: они с Леной и маленькой дочкой Дашенькой, родившейся два месяца назад, снимали комнату в малонаселенной — всего на три семьи — коммунальной квартире на окраине Москвы, чтобы вышло подешевле. На аренду хорошего жилья денег не было, и хотя Сергей бился изо всех сил, наряду с учебой в интернатуре подрабатывая в двух местах, денег все равно хватало едва-едва: Ленка не справлялась с ребенком, к ней из Ярославля приехала на подмогу только что вышедшая на пенсию мать, и на Серегины заработки нужно было не только платить за жилье, но кормить троих взрослых людей, а то и одевать. Не говоря уж о расходах, связанных с малышкой: подгузники, ползунки, пеленки в огромных количествах, распашонки, чепчики, бутылочки, соски, игрушки. В связи с бесконечными стирками, неизбежно сопровождающими жизнь грудничков, пришлось залезть в долги и купить стиральную машину. Хорошо еще, что один из дополнительных заработков Сергей нашел в одном из только-только начавших появляться коммерческих медицинских учреждений: там платили все-таки побольше. Но все равно молодая семья считала копейки и отказывала себе в любой мелочи, которая признавалась избыточной, экономя даже на еде.

Комната была небольшой, и спать в ней можно было только ночью, когда жена и теща укладывались в постель, переделав все домашние дела, и то при условии, что удавалось угомонить Дашеньку. О том, чтобы лечь и уснуть в какое-либо другое время, например, в воскресенье, после суточного дежурства, когда не нужно бежать на занятия, даже разговора быть не могло.

Ольга это понимала, поэтому, выждав положенные десять секунд, как обычно, сказала:

— Или хочешь — поспи у меня, хоть пару часов отдохнешь. Я тебя разбужу, когда скажешь. Давай?

Он очень хотел спать. Смертельно. До озноба. До тошноты. Но мысль о том, что эти два часа можно провести с любимой женщиной, мешала принять столь соблазнительное предложение.

— Я соскучился, — снова повторил он. — Если я буду спать, я оторвусь от тебя. Мы и так редко видимся.

Это было правдой. И в то же время не совсем правдой: они оба учились в интернатуре по патанатомии и встречались на занятиях каждый день, если у Сергея не было дежурства. Но вот такие свидания в ее квартире, выхлопотанной для Ольги могущественным родственником из Минздрава Лукиновым, случались не чаще раза в неделю, когда Сергею удавалось выкроить несколько часов из плотного графика учебы, двух подработок и участия в семейных хлопотах.

— А я прилягу рядом, — Ольга уже несла большой пушистый плед и две подушки, — и тоже подремлю. Возьму тебя за руку, буду дышать тебе в шею, и уснешь сладко-сладко, крепко-крепко, и проснешься свежим и набравшимся сил...

Ее мягкий голос журчал, обволакивая стремительно проваливающегося в сон Сергея нежным шелковистым коконом, в котором так хотелось успокоиться и расслабиться. Он не заметил, как заснул, а когда проснулся через два с половиной часа, Ольга не спала, сидела рядом на краю дивана и держала его за руку, тихонько поглаживая пальцы.

Он с хрустом потянулся.

— Ну и любовничек тебе достался, Ольга Борисовна, — со смущенной усмешкой произнес Саблин. — Приходит раз в неделю, заваливается спать, и никакой с него практической пользы. Может, тебе пора подумать о том, чтобы бросить меня?

Она легко рассмеялась и отняла руку.

— Когда мне это надоест, я немедленно тебя брошу и найду себе молодого парня, тупого, выносливого, с мускулистыми бедрами и крепкими ягодицами. Такого, знаешь ли, злого на это дело. Но пока мне не надоело.

— Ну Оля! — Саблин еще больше смутился. — Я серьезно.

— И я серьезно. Не менять же мне тебя на старого немощного импотента.

— Оль, я мешаю тебе жить, — вздохнул Сергей. — Ты знаешь, что я не могу на тебе жениться. И уйти от тебя не могу. И чувствую себя полным дерьмом из-за этого. Ты молодая, умная, красивая женщина, тебе нужно мужа искать, детей рожать, а ты тратишь время на нищего интерна, который ровным счетом ничего не может тебе предложить.

— Сережа, — ее лицо стало серьезным, — всем известно, что человек живет только так, как он хочет. Так, как он не хочет, он не живет. Мне вполне достаточно того, что ты предложил мне себя. Я тебя люблю, ты это знаешь.

Он знал. И знал, что Ольге очень хочется услышать от него такие же слова. Но Сергей не мог их произнести. Никогда не мог. Ни Лене, ни Ольге, ни девушкам и женщинам, которые были у него прежде, он этих слов не говорил. Не умел. Язык не поворачивался.

Вместо ответа он резко поднялся, схватил Ольгу в охапку, поднял на руках и ласково поцеловал в густые кудри на макушке.

— Иди, Саблин, — усмехнулась она, прижимаясь к нему, — иди, тебе пора.

Ему действительно было пора. Мысль о том, чтобы добираться на окраину города на метро и двух автобусах, приводила в ужас, но тратить деньги на такси он не имел права. Конечно, он немного отдохнул и действительно чувствовал себя гораздо бодрее, чем три часа назад, когда ввалился в Ольгину квартиру после дежурства, голодный и засыпающий на ходу. При этом, уже поднимаясь в лифте на восьмой этаж, где жила Ольга, он ощущал здоровый сексуальный аппетит двадцатишестилетнего мужчины и был полон решимости, однако стоило ему поесть, как навалилась ватная мутная усталость, которую он не смог ни побороть, ни скрыть.

Декабрьская Москва еще не начала готовиться к Новому году, город стоял унылый и промозглый, и, трясясь в стылом салоне автобуса, идущего от метро к Кольцевой дороге, Сергей, как обычно, старался отстроиться от учебы, работы и Ольги и настроиться на семью, домашние проблемы, на дочку, жену и тещу — вполне, на его взгляд, симпатичную приятную даму по имени Вера Никитична, которой Серега был искренне благодарен за помощь: без нее они с Ленкой пропали бы совсем. И снова он поймал себя на мысли о том, что за два месяца, прошедших с момента рождения дочери, так и не понял, рад он ребенку или нет. Он даже не понимал, любит ли Дашу. Он твердо знал одно: Дашка — его родная дочь, а Лена — ее мать, и он обязан сделать все, что возможно, для их благополучия. Он несет ответственность за них обеих. А уж как он к ним относится — вопрос десятый. И ответ на этот вопрос в любом случае ни на что не влияет.

Дома он застал жену с тещей за столом, на котором яркими пятнами сверкали глянцевые бока яблок, сладкого красного, зеленого и желтого болгарского перца, мягко светились желтоватые крупные груши, ослепительным айсбергом возвышалась изрядная горка плотного домашнего творога, нежно розовела нарезанная ветчина. Сыры трех сортов, банки с янтарным медом и домашним вареньем. И — о ужас! — маняще переливалась, отражая свет висящей под потолком трехрожковой люстры, черная икра в открытой круглой баночке. Все, кроме, пожалуй, икры, явно куплено на рынке. Господи, сколько же все это стоит?! Неужели эти две курицы ухнули на продукты все деньги, которые на днях принес Сергей — стипендию и зарплату из коммерческого центра? Если так, то до Нового года им придется жить на вторую его зарплату, а в бюджетных организациях она невелика, если ее вообще выплачивают. А с этим в последний год начались регулярные перебои. Он стал судорожно подсчитывать, хватит ли денег до января... А ведь еще Новый год надо бы хоть как-то отметить... О своем дне рождения, который будет через несколько дней, Серега забыл окончательно — не до того ему, перебьется, жизнь длинная, успеет еще напраздноваться.

— Ой, Сереженька, — всполошилась Вера Никитична, — садись скорее, мы тебя покормим. Ты ведь голодный, наверное.

Он не был голоден — поел у Ольги. И вообще участвовать в этом пиршестве глупости не намеревался. Надо же было так бездарно растратить его с трудом заработанные деньги!

— Откуда это все? — сухо спросил он.

Лена не ответила — она с испуганным лицом дожевывала бутерброд с икрой. Единственное, что Сергей сумел привить ей за месяцы совместной жизни, это правило «не разговаривать с набитым ртом». Теща, однако, никаких саблинских правил не придерживалась, поэтому сперва с хрустом откусила яблоко, потом пояснила с довольной улыбкой:

— Это мама твоя, Сереженька, привезла. Спасибо ей огромное! Это не все, ты не думай, Юлия Анисимовна много всего нам накупила, мы большую часть уже в холодильник положили, и в пакетах кое-что осталось. И Дашеньке тоже всякого навезла.

Начинается. Ведь сколько раз говорил он матери: не нужно. Ему ничего не нужно от родителей, которые не одобряли его брак и не скрывали своей нелюбви к его жене. Не станет он есть продукты, купленные и привезенные матерью. Он сам обеспечит свою семью всем необходимым. Говорил же он матери: плакаться и просить о помощи не прибегу! Именно так он и живет. Да, трудно, да, порой невыносимо, но гордо и независимо.

— Почему ты взяла? — набросился он на Лену. — Я же запретил тебе принимать подачки от моих родителей! Я сто раз тебе говорил: мы проживем сами, нам от них ничего не нужно, мы с тобой взрослые люди. И если от твоей мамы я с благодарностью принимаю помощь, потому что это помощь действием, то от своей матери я ничего не желаю принимать. Причины тебе хорошо известны, и озвучивать их снова я не собираюсь.

Лена судорожно проглотила последний кусочек белого хлеба, намазанного сливочным маслом и черной икрой, и жалобно посмотрела на него:

— Сережа, я есть хочу. Я все время голодная. Мне доктор сказал, что у меня молоко недостаточной жирности, из-за этого Дашка недокормленная и плохо прибавляет в весе. У меня молоко может пропасть, если я кушать не буду нормально. Я не могу так...

Она опустила голову и тихо заплакала.

— Вы не должны были это брать, — Сергей сердито посмотрел на тещу. — Ведь вас, Вера Никитична, я тоже предупреждал. Почему вы не сделали так, как я просил?

Вообще-то он собирался сказать: «как я велел», но вовремя удержался. Хотя думал именно так.

Вера Никитична, моложавая и подтянутая, с гладким и все еще очень красивым лицом, спокойно пожала плечами:

— Сережа, ты посмотри на меня. Ты знаешь, сколько мне лет?

— Ну, пятьдесят пять, и что?

— Ты врач. Ты должен представлять себе, насколько сильной и здоровой может быть женщина в этом возрасте. Ну, представил?

Представить-то он представил, вспомнив мгновенно и цикл терапии, и цикл хирургии, и особенно гинекологии, а вот к чему теща клонит — сообразить не мог.

— Вот и подумай: твоя мама примерно моя ровесница, она полдня моталась по городу, с рынка на рынок, из магазина в магазин, чтобы найти продукты получше, посвежее, повкуснее, и все, что покупала, тащила с собой. И сумки становились все тяжелее и тяжелее, а потом она ехала сюда, к нам, к черту на кулички. Она устала. Она истратила кучу денег. Она провела за этим занятием целый день, вместо того чтобы спокойно сидеть в кресле и читать книжку или делать что-нибудь более приятное. Неужели у тебя хватило бы сердца не принять ее подарки, отказаться от них и выставить немолодую женщину за дверь? И не просто какую-то постороннюю женщину, а твою маму, которая тебя любит и от всей души хочет тебе помочь.

Ох, права была теща, ох, права! Но не признавать же это! А слова жены о том, что она недоедает и из-за этого страдает ребенок, привели его в бешенство. Разве он не делает все, что может? Разве он не колотится, как рыба об лед, чтобы содержать семью? Разве он тратит на себя хоть одну лишнюю копейку? Чем он заслужил упреки в том, что жена и ребенок голодают? Даже если это и так, можно было найти какую-то более деликатную форму, чтобы объяснить ему это.

Звонить матери с общего телефона, стоящего в коридоре, Сергей не стал — не хотел, чтобы все соседи его слышали. Схватив куртку и сунув ноги в разношенные зимние ботинки, он выскочил из квартиры и стремглав помчался по лестнице, не дожидаясь лифта. Телефон-автомат находился на соседней улице. Слава богу, он был не только свободен, но и исправен.

— Мама, я сколько раз повторял: мне ничего не нужно! — разъяренно начал он, едва Юлия Анисимовна ответила на звонок. — Зачем ты привезла все эти продукты? Я в состоянии сам содержать и прокормить свою семью.

Он говорил горячо и долго, распаляясь от собственных слов и захлебываясь злостью. Мать слушала, не перебивая, она вообще отличалась отменной выдержкой, если считала нужным ее использовать.

— Сережа, — сказала она, когда тот выдохся и замолчал, — ты сам себя слышишь? Ты помнишь, с чего ты начал свою пламенную речь? Со слов: «Мне ничего не нужно». Так?

— Так, — подтвердил он. — Именно так я и сказал. И что? Мне действительно ничего от вас с отцом не нужно, я сам...

— Вот именно, — перебила его мать. — ТЕБЕ не нужно. ТЫ сам. А твоя жена? А твой ребенок? Ты уверен, что ИМ ничего не нужно? Ты уверен, что они сами могут справиться со всеми трудностями? Ох, сынок, сынок, когда же ты повзрослеешь? Ты как маленький ребенок, до сих пор считаешь, что весь мир вращается только вокруг твоей особы. И если лично тебе ничего не нужно, то тем, кто рядом с тобой, не нужно тем более. Ты же без пяти минут врач, как же ты не понимаешь, что Лена — кормящая мать и ей нужно хорошо питаться, потому что здоровье твоей дочери закладывается именно сейчас и на всю оставшуюся жизнь. Почему из-за твоего самолюбия и твоего упрямства должны страдать твои близкие? Я тебе обещала, что не буду плохо говорить о Лене, я обещала, что буду с уважением относиться к твоему выбору, хотя он мне и не нравится. Но почему за этот твой выбор должны расплачиваться другие?

— Выбор? Кто за что расплачивается? — он снова начал заводиться. — Ты хочешь сказать, что Лена сейчас расплачивается за то, что я на ней женился, а не бросил беременную? И Дашка расплачивается за то, что я не настоял на аборте, а позволил ей родиться? Ты это хочешь сказать?

Юлия Анисимовна вздохнула в трубку.

— Я хочу сказать, что не предохраняться и не пользоваться противозачаточными средствами — это был твой выбор. Ты же не подросток, чтобы не знать элементарных вещей. И Лена — далеко не первая твоя женщина. Ты выбрал то, что называется опасным сексом, не думая о том, чем это может кончиться. А кончилось именно этим. Ты живешь в чудовищных условиях, в маленькой комнатушке с женой, дочерью и тещей, ты учишься и колотишься на двух работах, ты не спишь, ты недоедаешь, ты переносишь болезни на ногах, ты отвратительно выглядишь и вот-вот свалишься. Я уж не говорю о том, что твоя жена не питается должным образом, и тем самым вы рискуете здоровьем ребенка. И я не говорю о том, что пеленки и прочие вещи, которые ты в состоянии на свои доходы купить для малышки, очень низкого качества, изготовлены неизвестно где и неизвестно по каким технологиям, без соблюдений правил санитарии и гигиены, с добавлением бог знает каких вредных примесей. И при всем этом ты отказываешься от нашей с папой помощи. Тебе не кажется, что это не совсем разумно?

— Мне кажется, что я достаточно ясно дал тебе понять: я все в своей жизни буду делать сам. Только сам, — холодно ответил Сергей. — И будь добра, не лезь в мою жизнь.

— Сынок, почему ты такой упрямый? Почему ты не хочешь признать, что я права? Ведь однажды я уже оказалась права, и отрицать этого ты не можешь.

— Права? В чем, интересно?

— В том, что Ольга — это та женщина, которая тебе нужна. А вовсе не твоя Лена. Ты влюбился в Оленьку с первого взгляда, ты встречался с ней, пока была беременна твоя жена, ты продолжаешь встречаться с ней и теперь, когда у тебя родился ребенок. Я не удивлюсь, если узнаю, что ты в день собственной свадьбы с утра сбегал на свидание к Оленьке. Я знала, что вы с ней — пара, я знала, что вы должны быть вместе и что именно она, а вовсе не твоя Лена, может сделать твою жизнь по-настоящему наполненной и счастливой. Но ты меня не послушался, ты не захотел знакомиться с Оленькой тогда, когда еще не было проблем, Лена не была беременна и можно было все изменить. Ты был уверен, что я ни при каких условиях не могу оказаться правой. Ну разумеется, на этом свете есть только один человек, который всегда и безусловно прав — это ты, Сереженька. Так может быть, ты хотя бы сейчас прислушаешься ко мне?

Он молчал. Сердце билось где-то в горле. Значит, мать знает про них с Ольгой! Конечно, родители Ольги давно в курсе, это и понятно, ведь они начали встречаться, когда у нее еще не было своей квартиры, и, разумеется, пару раз прокололись и попались. И в общем-то нетрудно было сообразить, что если знают Ольгины родители, то через пять минут об этом будет знать и Юлия Анисимовна. Но мать почему-то молчала все это время, тему личной жизни сына никогда не поднимала, и Сергей как-то постепенно уверовал в то, что коль об этом не говорится — то этого вроде как и нет. Мать не считает нужным что-то выяснять, значит, так будет всегда и в дальнейшем, и неприятных разговоров удастся избежать.

Оказалось, что не удастся. Он не чувствовал себя виноватым в том, что изменяет жене. Он дико, до спазмов не желал признавать правоту Юлии Анисимовны.

— Ты молчишь, — Сергей услышал, как мать усмехнулась, — значит, я действительно права, и возразить тебе нечего. Хорошо, теперь послушай меня еще немного. Ты имеешь право жить так, как ты считаешь нужным. Но и у меня такое право есть, и ты не можешь у меня его отнимать. У меня есть право быть бабушкой и заботиться о своей родной внучке. По-хорошему мне тебя убедить не удается. Тогда будем договариваться.

— А в чем разница? — надменно спросил Сергей.

— Я хотела, чтобы ты просто уступил мне — немолодой женщине, твоей матери. Уступил мне право хоть что-то делать для твоей дочери. Ты на уступки не идешь. Ладно, приму это как данность. Будем вести себя как на рынке, то есть договариваться. Ты — мне, я — тебе. Я обещаю тебе никогда больше, пока я жива, ни единым словом не затрагивать тему твоего выбора, чего бы он ни касался, твоей семейной и личной жизни. Никогда я тебя ни в чем не упрекну, никогда не задам ни одного неудобного вопроса и уж тем более не стану тебе выговаривать. Хочешь?

Он снова не ответил, молча ожидая продолжения. Мать — человек слова, это Серега Саблин знал с раннего детства. Ни разу не было, чтобы Юлия Анисимовна что-то пообещала и не сделала. Даже то, что она сгоряча произнесла во время того памятного разговора, когда сын сообщил ей о намерении жениться на Лене, она выполнила «от и до»: ни одного злого, недоброжелательного или презрительного слова о своей жене он больше не услышал. И хотя Юлия Анисимовна Лену так и не полюбила, она никогда не говорила о ней плохо, как и пообещала ему. И перспектива избежать в дальнейшем разговоров, подобных сегодняшнему, казалась очень и очень привлекательной. Но что мать попросит взамен?

— Взамен я прошу тебя не мешать мне быть бабушкой для своей внучки, заботиться о ней и помогать и ей, и ее матери. Заметь, я не говорю «помогать твоей жене», своей жене ты должен помогать сам, я к ней не имею никакого отношения. Но к матери своей внучки я отношение имею, и с этим ты спорить не можешь. Ты врач, сынок, ты не можешь не знать, сколько опасностей подстерегает маленького ребенка, особенно на первом году жизни. Я обеспечу Дашеньке самую лучшую медицинскую помощь, и не только в экстренных случаях, которых, я надеюсь, не будет, но и постоянную. Ее будут вести самые знающие и опытные специалисты. Неужели ты настолько глуп и непрофессионален как медик, что не понимаешь всю важность этого аспекта?

Возражать матери внезапно расхотелось. Почему-то то обстоятельство, что она знает про его отношения с Ольгой, совершенно выбило Серегу из колеи. Кроме того, Юлия Анисимовна была мудрой женщиной, она прекрасно знала своего сына, поэтому смогла настоять на своем, а ему дала возможность согласиться, не потеряв лица и не ущемляя больного самолюбия.

Домой Сергей вернулся подавленным, он ощущал себя загнанным в угол и вынужденным принять навязанное ему решение, чего он в принципе не терпел. За время его отсутствия все продукты были убраны, Вера Никитична гладила пеленки, расстелив на обеденном столе старое вытертое байковое одеяло, а Лена, сидя на диване, кормила малышку. За весь вечер он не произнес ни слова, молча сидел на стуле у окна, уткнувшись в книгу по патоморфологии отравлений: стол был занят, на диване сидела Лена с ребенком на руках, а где еще ему пристроиться? Не на тещиной же раскладушке, которая весь день стоит сложенная, потому что если ее разложить, то пройти по комнате будет невозможно. И не в Дашкиной же младенческой кроватке. Только стул, приставленный к широкому подоконнику, и оставался Сереге, здесь высокими стопками громоздились его учебники и прочая необходимая литература, а также толстые тетради с конспектами.

День оказался тяжелым и физически, и эмоционально, и ему казалось, что больше уже ничего случиться не может. Но в двенадцатом часу ночи, когда все уже легли, в прихожей раздался звонок телефона, потом голос молодого соседа-полуночника, а затем осторожный стук в дверь и громкий шепот:

— Серега, выйди, тебя к телефону.

Он стал выбираться из-под одеяла, чертыхаясь про себя: какому козлу пришло в голову звонить в такое время мало того, что в коммунальную квартиру, так еще и человеку, у которого маленький ребенок? Споткнулся о раскладушку, на которой спала Вера Никитична, охнул в полный голос, немедленно проснулась Дашка и заревела. Вот черт! Он брал телефонную трубку, имея в голове весь подготовленный словарный запас для объяснения абоненту, что он «не совсем прав». Но звонила Юлия Анисимовна.

— Сынок, прости, что беспокою в такое время. Нюту увезли по «Скорой», она очень плоха, боюсь, к утру все закончится. Ты поедешь?

Господи, ну как она может спрашивать? Конечно же, он поедет, чтобы увидеть любимую тетку, посидеть рядом, подержать ее за руку, возможно, в последний раз. И если мать права в своих самых худших опасениях, то проститься с Нютой.

* * *

В тот раз с Анной Анисимовной все обошлось, однако состояние ее ухудшалось буквально с каждой неделей. Серега часто забегал проведать тетку, а когда та лежала в больнице, навещал каждый день, свободный от работы, стараясь заехать к ней хоть на пятнадцать минут. В один из таких визитов в больницу Анна Анисимовна вдруг сказала:

— Серенький, я хочу тебе помочь. Конечно, толку с меня немного, ни посидеть с Дашуткой, ни помочь Лене делом я не могу, но вот деньгами...

— Нет! — тут же оборвал ее Серега. — Даже не начинай. Я же сказал: я сам.

— Подожди, миленький, — тетя Нюта болезненно поморщилась: шевелить рукой, в которой уже третьи сутки стояла канюля, было больно. — Ты знаешь, Володька у меня хорошо устроен, он активный, предприимчивый, у него свой бизнес, он много денег мне дает, каждый месяц присылает, уже несколько лет. Хорошо, что я их на книжку не стала класть, а то все сгорело бы. Я их по-другому пристроила, так, что они сохранились. Возьми их себе, Серенький, мне спокойнее будет, я же знаю, как тебе трудно.

— Нет, — твердо повторил он. — Даже не заговаривай об этом.

— Ты же врач, — тетка озорно усмехнулась, — да и я не пальцем сделана, тоже всю жизнь в медицине. Не можешь ты не знать, что мне уже немного осталось. И я хочу дожить свои дни в спокойствии и знать, что своему любимому племяннику я помогла, чем смогла. Не возьмешь деньги — возьми квартиру, деньги на жизнь ты и сам заработаешь, а вот на жилье — никогда. Так и собираешься до конца жизни ютиться в съемной комнатушке с женой и ребенком?

— Нет, — снова повторил он. — У тебя есть сын, он твой наследник, он должен получить все. Он, а не я. Я даже не хочу это обсуждать.

— Серенький, Володе эта квартира не нужна, он прекрасно устроен в своем Минске, у него столько денег, что он уже дом за городом строит, да и Белоруссия теперь именуется Беларусью и считается заграницей. Я спрашивала у него, ты не думай, что я за его спиной родного сына наследства лишаю. Он сказал, что квартира в Москве для него обернется сплошной головной болью, потому что она государственная, а прописаться в ней ему трудно, потому что он гражданин другой страны. Когда меня не станет, квартира просто отойдет городу. Володе достанутся деньги, а тебе — квартира. Будешь жить в человеческих условиях.

— Нет.

Он взял тетку за руку, погладил ее и повторил, уже мягче и тише:

— Нет, тетя Нюта, это невозможно. Я себя уважать перестану.

Она помолчала, потом медленно отняла руку и вытянула ее вдоль туловища. Серега напрягся: он знал эту манеру Анны Анисимовны перед тем, как сказать что-то очень важное, словно бы дистанцироваться от собеседника, окружить себя прозрачной стеной, не прикасаться к нему. В обычной обстановке это выражалось в том, что она отступала на один-два шага или отодвигала стул, как будто хотела взглянуть со стороны на человека, с которым разговаривала. Однако лежа на больничной койке, дистанцироваться можно было только одним способом — отнять руку. Что Нюта собирается сказать ему?

— Хорошо, — ровным спокойным голосом произнесла она, — я принимаю твою позицию. Я не хочу, чтобы мой любимый племянник перестал себя уважать. Но я нуждаюсь в его помощи и поэтому обращаюсь к нему с просьбой. Ты мне поможешь, Сережа?

Сережа. Не «Серенький», как было с самого детства. Значит, действительно что-то очень важное. У Сергея мелькнула в голове мысль, от которой он помертвел: уж не об эвтаназии ли собирается вести речь Нюта? Но все оказалось совсем не так.

— Я не хочу, чтобы после моего ухода в моей квартире поселились чужие люди. Ты же знаешь, мы, женщины рода Бирюковых, все немножко колдуньи, от нас что-то исходит, и это что-то остается в вещах, на стенах, на полу, витает в воздухе. Это — часть меня, часть моей души, и я не хочу, чтобы чужие, незнакомые мне люди дышали, думали, ссорились, ненавидели друг друга рядом с остатками моей личности. В этой квартире вырос Володька, в этой квартире я прожила тридцать лет своей жизни, ты приходил туда ко мне, ты рос рядом со мной, там каждый сантиметр пропитан тобой, там каждая мелочь — это воспоминания, и мои, и твои тоже. Я хочу, чтобы там жил ты. И никто другой. С Леной ли, с другой ли женой — мне безразлично, лишь бы ты был счастлив. Но жить там должен именно ты. Иначе не будет мне покоя на том свете. Вот такая у меня к тебе предсмертная просьба о помощи. Помоги мне обрести покой, Сережа.

К такой постановке вопроса он готов не был. Как тут откажешься? Тем паче житье в коммуналке его уже изрядно вымотало: сам Серега был неприхотлив и легко обходился без физического комфорта, но Лена и особенно теща Вера Никитична уже достали его бесконечными разговорами о невозможности «так жить» и о том, что «надо что-то делать». В их представлении, речь могла идти только о том, чтобы разменять квартиру родителей

Сергея или, на худой конец, съехаться с ними, других вариантов не было. Нюта предложила Сергею немедленно прописаться в ее квартире, чтобы потом не иметь проблем, но Серега настоял на том, чтобы прописать к тетке Лену с ребенком. У него-то постоянная московская прописка с самого рождения, а вот Лена прописана временно в общаге своего института.

— Хорошо, — легко согласилась Анна Анисимовна, — как скажешь. Мне важно, чтобы ты жил у меня. А как это будет оформлено — меня не касается.

Нюта умерла через полтора месяца после этого разговора, к тому моменту в ее очень хорошей двухкомнатной квартире в центре Москвы уже были прописаны Лена и Дашенька. Из Минска примчался сын Володя с женой и детьми, взял в руки всю финансовую сторону похорон, поминок, девятин и сороковин. Организационной стороной занималась, разумеется, Юлия Анисимовна. После сорока дней, в течение которых Владимир Бирюков с семьей жил в квартире покойной матери, он собрался уезжать.

— Я возьму кое-что, — извиняющимся тоном сказал он Сергею, — на память о маме. Ну, там, фотографии, не все, конечно, штук двадцать, остальные тебе оставлю. И мамину ложечку, серебряную. Не возражаешь?

Сергей вообще не понимал, о чем речь. В этой квартире все до последней мелочи принадлежало сыну тети Нюты, и он имел полное право забрать все, начиная от карандаша с ластиком вплоть до дивана и холодильника, ни у кого не спрашивая разрешения.

— Вовка, ты в своем уме? Это всё твое.

— Владей, — усмехнулся в ответ Владимир, — у меня и так всё есть, а тебе нужно.

Он положил в чемодан толстый конверт с отобранными из многочисленных альбомов фотографиями и отдельно — маленькую серебряную ложечку с припаянным к ручке ангелочком с крылышками. Еще раз оглядел стены, в которых вырос, крепко зажмурился, потом протянул двоюродному брату два комплекта ключей — свои и Анны Анисимовны.

— Держи, Серый. Мать права была, мне эта квартира ни к чему, а тебе она необходима.

В тот же вечер он улетел домой. А утром следующего дня Лена, глядя на собирающегося Сергея, заявила:

— Сережа, давай сегодня устроим разборку завалов у Анны Анисимовны. Нам ведь переезжать нужно. Дай мне ключи, я поеду пораньше и начну все разбирать, а ты подъедешь, когда освободишься. Дашку я с мамой оставлю, молоко сцежу, мама покормит.

Сергей с трудом оторвался от собственных размышлений и с недоумением посмотрел на жену. Сегодня их группе предстояло провести первое самостоятельное вскрытие в секционной патологоанатомического отделения больницы, где они проходили обучение. В группе пять человек — Ольга, еще три девушки и Саблин. Работа патологоанатома требует терпения, усидчивости, кропотливости и умения не сходить с ума от монотонности, поэтому мужчин в этой профессии всегда заведомо меньше, нежели женщин. Один человек будет проводить вскрытие, остальные четверо будут смотреть и отвечать на каверзные вопросы: что сделано правильно, что неправильно? В каком порядке нужно действовать? Профессор, руководящий вскрытием, спросит у интернов: «Кто желает?» И понятно, что «пожелать» должен будет интерн Саблин: во-первых, он единственный мужчина в группе и должен принять удар на себя; во-вторых, он, в отличие от девушек, присутствовал при вскрытиях множество раз; и, в-третьих, ему самому ужасно хотелось сделать, наконец, самостоятельно то, что через некоторое время будет составлять суть его повседневной работы. Он встал на час раньше, еще раз пролистал конспекты, сделанные на занятиях, заглянул в учебник: Серега Саблин не имеет права опростоволоситься и наделать ошибок. Он всегда был лучшим и должен им остаться.

И еще одно немного тревожило его. Сегодня он впервые сделает разрез и будет отсепаровывать кожные покровы. Сегодня он впервые сам, своими руками вскроет распиленную санитаром черепную коробку. Он много раз видел, как это делали другие. Он бессчетное число раз побывал в морге и за год работы санитаром, и за пять лет, нет, теперь уже почти шесть лет работы медбратом в реанимации. Но это совсем не то, что произойдет сегодня. Сегодня он впервые собственными руками прикоснется к тайне смерти, посмотрит ей в глаза, услышит ее смрадное дыхание.

И, уж конечно, заниматься разборкой вещей в Нютиной квартире ему сегодня абсолютно не с руки. Не то настроение, не то состояние. И вообще он сейчас не может ни думать, ни говорить ни о чем, кроме предстоящего первого самостоятельного вскрытия. Он попытался объяснить это Лене, но та даже не стала вникать.

— Сережа, я же не прошу, чтобы ты пропустил занятия! Иди, ради бога, и вскрывай там все, что ты хочешь. Но после занятий-то ты можешь приехать на квартиру?

— Ты не поняла, — он хотел быть спокойным и терпеливым, во всяком случае, хотя бы сегодня, в день, когда требуется сосредоточенность и способность сконцентрировать внимание. Распыляться на раздражение и разговор на повышенных тонах ему не хотелось. — Речь идет не о том, чтобы присутствовать на занятиях, а о том, что первое самостоятельное вскрытие — это очень важный, очень ответственный момент, по крайней мере, для меня, потому что вскрытия в дальнейшем станут основной составляющей моей профессиональной деятельности. Я не могу сосредоточиться на том, что ты говоришь, я не могу обсуждать квартиру и вещи. Я сегодня в первый раз буду разрезать своими руками мертвое тело, ты можешь это понять?

Возможно, Лена понять и могла. Но явно не хотела.

— Сережа, ну что ты, честное слово! — она обиженно надула пухлые губы. — Подумаешь, мертвое тело резать! Ты мне сам говорил, что миллион раз видел, как это делают другие. Сделаешь точно так же, вот и всё. Велика наука, можно подумать. Квартира важнее, я хочу, чтобы мы как можно быстрее переехали, потому что сил нет уже терпеть этот клоповник на выселках. Ты только представь: у нас будет двухкомнатная квартира, своя кухня, своя ванная, свой отдельный туалет, и спать мы с тобой будем не вместе с мамой и Дашкой. Давай приезжай сразу после занятий, я поеду часов в двенадцать, а ты потом подтягивайся. За сегодняшний день все разберем, подготовим к переезду, помоем, почистим, а завтра ты не ходи на занятия — будем вещи паковать. Сходим с утра в магазин, попросим у них коробки из-под товара, они все равно тару выбрасывают, бесплатно отдадут...

Она говорила и говорила, строя планы переезда и оглашая вслух перечень неотложных дел, которые необходимо сделать, чтобы счастливо зажить в квартире Анны Анисимовны, а Сергея передергивало от раздражения, и он хотел как можно быстрее собраться и уйти уже наконец отсюда.

Как обычно по утрам перед занятиями, он встретился с Ольгой в метро. До больницы они шли пешком.

— Не передумал быть «желающим»? — спросила она. — Может, мне уступишь? Мне ведь тоже хочется свои силы попробовать.

— Еще чего! — засмеялся Сергей. — Сам буду вскрывать. Я ж тебе рассказывал, когда во мне впервые проснулся интерес к Смерти. Вот с тех пор и мучаюсь, уже скоро пятнадцать лет моим мучениям можно праздновать.

Он умел слово «Смерть» произносить так, что оно даже звучало с большой буквы. Ольга понимающе кивнула: о непонятном многим пристрастии Саблина она знала.

Вообще-то смертью Сережа начал интересоваться в раннем детстве. Ему было лет семь-восемь, когда он спросил у тети Нюты про место, куда отвозят покойников, когда они умирают.

— Это место называется морг, — охотно объяснила Анна Анисимовна, которой даже в голову не пришло заявить племяннику, что рано ему еще такие вопросы задавать и он еще слишком маленький, чтобы спрашивать про смерть. Тетка всегда обращалась с ним как со взрослым.

— А там страшно?

Нюта рассмеялась и обняла мальчика.

— Да что ты, нет, конечно! Что там может быть страшного?

— Ну, покойники же, они холодные.

— И что? Вон стол тоже холодный, но ты же его не боишься. Смерть — это естественно, Серенький, это нормально, это рано или поздно происходит со всеми. А ты начитался всякой дури и теперь боишься, а зря. Покойники не страшные, наоборот, их жалко очень, они там лежат совсем раздетые, многие после вскрытия, разрезанные и через край зашитые, они даже прикрыться не могут. Они совсем беззащитные. Хочешь, я договорюсь, сходим с тобой вместе, я тебе там все покажу, покойников посмотришь, даже потрогать их сможешь и убедишься, что я тебя не обманываю.

Тогда он испугался и идти в морг не захотел, но про смерть все равно часто спрашивал у тетки, а в книгах, которые читал постоянно, очень быстро и запоем, выискивал в первую очередь те места, где описывалось то, что так притягивало и будоражило его мысли.

Впервые в морг он попал в тринадцать лет. Анна Анисимовна его готовила, но Сережа все равно боялся. Не покойников, конечно, Нюта ведь объясняла, что они не страшные и вреда никакого причинить никому не могут. Он переживал, что может опозориться, потому что в книгах и в кино частенько говорилось о том, что в такие минуты может случиться рвота, понос или даже обморок. Показать себя слабым для Сережи Саблина было невозможно. По дороге к судебно-медицинскому моргу, куда привезла его тетя Нюта, потому что у нее там был знакомый эксперт, ноги у него подгибались и предательски подрагивали, однако все оказалось вовсе не страшно. Нюта чутьем угадала правильный момент для первого близкого знакомства со смертью: мальчики в переходном возрасте огрубевают душой и стремятся все отрицать, как это было когда-то с ее собственным сыном Володей. Их встретил в морге доктор в белом халате, с которым тетя Нюта договорилась о том, чтобы провести для племянника ознакомительную экскурсию, как она выразилась, в образовательно-воспитательных целях. Это был пожилой дядька с доброй улыбкой и седой коротенькой бородкой, из-под врачебного колпака торчали во все стороны серебряные кудри, а под халатом колыхался при ходьбе внушительный живот.

— Вот здесь у нас холодильник, — жизнерадостно рассказывал он. — Открывать?

Он вопросительно посмотрел на Анну Анисимовну, а та, в свою очередь, перевела взгляд на Сергея.

— Открывать, — мужественно ответил мальчик.

Зрелище замороженных трупов он выдержал стоически, даже лицо не дрогнуло.

— Ну, теперь добро пожаловать в секционную, — продолжал весело приговаривать доктор, ведя их по коридору в другое помещение. — У нас тут девушка, невеста, беременная. Замуж собиралась, а прежний поклонник, которому она отказала, взял да и убил ее из ревности. Еще не вскрытая лежит, так что ребенку вполне можно показать.

— Я не ребенок, — грубо сказал Сережа.

Но доктор отчего-то не обиделся, только рассмеялся.

— Тогда тем более можно показывать.

Они остановились перед дверью, и прежде чем открыть ее, доктор снова обратился к Сереже:

— Не дрейфишь, боец? Имей в виду, замороженный труп — это совсем не то же самое, что труп, подготовленный к вскрытию. В секционной рядом со столом всегда смерть стоит и в затылок тебе дышит. Не передумал?

Сережа упрямо мотнул головой.

На секционном столе лежала дивной красоты молодая девушка, одетая в платье песочного цвета с пуговками сверху донизу, короткими рукавами и «погончиками» на плечах. Длинные волосы свисали почти до пола.

— Как ее убили-то? — будничным голосом спросила тетя Нюта.

— Ножом в спину, все платье сзади в крови, спереди-то нет ничего, а сзади...

Сережа прислушивался к себе: кажется, не тошнит, и голова не кружится. Ничего, он в грязь лицом не ударит. На предложение «потрогать тело» он, не задумываясь, кивнул и прикоснулся к мраморно-белой коже руки, не прикрытой коротким рукавчиком модного в те годы платья-«сафари». Он почему-то думал, что рука будет ледяной, как извлеченная из морозильника курица, которую ему иногда приходилось вынимать заранее и размораживать, если мама просила. Но кожа убитой девушки была просто прохладной. Ничего особенного. И ничего такого уж страшного.

— А почему она одетая? — спросил он доктора. — Я думал, покойников режут голыми.

— Во-первых, не режут, а вскрывают, — очень серьезно поправил его седой кудрявый врач, — а во-вторых, если человека привезли с места преступления, то нельзя просто так снимать с него одежду. Это нужно делать под протокол, официально, в ходе проведения экспертизы. А то вдруг на одежде какие-нибудь важные следы остались? Все должно быть зафиксировано и записано. Осмотр и описание одежды — это обязательная часть процедуры вскрытия.

Нюта задумчиво рассматривала тело.

— Надо же! Какие были планы — и ничего теперь не будет. Ведь замуж собиралась выходить, ребеночка рожать, хотела растить его, о муже заботиться, быть хорошей женой, хорошей матерью. Мечтала, наверное, лет через двадцать пять стать бабушкой, нянчить внуков, представляла себе, как за одним столом будет собираться большая дружная семья... И ничего теперь не будет. Вообще ничего. Только одна большая скука. И у жениха ее вся жизнь теперь наперекосяк, он ведь тоже, небось, и мечтал, и ждал, и представлял себе что-то, планировал. И больше ничего этого у него не будет. Будет что-то другое, конечно, но не это. Тоже ведь жизнь разрушена...

Сережа в свои тринадцать лет был достаточно умен, чтобы правильно услышать смысл теткиных слов и вообще понять всю затею с походом в морг: смерть страшна не сама по себе, а тем, что разрывает нити, связывающие разных людей и разные события. Разрывает внезапно и очень болезненно. Он запомнил это на всю жизнь.

Моргов он с той поры не боялся.

Впервые на вскрытии, проводимом врачом-патологоанатомом, Серега присутствовал еще до армии, когда работал санитаром в реанимации — той же самой, в которой он впоследствии подрабатывал во время учебы в институте. Он попросил разрешения постоять в секционной Бюро судмедэкспертизы, и поскольку все в танатологии знали, что санитар Саблин из медицинской семьи, неудачно поступал в медицинский институт и намерен повторить попытку, эта просьба не была расценена как проявление досужего любопытства. Парень рвется в профессию, что ж тут плохого!

Его заинтересовало вскрытие трупа мужчины, убитого топором. Во всяком случае, так сказал ему проводивший вскрытие эксперт. На волосистой части головы Серега увидел несколько зияющих ран. Когда труп перевернули лицом вниз, сзади на шее обнаружилось еще несколько ран.

— Похоже, ему пытались голову отрубить, — пробурчал себе под нос эксперт.

Для того чтобы максимально согнуть шею у трупа для облегчения исследования ран на ней, под грудь трупа положили подголовник, туловище при этом приподнялось, а голова свесилась вниз к поверхности стола. Санитар отмыл голову и слипшиеся волосы от засохшей крови, чтобы эксперт мог исследовать раны, и стоящий рядом с секционным столом Сергей видел, как через зияющие раны стало выделяться поврежденное вещество мозга, отдельные фрагменты которого, как большие бесформенные слизни, медленно сползали вниз по мокрым волосам трупа и падали на поверхность стола. Зрелище было не для слабонервных, но Саблин испытание выдержал достойно. Все последующие вскрытия, которые он наблюдал на протяжении нескольких лет работы медбратом, уже не вызывали в нем ни малейшей нервной дрожи, он с каждым разом становился все более спокойным и хладнокровным.

Но сегодня его уверенность в себе несколько поколебалась. Одно дело — смотреть, пусть и множество раз, и совсем другое дело — вскрывать труп самостоятельно.

Все произошло так, как и ожидалось: группа под руководством профессора-патологоанатома вошла в секционную, и прозвучал вопрос:

— Кто желает?

На всякий случай Сергей бросил взгляд на девушек — трое из них отвели глаза, кто в пол смотрел, кто в стену. Одна Ольга смотрела прямо в лицо профессору и молча улыбалась. Ну, значит, никому дорогу он не перейдет, если только Ольге, но ведь с ней он уже объяснился, и она, кажется, поняла его и готова уступить право проводить вскрытие.

— Бондарь, — профессор обратился к ней, широко улыбаясь, — вы претендуете?

— Да, — спокойно ответила Ольга и посмотрела на Сергея.

Он оторопел. Ну как же так! Она же... Он же... Да что ж такое! Профессору Ольга явно нравится больше, чем Саблин, и он сейчас поставит ее к столу. Ну, Ольга, ну, тихушница, ведь обещала же... Впрочем, осек себя Сергей, она ничего ему не говорила, наоборот, призналась, что сама хотела бы провести вскрытие, но когда он объяснял ей свои намерения, кивала понимающе, и он расценил это как готовность уступить. Более того, он ни минуты не сомневался в том, что Ольга ему уступит. А почему, собственно? Потому что любит его? Но ведь и он ее любит, а уступать-то не собирался. Черт знает что!

— А вы, коллега Саблин? — повернулся к нему профессор и одарил язвительной улыбкой. — Не желаете? Готовы уступить даме сомнительное удовольствие копаться в кишках и в их ароматном содержимом?

— Не готов, — с вызовом произнес Сергей. — Я бы хотел провести вскрытие. Но если коллега Бондарь настаивает, то перечить даме я не смею.

Профессор фыркнул и засунул руки в карманы халата.

— Гистологию бы вы знали так же хорошо, как правила вежливости! В коллеге Бондарь я не сомневаюсь, она исправно ходит на занятия, а вот вы, коллега Саблин, регулярно прогуливаете, посему я хотел бы лично убедиться в том, что вы на должном уровне осваиваете свою дисциплину. Прошу вас.

Вскрывать предстояло труп очень старого мужчины, умершего от декомпенсированной сердечной недостаточности. Сергей приступил, делая всё, как их учили и как он видел прежде. Профессор довольно крякал, кивал головой и то и дело останавливал Сергея, задавая вопросы девушкам-интернам. Пока все шло нормально, ошибок Сергей, кажется, не делал. Почти тотально пораженные атеросклерозом коронарные артерии на ощупь напоминали сухие макароны, которые при сильном сдавливании пальцами ломались. Именно так Саблин и прокомментировал свою находку вслух. Профессор недовольно приподнял седые брови и хмыкнул:

— Коллега Саблин! Этого нельзя писать в протоколе! Протокол должен быть написан медицинским языком с использованием медицинских терминов, которые вы, вероятно, не удосужились выучить. Протокол нельзя составлять, пользуясь лексикой, принятой в дешевом борделе. Не нужно никому тут рассказывать, что вам кажется «на ощупь». На ощупь, молодой человек, может много чего показаться, совсем не того, что есть на самом деле!

Он хитрым взглядом обвел четырех девушек и добавил многозначительно:

— Смотря где и у кого щупать...

Интерны грохнули дружным хохотом. Вместе с ними засмеялся и Саблин, который с облегчением понял, что в главных моментах вскрытия он показал себя на высоте. Замечаний по существу ему не делали.

После занятий он проводил Ольгу, она собиралась к подруге.

— Скучное вскрытие, — сказал он. — Банальное.

— Разочарован? — насмешливо спросила Ольга. — А чего ты ждал? Невероятных открытий? Неожиданных находок? Это все-таки патанатомия, а не судебно-медицинская экспертиза, здесь если и вскрывают, то только тех, кто умер в лечебном учреждении от заболевания, чтобы определить, правильно ли лечили больного, правильно ли выставили ему диагноз, от чего наступила смерть. Сам все знаешь, повторяться не буду. Если ты ждешь от нашей профессии какого-то особенного веселья, то будешь глубоко не прав.

— Оль, ты же знаешь, я хочу работать в судебной медицине. Просто в интернатуре по судебной медицине мест не было. И потом, меня привлекала возможность видеться с тобой почаще. Ты же понимаешь...

— Понимаю, — мягко сказала она. — Спасибо, мне приятно это слышать. Но не думай, что тебе не повезло или ты принес какую-то жертву. Если ты сможешь проработать какое-то время в патанатомии, то в экспертизе тебе будет намного проще. Все-таки ты приобретешь необходимый профессионализм. Ты грустный сегодня, — заметила Ольга, беря его под руку. — Об Анне Анисимовне думаешь?

— Как ты догадалась? — удивился Сергей, который с самого утра, с момента встречи с Ольгой в метро, не произнес о тетке ни слова. Все их разговоры касались сначала предстоящего, а затем уже состоявшегося вскрытия.

— Ты сам говорил, что тетка тебя вырастила, привила тебе интерес к медицине, даже в морг водила. Разве мог ты в день первого самостоятельного вскрытия не вспомнить о ней? Тем более сорок дней только-только отмечали.

Она была права, он действительно думал о Нюте, представляя себе горестную и тягостную процедуру разборки вещей в ее опустевшей квартире. Вещей, которые еще хранили отпечатки ее мыслей и чувств, ее настроения, которые знали о ее потайных желаниях и глубоко спрятанных обидах и страданиях. В этой квартире было много того, что Сергей помнил с раннего детства и с чем были связаны и радостные, и смешные, и просто приятные воспоминания. Например, глубокая тарелка, белая, с сине-золотой узкой каймой и золотым вензелем «РП» — ресторан «Першотравневый». Эту тарелку маленькая Нюта стащила из ресторана во Львове, куда приезжала вместе с Анисимом Трофимовичем. Как девочке удалось незаметно вынести тарелку с собой, было совершенно непонятно. И ведь никто не заметил — ни официанты, ни посетители ресторана, ни ее отец. Именно в эту тарелку тетя Нюта всегда накладывала, а точнее — наливала молочную лапшу, которую варила специально для Сереги. О его любви к этому блюду знали все, и мама тоже варила ее для сына, и варила в точности так же, как это делала Нюта, но из украденной тарелки почему-то было вкуснее. И еще в кухонном шкафчике Анны Анисимовны до сих пор стояла большая чашка в мелкий розовый цветочек, из этой чашки Серега всегда пил клубничный кисель. Если тетя Нюта варила не клубничный кисель, а малиновый или вишневый, то наливала его, соответственно, в чашку либо с зелеными листиками, либо с желтыми кружочками. Такая у нее была странная манера. «Каждому блюду — своя посуда», — частенько приговаривала она в ответ на недоуменные вопросы. Руки у тети Нюты были действительно волшебными, и проявлялось это не только в том, что проведенные ею процедуры и манипуляции всегда были безболезненными, проходили легко и быстро давали лечебный эффект, но и в том, что эти руки умели все и были на удивление «не дырявыми». Ни разу в жизни Анна Бирюкова, даже когда была ребенком, не разбила ни одной чашки и ни одной тарелки. За последние лет двадцать пять, с тех пор, как уехал из Москвы на заработки сын Володя, по юношеской неловкости то и дело наносивший некоторый урон кухонному хозяйству, Анна Анисимовна ни разу не покупала для себя посуду. Старые тарелки и чашки, а также рюмки, стаканы, бокалы, блюда для тортов и больших кусков запеченного мяса, были в полной сохранности, а за кастрюлями и сковородами, а также столовыми приборами она ухаживала так, что те сияли, как новенькие. Интересно, если Лена сварит молочную лапшу, а Сергей станет есть ее из ресторанной тарелки, будет ли это сейчас так же вкусно, как в детстве? Или получится так же, как с любимыми теткиными поэтами? «Что-то здесь не так...» Восприятие меняется с годами. Надо будет спросить тещу, умеет ли она варить ягодные кисели, и если умеет, то пусть сварит, Сергей будет их пить из разных чашек, как при Нюте. Сейчас он приедет, станет вместе с Леной вынимать из шкафа или брать с полки каждую вещь, каждую книгу, каждую тарелку или чашку и рассказывать о том, какие воспоминания с этой вещью связаны. Они сядут рядом на удобный диван, купленный Володей для матери в прошлом году, Сергей достанет многочисленные альбомы с фотографиями, изрядно «прореженные» двоюродным братом, и будет объяснять Ленке, кто на них изображен и что это за ситуация. В теткиных фотографиях он ориентировался лучше, чем в собственных: Нюта обожала доставать альбомы и развлекать племянника подробными рассказами. Она была начисто лишена фантазии, зато обладала феноменальной памятью, поэтому рассказы ее с годами не менялись, не обрастали новыми деталями, повторяясь из раза в раз в малейших подробностях. Анна Анисимовна ничего не придумывала, не додумывала и не преувеличивала, и Сережа, многократно слышавший одни и те же истории, в конце концов выучил их наизусть и мог выступать достойным «экскурсоводом» по фотографиям. Ленка ведь ничего этого не знает, ей будет интересно, а он с удовольствием окунется в воспоминания о тех временах, когда тетя Нюта ставила на стол пузатый фарфоровый чайник, чашки, тарелку с какой-нибудь немудреной домашней выпечкой и приносила высоченную стопку обтянутых материей альбомов. Такие чаепития с разглядыванием снимков и разными интересными историями Анна Анисимовна устраивала регулярно, не реже раза в два месяца...

Перед дверью теткиной квартиры Сергей на мгновение замешкался. Он уже достал было из кармана ключи, но подумал, что как-то неправильно входить сюда как к себе домой. Это пока еще не его жилище. Здесь всё помнит Нюту, всё дышит ею, отсюда еще не ушло ее тепло, не выветрились запахи, свойственные образу жизни хозяйки, — запахи ее духов, ее любимого мыла, запахи еды, которую она чаще всего готовила, стирального порошка, которым она предпочитала пользоваться. Лена должна быть уже там, пусть она откроет ему дверь.

Сергей спрятал ключи в карман и потянулся к кнопке звонка.

— У тебя же есть ключи, — недовольно заметила Лена. — Потерял, что ли? Или забыл?

Очевидно, она не испытала ни малейшего замешательства, открывая дверь полученными только сегодня утром от мужа ключами. И если он сейчас начнет ей что-то объяснять, слова бессмысленно повиснут в воздухе. Она все равно ничего не поймет.

Он разделся, прошел в комнату и замер, стараясь сдержать крик и не сорваться. Одежда Нюты, снятая с «плечиков», громоздилась посреди комнаты бесформенной кучей, рядом аккуратными перевязанными бечевкой стопками стояли книги, те самые книги, среди которых Серега рос, которые читал, начиная с пяти лет. Эти книги бережно и трепетно собирала и хранила Анна Анисимовна — большая любительница чтения. Здесь же отдельной стопкой лежали папки с рукописями: подрабатывавшая перепечаткой «самиздата» Нюта всегда в обязательном порядке оставляла экземпляр для себя, складывала каждое произведение в отдельную папочку и легко давала почитать всем желающим. А Лена, похоже, собирается все это выбросить...

— Давай сейчас всю посуду соберем и в коробки сложим, — командовала Лена, небрежно отпихивая ногой валяющуюся на полу Нютину шаль, связанную крючком. Сергей хорошо помнил, как тетка, в один прекрасный день решив, что должна научиться вязать крючком, без малейших колебаний купила какой-то женский журнал, в котором была напечатана схема, заглянула в «Энциклопедию домашнего хозяйства», быстро пробежала глазами статью о вязании и смело взяла в руки крючок. Два или три раза племянник, приходя к тете Нюте, заставал ее с вязанием в руках, а через весьма короткое время ажурная розовая полукруглая шаль уже красовалась на пышных Нютиных плечах. У нее действительно были волшебные руки.

Ему стало больно. Не будет никаких уютных посиделок с женой за рассматриванием старых фотографий, не будет рассказов и объяснений. Ничего не будет. Он любил Нюту и хотел по-настоящему проститься с ней. А Ленка Нюту почти не знала, и тетка мужа ей не интересна, и с ее книгами и вещами не связаны у молодой женщины никакие воспоминания. Нюта — просто какая-то родственница, оставившая им квартиру. И даже благодарность не встревожила и не согрела душу Серегиной жены. «На ком я женился?» — в очередной раз с привычной тоской подумал он.

Но Сергей Саблин никогда не сдавал позиций без попытки защитить их. Он постарался взять себя в руки, не повышать голос и донести до супруги свое нежелание выбрасывать на помойку то, что так дорого было для его тети Нюты и с чем связано множество его собственных воспоминаний.

— Но Сережа, — Лена смотрела на него удивленно и непонимающе, — я же не хочу никого обидеть, а Анне Анисимовне вообще уже всё равно. Ты сам подумай: нас трое взрослых и ребенок, ну как мы здесь разместимся, если оставим старые вещи? Как мы будем жить? Хорошо, пускай мы не будем всё это выбрасывать, значит, это нужно куда-то сложить, где-то хранить, мы захламим квартиру еще до того, как переедем сюда. И старой чужой посудой я пользоваться брезгую, мы купим всё новое, современное. И мебель тоже купим новую, чтобы было красиво и удобно. Вот смотри: в большой комнате будем жить мы с тобой, а в маленькой устроим Дашку и маму. Кроватка у Дашки есть, а для мамы купим удобную кровать с хорошим матрасом.

Всё было бесполезно. Она не хотела ни слышать Сергея, ни понимать. Они — люди с разных планет. Даже, наверное, из разных галактик.

— В маленькой комнате стоит очень хороший новый диван, — холодно возразил он. — Его купили только в прошлом году. Не понимаю, какая необходимость его менять и тратить деньги на кровать. Я не Рокфеллер, ты прекрасно это знаешь. И новую мебель нам покупать не на что. И новую посуду тоже.

Лена глянула обиженно, надулась и принялась молча разбирать содержимое кухонных шкафов. Сергей несколько раз пытался заговорить с ней, но Лена только отворачивалась и молчала. Ну и не надо, так даже лучше, он сможет сделать по-своему и избежать дурацких и совершенно тупых объяснений. Жена складывала посуду в картонные коробки, а Сергей методично и невозмутимо доставал из этих коробок то, с чем он ни за что не согласится расстаться. Львовскую тарелку. Чашки для киселя. Сковороду, именно ту, с круглой деревянной ручкой, на которой они с Володей Бирюковым жарили картошку...

...Володька тогда приехал из своих дальних краев без предупреждения, неожиданно, и сразу позвонил Саблиным.

— Давай дуй сюда, — скомандовал он десятилетнему Сереге, — я матери не звонил, она не знает, что я приехал. Устроим ей сюрприз. Я разных консервов привез, у вас в Москве такие не продают. Нажарим с тобой картошки целую сковородку, с горкой, стол накроем, вот мать-то удивится!

Серега, конечно же, немедленно сорвался и помчался к тетке. Ему было доверено начистить картофеля побольше, чтобы на всех хватило — Володя собирался позвать кое-кого из друзей. Резать соломкой и стоять над сковородкой с деревянной лопаточкой в руках, чтобы постоянно перемешивать ею и добиться ровной золотистой хрустящей корочки со всех сторон, Володя брату не доверил, встал у плиты сам, повязав Нютин фартук поверх пижонских джинсов, а Сереге велел раскладывать по тарелкам содержимое предварительно вскрытых консервных банок. В тот день Сережа Саблин впервые узнал слово «балык», впервые попробовал маслины и сделал первую затяжку сигаретой. Спасибо Володьке, который решил немного «подвзрослить» младшего кузена. Детство, проведенное рядом с абсолютно непедагогичной Анной Анисимовной, дало свои плоды: ее сын точно так же, как она сама, не делил людей на категории в зависимости от их возраста, ориентируясь исключительно на человеческие качества. Серенький — Серега — вполне самостоятельный, умный, ловкий, исполнительный и аккуратный, много знает и легко учится тому, чего не знает, так с какой стати считать парня малышом? А как радовалась тетя Нюта, как хохотала, как была счастлива, придя домой с работы и застав за изобильно накрытым столом единственного сына, любимого племянника и еще нескольких человек, которых она давно знала. Ее слегка визгливый, но такой искренний звенящий смех до сих пор стоит у Сереги в ушах...

Нет, эту сковородку он не отдаст. Ни за что.

В полном молчании они упаковывали коробки. Когда все оказалось законченным, часы показывали половину второго ночи: за тридцать лет жизни в этой квартире добра у Анны Анисимовны накопилось предостаточно.

— Сейчас мы поедем домой, — сухо произнес Сергей, — а завтра я организую машину, чтобы перевезти часть коробок на дачу к моим родителям. Вот с этими коробками, — он показал на отставленные в сторону упаковки из-под бананов, — можешь делать, что считаешь нужным. Но ни одна коробка, ни одна вещь не окажется на помойке до тех пор, пока я не отвезу на дачу то, что хочу сохранить. И еще.

Он молча прошел в маленькую комнату, где вдоль стен стояли одна на другой двенадцать коробок с книгами, папками, фотографиями и подшивками «Науки и жизни».

— Вот это останется здесь. Это не обсуждается.

— Но Сережа... — Лена, кажется, даже забыла, что дуется на мужа. — Нам тут будет не повернуться, если ты оставишь это старое барахло... У нас ребенок, нужно много вещей, Дашеньке нужен воздух...

— Это останется здесь, — жестким тоном повторил Сергей.

Она отвернулась и горько расплакалась.

Домой возвращались в тяжелом молчании. Метро уже закрылось, пришлось тратить деньги на частника.

На следующий день к вечеру конфликт рассосался, Лена перестала дуться и начала разговаривать с мужем, сначала нехотя, сквозь зубы, потом постепенно смягчилась.

— Ленка, ну смешно же ссориться из-за такой ерунды, — заметил Сергей. — Ты взрослая женщина, ты жена, мать, а ведешь себя как дитя, честное слово.

Ее божественно красивое лицо мгновенно стало хмурым и сердитым.

— По-твоему, моя мама — это ерунда? — В ее голосе зазвенела готовность снова расплакаться или по крайней мере обидеться. — Значит, с твоей тетей, которая умерла, мы должны считаться, а с моей мамой, которая нам помогает из последних сил, мы считаться не должны? Так по-твоему?

— Но у Нюты стоит отличный диван, я не понимаю, почему Вера Никитична не может на нем спать! Диван совсем новый, очень удобный. И, между прочим, не дешевый. Где я возьму столько денег, чтобы купить всё, что тебе хочется? Что за блажь непременно обставлять квартиру полностью новой мебелью? Откуда в тебе эти замашки?

Он постепенно повышал голос и к концу тирады уже почти кричал.

— У мамы больная спина, — тихо проговорила Лена. — Уже очень давно. Ей нельзя поднимать ничего тяжелого, ей нельзя спать на мягком, а она вынуждена и Дашку на руках носить, и стирать, и продукты таскать на себе, и спать на раскладушке. У нее дикие боли, но она терпит, потому что сделать всё равно ничего нельзя, а помогать нам нужно, больше ведь некому.

Сергей разозлился.

— Почему ты мне сразу не сказала? Почему не объяснила, что это не твоя прихоть, а медицинская необходимость? Я знал, что у Веры Никитичны проблемы со спиной, но никогда не думал, что они настолько серьезны. Ты должна была мне все спокойно и внятно объяснить, а не парить мне мозг про новую жизнь среди новой мебели. Что за детский сад, ей-богу!

— Я давала тебе понять, — заявила Лена.

— Зачем давать понять? Разве нельзя просто сказать, словами, на русском языке? Почему я должен ломать голову в догадках, что ты там имела в виду и о чем хочешь мне сказать? Мне что, подумать больше не о чем? У меня других забот нет?

Едва-едва притупившийся вчерашний конфликт вышел на новый виток и закончился ссорой, которая продлилась почти неделю — вплоть до переселения в квартиру Анны Анисимовны.

ГЛАВА 2

Сергей Саблин дежурил всего в третий раз, но уже, со свойственной ему самоуверенностью, полагал, что может составить правильное мнение о тех, кто входил в следственно-оперативную группу, хотя видел этих людей — кого в первый раз, кого во второй. Следователь был вялым и каким-то сонным, опера — пацаны зеленые, младше Саблина по возрасту. Единственным, кто вызвал у Сергея более или менее уважительное отношение, был эксперт-криминалист Ровенская, полная яркая женщина с громким уверенным голосом. Сергей уже дежурил вместе с ней в самый первый раз, вскоре после перехода из патологоанатомического отделения одной из московских больниц в Городское Бюро судебно-медицинской экспертизы.

В больнице они с Ольгой проработали чуть больше двух лет, сначала сидели в одном кабинете, вместе смотрели микропрепараты: Сергей неожиданно для себя всерьез увлекся гистологией. Он радовался, что может видеть Ольгу каждый рабочий день и разговаривать с ней, но несмотря на интерес к гистологии, ему все равно было скучно. Не было драйва, не было понимания, зачем все это нужно? Да, правильно поставленный диагноз — это очень важно, и когда патологоанатом исследует кусочки тканей и органов, взятых у больного во время операции, он занимается необыкновенно ответственным делом — микроскопической диагностикой. 90% работы патологоанатома — это исследования для постановки правильного диагноза живым людям, и только 10% приходится на вскрытия.

Осознавая всю необходимость своей работы, Сергей все равно не переставал думать о судебной медицине. И примерно через полтора года начал активно заниматься исследованиями трупов. К карьере судебно-медицинского эксперта он готовился всерьез.

С декабря 1995 года он, как и мечтал, работал в Городском Бюро судмедэкспертизы в судебно-гистологическом отделении Бюро, куда его взяли без дополнительного обучения, поскольку сотрудников катастрофически не хватало.

Работал он в гистологии с удовольствием, однако очень скоро столкнулся с вещами, понимать которые отказывался. В частности, его не переставало удивлять безразличное отношение экспертов к выставляемым ими диагнозам, когда речь шла о скоропостижных смертях. Да, там, где дело касалось явного криминала — огнестрельных и взрывных травм, повреждений тупыми и острыми предметами, транспортной травмы, отравлений, падений с высоты и так далее, — они готовы были землю рыть и ночами не спать, считая именно эти случаи «своей компетенцией». Скоропостижные же смерти судебно-медицинские эксперты мечтали отдать патологоанатомам и занимались ими спустя рукава и ни во что особо не вникая. Работая в гистологии, Саблин постоянно сталкивался в направлениях на судебно-гистологическое исследование с одними и теми же диагнозами — «хроническая ишемическая болезнь сердца», «кардиомиопатия» и «рак». «Раком» эксперты почему-то именовали любую опухоль или опухолевидное образование и ставили его непосредственной причиной смерти, чего, как твердо знал пришедший из патанатомии Сергей, быть не может. Никогда. Рак нарушает работу какого-либо органа, и вот прекращение работы этого органа как раз и является причиной смерти, а вовсе не рак как таковой. У них в патанатомии принято было относиться к диагнозам ответственно и взвешенно.

Однажды он получил для исследования микропрепараты, в направлении было указано: «Раковая интоксикация. Рак тонкой кишки». Сергей удивленно хмыкнул: раковая опухоль в тонком кишечнике — это вообще казуистика, там, как правило, образуются опухоли из эндокринных клеток или гладкомышечной ткани, как правило, доброкачественные, которые раком не являются по определению, поскольку рак — это злокачественная опухоль эпителиального происхождения. Диагноз вызвал у него вполне понятное недоверие. Он начал просматривать кусочки этой «опухоли» и очень скоро убедился в том, что недоверие его было обоснованным, ибо не обнаружил никаких признаков неопластического процесса. Признаки хронического продуктивного воспаления он видел, а вот того, что указано в направлении... Он еще и еще раз, делая небольшие перерывы, чтобы отвлечься и дать отдохнуть глазам, возвращался к присланным «стеклам», но все равно ничего не находил. Зато увидел нечто, напоминавшее фрагмент шестеренки, вывернутой зубцами внутрь. «Ёлки-палки, да это же гельминт!» — охнул Сергей. Обычный глист. За время работы в патанатомии гельминты ему не встречались, но учебные препараты со срезами глистов он помнил очень хорошо. Их и в самом деле трудно было с чем-то спутать. Скорее всего, в данном случае глист внедрился в стенку тонкой кишки из ее просвета, и вокруг него развились некроз и хроническое воспаление, постепенно образовав небольшую опухолевидную шишку. Вот эту шишку эксперт отделения экспертизы трупов и принял за рак.

Сергей отнес свое заключение заведующей гистологическим отделением и, конечно же, не удержался от язвительных комментариев по поводу профессиональной грамотности эксперта из танатологии.

— Он что, кишечник не вскрывал? — кипятился Саблин. — Как можно было спутать одно с другим?

Заведующая усмехнулась и посмотрела на него с откровенным сожалением.

— Господи, Сережа, какой вы еще молоденький! Конечно, он не вскрывал кишечник, это и ежу понятно. Дорогой мой, танатологи перегружены работой, вы прекрасно знаете, какая в Москве криминальная ситуация...

— Криминогенная, — машинально поправил ее Сергей, привыкший к тому, что в его окружении у него всегда была самая правильная речь и безупречная грамотность и к нему постоянно обращались с вопросами: как правильно пишется или как правильно называется.

Заведующая приподняла брови, и сожаление в ее глазах плавно превратилось в разочарование.

— Вы мыслите стереотипами, мой друг, а ведь вы изучали в институте латынь, как же вы можете быть таким безграмотным? Все кругом твердят про криминогенную ситуацию, а хоть бы кто-нибудь задумался о том, что это неправильно. Криминогенный — это то, что порождает криминал, способствует его развитию и движению, определяет его качество. Так же, как патогенный, неврогенный, канцерогенный и прочие термины из так хорошо известной вам медицины. Вам же не придет в голову рассуждать о канцерогенной ситуации в регионе, имея при этом в виду высокую заболеваемость и смертность жителей от рака, правда? Канцерогенный — это совсем про другое. Так почему вы упорно пользуетесь термином «криминогенный»? Потому что все так делают? Да еще и меня поправляете! Вы большой мальчик, вам пора иметь собственную позицию, а не быть милым разноцветным попугайчиком, который готов твердить то, о чем говорят вокруг. Стыдно, друг мой. И запомните: криминогенная ситуация — это экономика, политика, безработица, алкоголизация и наркотизация населения, сложности с жилищным вопросом и все такое. А уровень преступности — это ситуация криминальная. И больше никакая.

Сергей удрученно замолк. Его впервые в жизни уличили в филологической неграмотности.

— Так вот, продолжу. Криминальная ситуация в Москве тяжелая, уровень убийств растет, соответственно, увеличивается и количество трупов, поступающих для проведения судебно-медицинского исследования. И у танатологов одна задача: определить, есть криминал или нет криминала. Если криминал есть — они работают дальше, если его нет — берут то, что в первую очередь бросается в глаза, и ставят в качестве причины смерти. А если в глаза вообще ничего не бросается, ставят ХИБС.

Сергей покачал головой. Хроническая ишемическая болезнь сердца — это не болезнь, это группа заболеваний, каждое из которых имеет собственную клиническую картину и собственные осложнения, это знает каждый медик, об этом даже говорить смешно. Да у любого человека после сорока лет можно найти структурные проявления атеросклеротического процесса и в миокарде, и в сосудах.

— Так ведь любому человеку можно поставить диагноз ХИБС и с ним благополучно похоронить! — сказал он возмущенно.

Заведующая кивнула и рассмеялась, но смех ее был печальным.

— Вот именно, дорогой мой, вот именно. Так они и делают. Вы думаете, откуда в нашей стране такая чудесная статистика, согласно которой сердечно-сосудистые заболевания стоят на первом месте среди причин смерти граждан? Вот отсюда, из наших судебно-медицинских диагнозов по «скоропостижке». Вы же понимаете, Сереженька, для облегчения работы сформировались стереотипы: все разнообразие диагнозов свели к нескольким вариантам, чтобы особо не терзаться изысканиями. Умер пожилой человек — значит, ХИБС, умер человек помоложе — ставят кардиомиопатию или цирроз, если ребеночек умирает — легче всего поставить синдром внезапной смерти. И все это плавно перекочевывает в статистику, которую анализируют где-то там, — она ткнула пальцем в направлении потолка над головой, — наверху, умные дяденьки и тетеньки, и делают на основании этих цифр выводы. А потом эти выводы ложатся в основу какой-нибудь государственной программы по профилактике и лечению какой-нибудь группы заболеваний. Ну и все такое... — она вяло махнула рукой. — Замкнутый круг получается. И результат плачевный, поскольку нулевой.

Сергей удрученно помолчал.

— Но ведь это же откровенная халтура, — выдавил он наконец. — Как же так можно?

— А что в нашей стране не халтура? — горько усмехнулась завотделением. — Вы же пожили при советской власти, хоть и не так долго, как я, но все-таки застали эти прекрасные времена. Халтура была, есть и будет основополагающим принципом организации в России. Организации всего, чего угодно, начиная от обучения детей в школах и заканчивая постановкой диагнозов в медицинских учреждениях.

— Но так же нельзя...

Заведующая вздохнула.

— Сережа, вы говорили, что хотите работать в танатологии. Пройдете курс первичной подготовки — и вас переведут. Но мой вам совет: подумайте как следует. С вашими идеалистическими позициями в морге будет нелегко. Не место вам там.

Когда Сергей в самом начале работы в Бюро заикнулся о возможности перевода в отделение экспертизы трупов, ему сказали, что без «первички» по судебной медицине об этом и мечтать нечего. Завотделением гистологии прекрасно знала, что ее новый сотрудник, зарекомендовавший себя очень неплохим экспертом-гистологом, спит и видит перейти в другое отделение. Ей было жаль отдавать Саблина в морг.

* * *

И вот дополнительное обучение позади, и Сергей Саблин перешел работать в отделение экспертизы трупов.

Он хорошо помнил тот день, когда ему пришлось впервые осматривать труп на месте его обнаружения. Самое первое дежурство обошлось без выезда на труп, во второй раз «труп» оказался мертвецки пьяным мужиком, так что участвовать в осмотре места происшествия Саблину не пришлось, а вот сегодня они выехали в один из Московских лесопарков, поскольку поступил сигнал: во время земляных работ по прокладке кабеля на территории лесопарка обнаружено неритуальное захоронение. Два трупа. Захоронение явно криминальное, без гробов. Серегу уже предупреждали, что даже самый опытный и знающий судебно-медицинский эксперт не имеет права подменять собой следственно-оперативную группу, он не принимает никаких решений, не дает никому указаний и — самое главное — не выполняет поручений следователя или оперов, если это выходит за рамки его прямых обязанностей.

— Запомните, Сережа, — говорила ему знакомая Юлии Анисимовны, адвокат с обширной частной практикой, — вам постоянно будут предлагать копать, носить, искать подручные средства, что-то организовывать и тому подобное! Не вздумайте! Особенно у нас любят заставлять молодых неопытных судебных медиков выкапывать трупы при криминальных захоронениях, потому как рабочей силы на это обычно под рукой не оказывается. Боже вас упаси повестись на авторитет следователя в такой ситуации! Вы должны четко знать, что эксгумация, то есть просто извлечение тела из земли, иными словами — выкапывание, всегда является следственным действием и регламентируется соответствующей статьей Уголовно-процессуального кодекса. И не имеет значения, ритуальное это захоронение, то есть на кладбище, или криминальное, все равно извлечение тела из земли — процессуальное действие, зарубите это на своем носу. Правда, есть некоторые отличия, в частности, при вскрытии ритуальной могилы на кладбище следователь выносит постановление о производстве следственного действия, а при вскрытии криминального захоронения этого не делается, но это уже юридические нюансы, вас они не касаются. Ваше дело — правильно осмотреть труп и правильно надиктовать свою часть протокола, все прочее — долой.

Сергей хорошо запомнил советы маминой приятельницы-адвоката и сейчас в тревоге посматривал на следователя и молодых веселых оперативников. При рытье траншеи обнажилась часть руки трупа, работы немедленно приостановили и вызвали милицию, приехавшие ребята из патрульно-постовой службы присмотрелись опытным глазом и сразу поняли, что покойник лежит в земле не один. Их там двое, а может, и трое. Так что выкапывать трупы непременно придется. И кто будет это делать? Следователь? Или оперативники? Даже смешно! Этот следователь сроду ничего тяжелее рюмки в руке не поднимал, это по его болезненно-алкоголизированной внешности сразу видно, куда уж ему лопатой махать, да и не его это обязанность, равно как и не обязанность мальчишек-оперов. Ну а кто в таком случае должен выкапывать? Ох, чуяло его сердце, что менты попытаются взвалить эту работенку на новичка-эксперта! Ничего, с неожиданной злостью подумал Сергей, пусть попытаются, где сядут — там и слезут.

Следователь действительно попытался, опасения Саблина оказались не напрасными.

— Ну что, Сергей Михайлович, найди-ка нам пару-тройку работяг с лопатами и проследи, чтобы все сделали, — устало произнес он, расстилая на пеньке вынутый из кармана полиэтиленовый пакет, тяжело уселся, вытянув ноги, и прикрыл глаза, словно хотел сказать: «Вы тут все организуйте, я пока посплю, а потом вами поруковожу».

Ладно, рабочих здесь действительно полно, и Сереге ничего не стоит найти бригадира, объяснить ситуацию и попросить о помощи, тем более что именно эти рабочие и захоронение обнаружили, и милицию вызвали, так что в курсе и удивляться не станут. Это Саблин может сделать. А вот как проследить, чтобы все сделали правильно? Он и сам-то не очень уверен в том, что знает: как правильно? Опыта-то нет. Ну ничего, как-нибудь.

Он двинулся в сторону бытовки, вокруг которой ходили рабочие.

— Вы куда это направились? — услышал он громкий уверенный голос женщины-эксперта Ровенской.

— Мне следователь сказал найти рабочих и проследить за эксгумацией, — пояснил он, остановившись и повернувшись к эксперту-криминалисту.

Та смотрела на него, прищурившись и уперев руки в бока, эдакая торговка рыбой с провинциального базара.

— Даже не вздумайте, миленький, — произнесла она, слегка понизив голос. — Рабочих, конечно, надо найти, и если больше никто не умеет выполнять такие простые действия — ничего страшного, если их выполните вы. Но на этом — всё. Полный конец, — она засмеялась, употребив более грубое и ёмкое по смыслу выражение.

— А как же эксгумация? — растерялся Сергей. — Следователь мне поручил...

— Мало ли что он вам поручил! Не имейте дурной привычки выполнять все, что вам поручают, это золотое правило службы. Вы — не юрист, не криминалист, вы — врач. Как вы можете руководить эксгумацией? А если в результате вашего, извините за выражение, руководства окажутся утраченными вещественные доказательства? Причем утрачены безвозвратно. Или испорчены. Вы своей умной головой об этом подумали?

Сергей об этом действительно не думал. В общем-то, в тонкостях работы по раскрытию и расследованию преступлений он совсем не разбирался. Однако почему Лидия Игоревна Ровенская так уверена в том, что в захоронении непременно окажутся вещдоки?

— Поймите, — терпеливо объяснила та, — когда трупы закапывают в землю в лесопарке, то рассчитывают исключительно на то, что их никто никогда не найдет. То есть захоронение не обнаружат и не вскроют. А коль его не вскроют, то туда можно бросить все, что угодно, все равно не найдут. Веревку, например, которой душили, камень, которым били по голове, даже «волыну», из которой покойничков «приговорили».

Сергей принял к сведению сказанное экспертом-криминалистом, благодарно ей улыбнулся и пошел договариваться с бригадиром. Когда тот привел к месту обнаружения захоронения четверых крепких ребят с лопатами, Саблин обратился к подремывающему следователю:

— Люди готовы работать, ждут ваших указаний, — быстро проговорил он и нырнул в дежурную машину, где Лидия Игоревна отогревалась при помощи крепкого кофе из термоса.

— Спасибо вам, — сказал Сергей, — я работяг следователю передал и свалил, пусть сам работает.

— Вот и молодец, — одобрительно кивнула она. — Учитесь, юноша, пока есть у кого. Пройдет еще три-четыре года — и молодежи учиться будет не у кого.

— Почему? — не понял он.

— Да потому что кругом только одна сопливая молодежь и останется, ничего не знающая и не умеющая. Кто совсем постарше — тех на пенсию выпрут, а кто еще ничего — тот сам уйдет. Невозможно работать в бардаке этом, совесть не позволяет.

Сергей выпил предложенную Ровенской чашку кофе без сахара и вышел из машины: ему было интересно, что там происходит, ведь как-никак — первые трупы, первое место происшествия. Рабочие осторожно копали, стараясь не задеть и не повредить трупы, а следователь, снова заняв насиженное место на пне, разговаривал с оперативниками. Сергей прислушался. Речь шла о том, что покойные — либо бандиты, либо бомжи.

— И на хер их откапывать! — бурчал один из оперов. — Все равно трупы в таком состоянии, что ни одна экспертиза ничего не установит: ни как убивали, ни чем убивали, а уж о том, сколько человек этим прискорбным делом занималось, и мечтать нечего узнать.

— Ну да, — подхватил второй оперативник, — даже если мы найдем, на кого эти трупы повесить, все равно будут твердить, что потерпевшие сами виноваты, первыми напали, а те, бедненькие, только защищались и нечаянно пределы необходимой обороны превысили. И никакая экспертиза на таких лежалых трупах ничего не найдет такого, что позволило бы эти показания опровергать. Дохлое дело. Так что все, как всегда: вали на покойника, с него какой спрос.

Грубый и пренебрежительный разговор покоробил Саблина. Действительно, покойника в такой ситуации легко можно оболгать, и защитить его некому. Некому, кроме судебно-медицинской экспертизы. И еще ему было очень обидно оттого, что оперативники и следователь считают его, специалиста, обладающего достаточно большим объемом знаний, пустым местом, «попкой», «болванчиком», который приехал на место происшествия исключительно потому, что этого требует закон, но на самом деле от его присутствия, от его знаний, умений и работы ничего не зависит. Но он-то ладно, он себя защитить сможет, а вот покойник — уже нет.

И Сергей вдруг вспомнил ту драку со Славиком, соседским пацаном, который издевался над Серегой из-за его бесконечных больных животных, которых он приносил домой, выхаживал, таскал в ветеринарку и пристраивал потом в хорошие руки. Сергей с 10 лет занимался боксом, поэтому дрался до крови, отчаянно, никого не боялся. Вечером к ним в гости пришла тетя Нюта, а спустя некоторое время явились Славкины родители выяснять отношения. Сергея выставили из комнаты, но он подслушивал под дверью. И услышал:

— Ваш Сережа бездомных котят с помойки жалеет больше, чем людей, кого вы вырастили? Он же чудовище, монстр какой-то, вы бы видели, во что он превратил нашего Славика.

И тетя Нюта ответила:

— Ваш Славик здоровый лоб, он прекрасно может себя защитить сам, зачем ему, чтобы Сережа его жалел? А вот больного котенка или птенца со сломанной лапкой защитить некому. Защищать надо того, кто сам себя защитить не может.

— Да ваш Сережа — настоящий зверь! Видели бы вы, какими глазами он смотрел на нашего Славика! Как волчонок! Надо же, в такой интеллигентной семье растет, а настоящий монстр! Животное!

Сереже было непонятно, почему его называют монстром, зверем, волчонком и животным. И о каком таком взгляде говорила Славкина мамка? Дождавшись, когда родители побитого соседа ушли, мальчик осторожно потянул тетю Нюту за рукав:

— Нюта, а почему они так меня обзывали? Я что, правда звереныш, что ли?

— А ты подслушивал! — рассмеялась тетя Нюта. — Некрасиво! А насчет звереныша — так ты бы видел, какие у тебя глаза сейчас. Звереныш и есть.

— Но почему? — упрямо настаивал Сережа. — Что с глазами-то не так?

— Да они у тебя, как у деда Анисима, в точности. Никто из нас, ни мама твоя, ни Васька, ни я — ни внешне, ни повадкой на отца не похожи, а ты — вылитый Анисим Трофимович Бирюков. Вот скажи честно: жалеешь, что Славку избил?

— Нет, — твердо ответил мальчик.

— И если бы снова так сложилось — снова побил бы его?

Сережа молча кивнул, боясь взглянуть тетке в лицо. Он был уверен, что говорит неправильно, что Нюта его осуждает, но соврать тоже не мог. Что-то мешало.

— Значит, не жалеешь, не раскаиваешься? — Губы тети Нюты искривились в непонятной Сереже усмешке.

Он помотал головой, потом внезапно решился и поднял глаза.

— Ну так и есть, — вздохнула тетка. — Воин, который не раскаивается в том, что причиняет боль и смерть. Потому что он воин и перед ним враг. Как же ты похож на своего деда! Ой смотри, Сережка, намаешься ты с таким характером. И с таким взглядом.

— А ты же говорила, что у меня хороший характер, — возразил Сережа.

— Хороший, — согласно кивнула она. — Но трудный. И людям с тобой будет трудно, и тебе самому будет тяжко. Так что готовься, легко тебе в жизни не будет. И взгляд свой волчий убери, это ведь только я понимаю, потому что дедова дочка и отчество у меня Анисимовна, а другие-то не поймут, испугаются, ненавидеть будут. Поосторожнее с глазами, Серенький.

* * *

— ...Сочетанная травма груди, живота и нижних конечностей: переломы грудины и ребер о рулевую колонку, разрывы легких и печени с обильным внутренним кровотечением, винтообразно-оскольчатый перелом правой бедренной кости в результате воздействия травмирующей силы по оси конечности с ее одновременным вращением вокруг оси...

Сергей, тщательно проговаривая медицинские термины, диктовал медрегистратору протокол исследования трупа молодой женщины, погибшей в дорожно-транспортном происшествии. Женщина находилась за рулем автомобиля, превысила скорость, не справилась с управлением и, выскочив на встречную полосу, столкнулась с автобусом. Виновница аварии погибла на месте. Исходя из соображений здравого смысла, проводить судебно-медицинское исследование таких трупов нерационально. Зачем? И без того все ясно. Ясно, что человека не убили, не отравили, не застрелили и не проломили ему череп подручным тяжелым предметом. Обстоятельства налицо, для чего исследовать труп, какие неожиданные находки, важные для правосудия, могут обнаружиться? В большинстве зарубежных стран в подобных случаях ограничиваются только забором крови для анализа на наличие алкоголя или наркотиков. Но российские законы требуют непременного вскрытия трупа в каждом случае насильственной смерти. При этом не следует путать смерть насильственную и смерть криминальную, являющуюся всего лишь одной из разновидностей насильственной. Насильственная смерть — это смерть от любых видов внешнего воздействия, а не от заболевания. Вот и приходится тратить время и силы на никому, в общем-то, не нужную работу.

Но и в этом случае, отдавая себе отчет в том, что акт экспертизы не прочтет даже следователь, не говоря уж о судье и адвокате, Сергей Саблин старался сделать протокол безупречным, использовал формулировки механизмов деформации костей и в экспертных выводах старался придерживаться научной терминологии, которую выучил на недавних занятиях. Такой перелом, какой он описал у погибшей в ДТП молодой женщины, свидетельствовал, скорее всего, о том, что она изо всех сил правой ногой давила на педаль тормоза, пытаясь избежать столкновения. В целом причина смерти сомнений не вызывала.

Сергей извлек органокомплекс и начал осматривать полости тела. Что это? Дно матки находилось выше уровня лонных костей. Да она беременная была, что ли? Саблин собрался было дать указание санитару выделить и извлечь органы малого таза, но передумал и сделал это сам. В полости матки действительно обнаружились и плацента, и плодный пузырь, внутри которого в амниотической жидкости находился плод — небольшой человечек-куколка, с кожей насыщенного розово-красного цвета, сморщенным крохотным личиком, маленькими ручками и ножками. Даже пол определялся. Саблин измерил длину плода для определения срока беременности: если длина составляла меньше 25 сантиметров, то из этой величины извлекался квадратный корень, и полученная цифра соответствовала количеству лунных месяцев, если же длина плода превышала 25 сантиметров, то показатель просто делился на 5. Он сначала произвел вычисления в уме, потом попросил медрегистратора посчитать более точно, на карманном калькуляторе, который та всегда носила с собой на вскрытие, чтобы при необходимости делать подсчеты, например, объема внутреннего кровоизлияния, помножив количество семидесятипятимиллилитровых прозекторских черпаков на их объем. Оказалось, что способность быстро считать в уме Сергей не утратил: у него получилось чуть меньше 5 календарных месяцев, медрегистратор же, переведя лунные месяцы в календарные, выдала цифру 4,79. Однако!

— Надо же, — покачала головой медрегистратор, — горе какое! Два человека разом погибли. Не знаете, Сергей Михайлович, она замужем?

Сергей пожал плечами, продолжая исследование.

— Понятия не имею. Да какая разница!

— Ну как же, жалко ведь человека, и жену потерял, и ребенка. Думал, наверное, что через четыре месяца у него будет семья из трех человек, а теперь совсем один остался.

Саблин вспомнил Красикову, умершую в реанимации от отравления уксусной кислотой. Не мог он ее забыть до сих пор, хотя четыре года прошло. Не мог забыть безумные, затуманенные нежеланием осознать потерю глаза ее мужа, у которого вот только что, совсем недавно тоже была семья из трех человек, а теперь он остался совсем один. Но поддерживать «переживательные» разговоры с медрегистратором он не собирался и перевел диалог в сугубо профессиональное русло.

— Пятимесячный плод — это еще не ребенок. Это всего лишь плод, то есть с юридической точки зрения не человек, а существо. Его и хоронить поэтому нельзя как человека, только вместе с трупом матери.

Но медрегистратор никак не желала сбиваться с эмоционального настроя.

— Да мужу-то какая разница! Он же всю жизнь будет горевать и думать, что потерял не одного человека, а двоих.

Закончив вскрытие, Саблин надиктовал судебно-медицинский диагноз, не забыв упомянуть в разделе «сопутствующие состояния»: «Маточная беременность малого срока плодом мужского пола, гестационный возраст 4—5 месяцев. Внутриутробная гибель плода в результате смерти макроорганизма матери».

Заполняя в регистратуре бланк медицинского свидетельства о смерти, он с одной стороны написал фамилию погибшей женщины, с другой же стороны указал причину смерти — сочетанную травму груди и живота. В подпункт «Прочие состояния» поставил «Беременность малого срока». Осталось только подписать, все остальное доделает медрегистратор: запишет в регистрационный журнал данные о причине смерти в соответствии с записями в свидетельстве и выдаст потом это свидетельство родственникам умершего, предварительно заполнив все остальные графы. Конечно, это было нарушением, заполнять свидетельство о смерти от начала до конца обязан врач, но врачи от этой работы обычно уклонялись, ограничиваясь заполнением корешка и подписью. И не потому, что ленились, а исключительно потому, что такова особенность судебно-медицинской экспертизы, куда, в отличие от патанатомии, трупы частенько попадают без всяких документов. Дело в том, что свидетельство о смерти заполняется только на основании документа, удостоверяющего личность, кроме того, в свидетельстве есть такие пункты, заполнить которые можно только со слов родственников, например, какое у покойного образование и социальное положение. Вот поэтому эксперт заполняет после вскрытия только корешок свидетельства с диагнозом и ставит внизу на обороте свою подпись, а остальные пункты заполняет медрегистратор, когда выдает свидетельство родственникам, которым можно задать все необходимые вопросы.

— Сергей Михайлович, там муж Гречихиной за свидетельством пришел, хочет с врачом поговорить. Вы к нему выйдете?

Сергей кинул взгляд на окошко регистратуры, по другую сторону которого нервно шагал взад-вперед высокий нескладный, какой-то неказистый мужчина лет 32—35. Гречихин, стало быть. Муж беременной женщины, Людмилы Гречихиной, так нелепо погибшей в ДТП. Саблин кивнул ему и указал глазами на выход из помещения морга. Можно было бы и здесь поговорить, но ему хотелось постоять на холодном весеннем воздухе, чтобы немного освежить голову.

— Здравствуйте, — Гречихин, несмотря на горе, ухитрялся сохранять вежливость, — это вы вскрывали мою жену?

Саблина передернуло. Ну почему все пользуются словом «вскрытие» направо и налево? Вскрывал! Правильнее говорить: «проводил судебно-медицинское исследование трупа». Потому что, строго говоря, вскрывает труп не эксперт, а санитар, который делает все необходимые разрезы и распиливает череп. Вот не зря говорят, что в России, а может, и во всем мире, каждый обыватель считает себя крупным экспертом в трех вопросах: в спорте, в педагогике и в медицине. Все почему-то полагают, что в этих трех областях нет ничего сложного и разобраться может любой мало-мальски грамотный человек. А на самом деле существует масса тонкостей и сложностей, не говоря уж о базовых теоретических знаниях. Но кому придет в голову, что в спорте или в воспитании и обучении детей есть теория? И точно так же никому не приходит в голову узнать, что такое на самом деле судебно-медицинская экспертиза. Трупорезы — они трупорезы и есть, чего там знать-то! Такое пренебрежение к любовно выбранной профессии всегда приводило Сергея в ярость. Но в данном случае он решил промолчать: все-таки человек в стрессе, жену с ребенком потерял. Поэтому он только кивнул и коротко ответил:

— Да, это я.

— Что там было? От чего она умерла? От того, что попала в аварию? Или она в аварию попала из-за того, что чем-то болела, и ей стало плохо за рулем? Может быть, она умерла в машине?

— Откуда такие подозрения? — напрягся Саблин.

Он тщательно провел исследование и мог бы поклясться, что никаких серьезных заболеваний, могущих привести к подобному развитию событий, у покойной Гречихиной не было. Конечно, есть вариант токсикоза беременных, который у некоторых женщин длится довольно долго, и если у нее внезапно началась рвота, то она могла и с управлением не справиться, однако никаких рвотных масс в пищеводе он не обнаружил.

— Вы понимаете, в последнее время мне показалось, что Милочка от меня что-то скрывает. Она стала какой-то закрытой, не откровенной, я опасался, что у нее проблемы со здоровьем, все время спрашивал, но она уверяла меня, что все в порядке. Она меня обманывала, да? У нее было что-то серьезное? Я так и знал, так и знал! Мне нужно было бросить всё и приехать, нужно было самому всё выяснить, отвести ее к лучшим докторам, она же такая беспомощная, такая неорганизованная! А я вместо этого деньги зарабатывал, я семь месяцев в России не был, подрядился на одну работу в невероятно тяжелых условиях в Южной Америке, но там платят очень хорошо, и я на квартиру хотел заработать... Я же ради нее, только ради нее... Пока квартиры не было, мы ребенка заводить не хотели, все откладывали...

Он бормотал что-то еще, а Сергей стоял, оцепенев, и судорожно пытался принять решение. Вот, значит, как! Этот Гречихин семь месяцев не был дома и не видел жену, у которой к моменту смерти имела место без малого пятимесячная беременность. И что с этим делать? Судя по сроку, покойная Милочка собиралась рожать, в противном случае сделала бы аборт. А поскольку муж находился в длительной загранкомандировке и быть отцом ребенка не мог ни при каких условиях, то понятно, что молодая женщина собиралась со дня на день объявить супругу о своем уходе. Вероятно, она даже планировала выйти замуж за своего любовника. А муж ничего не подозревает, горюет по ней, считает, бедолага, что она была ему верной женой и честно ждала. Ага, глазоньки все проглядела ожидаючи...

— Не вините себя, — произнес Сергей, все еще мучаясь непринятым решением, — ваша жена была абсолютно здорова, и ваш приезд ничего не изменил бы. Она действительно умерла от сочетанной травмы груди и живота, множественных переломов ребер и внутреннего кровотечения.

«Говорить или не говорить? Черт, как же поступить? Как будет лучше? Если он узнает о неверности жены, то, возможно, будет меньше горевать, легче перенесет утрату и быстрее оправится. Злость, ненависть и ревность — очень сильные чувства и порой играют роль прекрасного лекарства. Но если он не узнает, он сможет всю жизнь вспоминать свою любовь как самое лучшее, что с ним происходило, он будет думать, что его искренне и преданно любили, а это тоже очень важно. Зачем ему знать, что у него выросли огромные ветвистые рога? Или все-таки нужно, чтобы он узнал?»

— Скажите, доктор, Милочка очень мучилась? Ей было больно?

— Не думаю, — покачал головой Сергей. — У вашей жены повреждения были очень тяжелыми, в таких случаях быстро развивается шок с потерей сознания, человек при этом уже ничего не чувствует до самого конца.

Гречихин отвернулся и поднял руку к глазам, вытирая выступившие слезы, потом издал странный звук, короткий и хриплый, и снова повернулся к Саблину:

— А лицо? Лицо не пострадало? Милочка такая красивая...

Что правда — то правда, Людмила Гречихина была на редкость хороша собой, и даже чудовищные смертельные травмы не скрыли окончательно ее совершенную красоту. Хотя Шекспир и утверждал: «Death's a great disguiser».

— Что вы сказали? — тревожно спросил Гречихин, и Сергей понял, что невольно произнес английскую фразу вслух. Надо же, как некстати!

— Я сказал: «Смерть мастерица искажать черты», это Шекспир, «Мера за меру». Но к вашей жене это не относится, лицо ее не пострадало. Не стану скрывать, грудная клетка и ноги в плохом состоянии, но с лицом все в порядке, не беспокойтесь об этом.

«Так все-таки, говорить или не говорить? Ведь он сейчас пойдет получать свидетельство о смерти, а я там указал беременность. Черт, как же поступить?!»

Решение пришло внезапно, и Сергей даже не успел оценить его правильность. Просто понял, что сейчас сделает.

— Вам придется подождать минут десять, погуляйте пока здесь, потом подходите в регистратуру, ответите на кое-какие вопросы и получите свидетельство о смерти супруги.

— Спасибо вам, доктор, — в глазах Гречихина горе соседствовало с облегчением, — вы так меня успокоили! Теперь я знаю, что она не мучилась, не боялась, ей не было больно, она даже не осознавала, что умирает. Как вы думаете, я могу считать, что она умерла счастливой?

«Уж это да, — зло подумал Сергей. — Страстная любовь, рождение ребенка, скорый развод и грядущая свадьба. Молодая красавица на пороге крутых жизненных перемен. А то, что ее любящий муж торчит в Южной Америке, в тяжелейших климатических условиях, за которые получает денежную надбавку, чтобы заработать на квартиру для нее же, — это так, тьфу, ничего не значащее обстоятельство».

Нет, решение он принял правильное.

Оставив Гречихина на улице, Сергей быстрым шагом направился в регистратуру. Схватив лежащий на столе бланк свидетельства о смерти Людмилы Гречихиной, вложенный в паспорт погибшей женщины, и не обращая внимания на удивленный возглас медрегистратора, он резкими движениями перечеркнул его крест-накрест с обеих сторон.

— Вы что, Сергей Михайлович? — сдавленным шепотом спросила медрегистратор, увидев столь варварское отношение к документу строгой отчетности. — Что вы делаете? Зачем?

— Дайте мне новый бланк, — не терпящим возражения тоном сказал Сергей, — я перепишу свидетельство. А этот бланк надо оформить как испорченный.

— А заведующий что скажет? — испуганно спросила та. — Вы же знаете, как он ругается, когда бланки портят... Это же по каждому испорченному бланку бумаг кучу писать приходится, хлопот не оберешься, они же номерные.

— Можно подумать, лично вы никогда в жизни ни одного бланка не испортили, — зло отпарировал Саблин. — Если заведующий спросит — скажите ему, что это я бланк испортил, пусть он мне мозг выносит.

Медрегистратор с облегчением перевела дух: в случае начальственного разгона шишки полетят не в нее. Ну и ладно.

Саблин заполнил новый корешок свидетельства о смерти, на сей раз не указывая беременность в разделе «Прочие состояния». С улицы зашел Гречихин и снова замаячил перед окошком регистратуры. Сергей понизил голос и едва слышно сказал:

— Беременность указывать не нужно. В журнал не записывайте и мужу не говорите.

Медрегистратор молча пожала плечами, лицо ее выражало полное безразличие: не надо — так не надо, за диагноз и за выписанное свидетельство ответственность несет врач, а не она. Врач сказал — ее дело выполнять.

Теперь оставалось договориться со следователем. Саблин позвонил ему и объяснил ситуацию.

— Ядрёно! — цинично заметил следователь. — Муж, стало быть, в лесах Амазонки здоровье теряет, а любимая жена в Москве ребеночка нагуляла. И чего ты хочешь, Михалыч?

— Хочу, чтобы ты по возможности не знакомил Гречихина с актом экспертизы. Это я только в свидетельстве о смерти про беременность не написал, а в акте-то я все указал, как есть. Гречихин наверняка не знает, что следователь обязан дать ему прочесть акт, если он захочет. Ты просто не говори ему, что у него есть такое право, а если он что спросит — отсылай ко мне, дескать, ты не врач, в медицине не разбираешься, а эксперт на все вопросы ответит. Я с ним сам разберусь. Лады?

— Да не вопрос, — следователь был в чем-то туповатым, но в целом покладистым, с Саблиным имел дело уже не один раз, и отношения у них были вполне приятельскими. — К тебе отправлю, ежели чего. Но ты тоже себе лишний головняк наживаешь. Какого лешего ты в акте-то написал про беременность? Не писал бы — и вся недолга. Все равно «отказной» писать, состава нет, а беременность тут ни на что не влияет.

— Ничего себе! — удивленно усмехнулся Саблин. — Ты вообще юрист или где? Ты же сам брал с меня подписку о том, что я предупрежден об ответственности за заведомо ложное заключение.

— Да ладно тебе, фигня это всё. Кто на это внимание-то обращает в наше время? Все крутятся, как могут, и выживают тоже, как могут.

В общем-то, ничего нового для себя Сергей не услышал, этот следователь свое мировоззрение ни от кого не скрывал и открыто искал себе более денежное место приложения профессиональных навыков, а закон был для него всего лишь некоей субстанцией, знание которой помогает зарабатывать на жизнь, не более того. Но каждый раз после разговоров с этим человеком настроение у Сергея неизменно портилось.

Домой он пришел мрачным и злым, и когда Лена попыталась узнать, в чем дело, решил все ей рассказать, начиная от истории гибели Людмилы Гречихиной и заканчивая разговором со следователем. Ему было так тяжко и противно, что он чувствовал: если немедленно не поговорит с кем-нибудь об этом — его просто разорвет изнутри. Лучше было бы, конечно, поговорить с Ольгой, но сегодня им встретиться не удастся. И завтра тоже.

— Ну и что? — Лена непонимающе фыркнула. — Ну и не писал бы, в самом деле. Подумаешь, проблема! Что ты ищешь себе трудности на ровном месте! И вообще, я бы не стала спасать репутацию этой шлюхи.

— Но муж-то тут при чем! — воскликнул Сергей. — И вообще, я не это с тобой обсуждаю. Я знаю, что поступил правильно, и в твоих оценках моего решения не нуждаюсь. Я тебе про следователя говорю.

— И что следователь?

В прекрасных темно-серых глазах жены плескались одновременно обида и скука. Неверную жену она еще готова была пообсуждать, а вот про следователя ей было откровенно неинтересно.

— Следователь, человек, стоящий на страже закона, открыто предложил мне этот самый закон нарушить. Это говорит о том, что правоохранительная система гниет и разрушается, и совершенно непонятно, как мы будем жить дальше, если исчезают не только моральные ориентиры, но и правовое мышление уничтожается на глазах.

— Но, Сережа, это же следователь хотел нарушить закон, а не ты. Ты врач, чего ты так переполошился, какой с тебя спрос? Он тебе предложил не писать про беременность — ну и не пиши, с тебя взятки гладки, ты в законах разбираться не обязан.

Не обязан! Ленку волнует только одно: будет спрос — не будет спроса, накажут — не накажут, уволят — не уволят. А такие материи, как самоощущение человека, как его спокойная совесть и внутренняя честность, ей недоступны. Абсолютно. Она никогда не поймет, о чем он ей толкует.

Через пару дней ему все-таки удалось вырваться к Ольге.

— Ты же понимаешь, — горячо говорил он, — что любое поражение армии начинается с незастегнутого воротничка у солдата. Есть правило: воротничок должен быть застегнут. И все это правило обязаны выполнять. Как только появляется хотя бы один человек, который считает, что имеет право делить правила на важные и неважные и не выполнять то, что лично ему кажется несущественным, начинается разложение.

— Ты совершенно прав, — кивнула Ольга, — сегодня ты скроешь по своему усмотрению беременность, потому что сочтешь ее незначительным фактом и потому, что тебе жалко мужа потерпевшей, завтра ты уже скроешь факт значительный, например, врачебную ошибку, потому что тебе покажется, что кто-то не очень виноват и жалко его сажать, а послезавтра ты, извлекая из головы трупа топор, напишешь в свидетельстве о смерти «Бронхиальная астма» и не стесняясь возьмешь за это деньги. И станешь ты, Саблин, не судебно-медицинским экспертом, а проституткой.

— Значит, если Гречихин ко мне еще раз придет, то я...

— То ты ему ничего не скажешь, — улыбнулась Ольга. — И это будет правильно. Надо жить так, чтобы в зеркало смотреться было не страшно и не противно. А для тебя, Саблин, есть еще одно немаловажное обстоятельство: тебе нельзя испытывать чувство вины. Поэтому нужно сделать так, чтобы Гречихин не страдал по твоей вине.

Насчет чувства вины Сергей тогда не очень понял, но углубляться не стал.

* * *

Бестолковости и лени среднего медперсонала в отделении нейрохирургии этой больницы поистине не было предела. Саблин не переставал удивляться, как могло получиться, что здесь даже не каждая вторая медсестра, а две из трех забывали выполнять назначения врача, а если удосуживались все-таки делать то, что предписано, то делали это самым диким образом. Чего стоила одна только история с капельницами, назначенными Вере Никитичне после операции на позвоночнике: медсестра привозила стойку в час ночи, капельница была рассчитана на три часа, в палате лежали шесть человек, и свет был только верхним. Иными словами, каждая капельница Веры Никитичны оборачивалась тем, что не спала вся палата в хирургическом отделении. «Все стойки заняты! — раздраженно отвечала медсестра, когда больные пытались протестовать против такого издевательства и требовали дать им возможность нормально спать. — Вас много, вам всем капельницы назначают, а стоек не хватает. Если вы такие умные, купите сами стойки за свои деньги, тогда вам будут ставить капельницы в удобное для вас время».

И с другими процедурами и манипуляциями происходило то же самое. Вера Никитична лежала в стационаре уже полтора месяца, и каждый божий день Сергей, если не дежурил, приезжал и контролировал процесс, ругался с медсестрами, совал мятые десятидолларовые бумажки санитаркам, объяснялся, стараясь сохранять вежливость, с доктором, который, на взгляд Сергея, делал не совсем правильные назначения. Конечно, вмешиваться в лечебный процесс, проводимый другим врачом, — верх неэтичности, если ты не начальник этого врача, но как же еще поступать, если дело касается твоего родственника и ты видишь, что врач больше похож на тупого недоучку, чем на настоящего медика?! Молчать и смотреть, как он с дурна ума губит здоровье тещи? Сначала лечащий врач «проглядел» начинающиеся пролежни на бедрах и коленях и не дал вовремя соответствующие указания медсестрам, которые спохватились только тогда, когда приехавшая днем после работы Лена стала проводить гигиенические процедуры с лежащей неподвижно на животе матерью. Но когда Сергей обратил внимание на то, что Вера Никитична кашляет и появилась одышка, он спросил, что сказал врач, и услышал в ответ, что «доктор назначил мукалтин». Какой мукалтин, когда тут явно попахивает застойной пневмонией! Тут уж Саблин не выдержал и отправился искать лечащего врача, которого с максимально возможной деликатностью убедительно попросил пригласить к Вере Никитичне терапевта. Сказать, что врач был недоволен, — это ничего не сказать, но, видно, взгляд у Сергея был уж очень выразительным. Терапевта пригласили, после чего было назначено более адекватное лечение. Однако сестры продолжали халтурить, и борьба с пролежнями превратилась в ежедневную борьбу Саблина с персоналом. Кроме того, теще вместо назначенных врачом наркотических анальгетиков почему-то кололи спазмолитики. Впрочем, слово «почему-то» было совершенно неуместно, ибо причину Саблин понял почти сразу: обезболивать больную следовало морфином, который очень соблазнительно было сэкономить и продать «налево», заработав на этом.

Лена тоже приезжала к матери каждый день после работы в школе, чтобы помочь с гигиеной: даже в тех случаях, когда медсестры вспоминали о необходимости помыть и особенно подмыть лежачую больную, проведению процедуры мешала стеснительность Веры Никитичны. О том, чтобы эти действия производил зять, который, безусловно, все умел, даже речь не шла: когда Сергей предложил теще свою помощь в этом деликатном деле, та расплакалась.

Отругавшись всласть и добившись того, что все необходимое было выполнено, Сергей присел на стул возле кровати Веры Никитичны.

— Сереженька, мне так неудобно перед тобой, — виновато проговорила теща, — ты так много работаешь, а потом приходишь сюда и из-за меня нервы свои тратишь, ругаешься, скандалишь, требуешь. Небось измучился со мной, да? Лучше бы Леночка приходила и с сестричками объяснялась, мне было бы проще, все-таки она моя дочь, а тебя мне неловко затруднять.

— Вера Никитична, — улыбнулся Сергей, — ну что Лена могла бы сделать? Она ведь ничего не понимает, она не знает, что должно быть сделано, как должно быть сделано, что правильно, а что неправильно. Вон вам сказали, что стоек нет, — вы поверили, утерлись и терпите. Вы же понимаете, что они просто деньги вымогают, потому что зарплаты крохотные, а цены высоченные в магазинах, и прожить без поборов практически невозможно. И вообще, Лена у нас с вами девушка тихая, не скандальная, мягкая, она ничего бы все равно не добилась. А для меня в этом нет ни малейшего затруднения.

Он сказал это совершенно искренне и сам вдруг с изумлением осознал, что его действительно раздражают только неисполнительность и непрофессионализм персонала, а вовсе не процесс принуждения на повышенных тонах. Более того, сама обстановка конфликта возбуждала, будоражила и вызывала ощущение непонятного кайфа. Он, Сергей Саблин, знал, как должно быть, как правильно, и требовал, чтобы было выполнено именно так. В этой роли он чувствовал себя полностью в своей стихии. «Во мне медленно и в страшных судорогах умирает руководитель», — насмешливо подумал он.

— Сереженька, а ты когда теперь придешь? — робко спросила Вера Никитична, когда он стал прощаться. — Завтра?

Сергей отрицательно покачал головой:

— Завтра не получится, Вера Никитична, завтра я на сутки заступаю, у меня дежурство. А вот послезавтра я сменюсь в десять утра и сразу к вам заеду, ладно? Но если что не так — сбрасывайте мне сообщение на пейджер, и я сразу же позвоню дежурному врачу и наведу тут порядок.

На этаже, ближе к выходу на лестницу, стоял телефон-автомат, которым пользовались больные: звонить с сестринского поста никому не разрешалось, кроме особо приближенных, но теща судмедэксперта Саблина к таковым не относилась, ее в отделении не любили именно за то, что ее зять постоянно ставил всех на уши, орал и чего-то требовал.

Когда он вернулся домой, Лена уже привела четырехлетнюю Дашу из детского сада и готовила ужин.

— Ой, Сережа, — ее огромные наивные глазищи налились слезами, — что бы мы с мамой без тебя делали? Мы бы никогда ее на ноги не поставили, если бы не ты! Как хорошо, что ты у нас с Дашкой есть! Как мне повезло с мужем!

Он этих слов Саблин таял. Он по-прежнему встречался с Ольгой и по-прежнему говорил себе, что женился не на той женщине, однако теперь все стало немного иначе. Закончились те времена, когда Лена была измотана заботами о грудном ребенке, теперь Дашка стала спокойной и вполне управляемой девочкой, Лена, закончившая свой пединститут и вышедшая на работу в школу учителем младших классов, уставала куда меньше и стала вновь проявлять угасший было интерес к интимной жизни с мужем. Она была все так же активна и изобретательна, и Сергей выполнял супружеский долг с удовольствием. Однако каждый раз испытывал нечто вроде угрызений совести: он вполне понимал ситуацию, при которой живешь с женой и любовницей, но спишь только с любовницей — именно так жили почти все мужики из его окружения, и его смущал тот факт, что он равно хочет и Лену, и Ольгу, и укладывается в постель с обеими с одинаковым энтузиазмом. Разница состояла лишь в том, что с Ольгой он помимо постели еще и дружил, делился с ней всем, что его заботило и тревожило, мог подолгу разговаривать и высоко ценил ее как профессионала-патологоанатома, а с Леной его связывал только общий дом и общий ребенок. Разговаривать с женой ему было не о чем. Но зато как сладко было обладать этой потрясающе красивой чувственной женщиной...

Проявление такого душевного тепла со стороны жены было редкостью, обычно Лена воспринимала все поступки Саблина как должное и почти никогда ни за что не благодарила, полагая, что он обязан заботиться, устраивать, доставать, организовывать и работать не покладая рук, дабы обеспечить семью. Более того, Лене хотелось, чтобы муж, помимо всего вышеперечисленного, еще и приходил с работы в одно и то же время, садился ужинать вместе со всеми, смотрел вместе с женой и тещей по вечерам телевизор, помогал по дому, а в выходные и праздничные дни водил все семейство на прогулки, в парки, в кино и в кафе. И никакие его объяснения о том, что у него сложный случай, ему нужно поработать, подумать, покопаться в литературе, съездить в библиотеку, проконсультироваться у других специалистов, понимания не встречали. Лена обижалась, надувалась, переставала разговаривать, отлучала Сергея от постельных радостей и всячески давала понять, что она недовольна и такое поведение мужа ее не устраивает. Поэтому когда она изредка произносила какие-то добрые слова, Сергей чувствовал свою нужность и незаменимость, и это в какой-то мере примиряло его с признанием собственного явно неудачного брака. Ну как он мог не жениться на Ленке, как мог оставить ее одну, если она такая беспомощная и слабенькая? Это было бы подло и недостойно мужчины. Да, он понял, что не любит ее, но это его проблема, его личная головная боль, которая ни в коей мере не оправдывала бы предательства по отношению к девушке, которая ему доверилась и на него полагалась.

— Леночек, о том, что мы подняли маму на ноги, говорить пока рано. По-хорошему ее должны были бы уже давно выписать домой, но из-за пневмонии ее продолжают держать в стационаре, а там — сама видишь, какой уход. Спину Вере Никитичне, будем надеяться, починили, зато все остальное подвергается значительному разрушению. И в любом случае, даже если все пойдет благополучно, она еще несколько месяцев не сможет считаться здоровой и помогать тебе, более того, она будет требовать к себе повышенного внимания. Ей нельзя будет подолгу сидеть, нельзя будет поднимать тяжести и так далее.

Они еще какое-то время говорили о Вере Никитичне и о связанных с ее выхаживанием проблемах, а под конец Лена дрожащими губами произнесла:

— Сережа, ты ведь правда нас не бросишь? Мы без тебя не справимся.

Что он мог на это ответить?

И, как и каждый раз в подобных ситуациях, на душе у него появилось неприятное ощущение собственной нечистоплотности. Обычно настроение у него от этого портилось дня на три-четыре, но в этот раз от него удалось избавиться гораздо быстрее: начавшееся на следующее утро суточное дежурство в составе следственно-оперативной группы принесло «приятный» сюрприз. Возле кооперативных гаражей среди нерастаявших еще снежных куч, образовавшихся при расчистке проездов, обнаружились два молодых человека. Естественно, в виде трупов. Черный цвет всех элементов одежды — коротких кожаных курток, глухих трикотажных свитеров, джинсов и модельной обуви, а также раскачанные мускулистые фигуры умерших парней недвусмысленно свидетельствовали об их принадлежности к какой-нибудь организованной преступной группировке. В середине 90-х «дресс-код» криминального мира был вполне определенным.

— Все понятно, — с нескрываемым удовлетворением произнес один из оперативников, — бандюки. Надо РУБОП вызывать, они своих клиентов поголовно в лицо знают. А то будем с установлением личности париться до полного посинения.

— Ладно, не гони прежде паровоза, — лениво откликнулся второй опер, — может, у них документы в карманах остались. Вот доктор начнет осмотр и быстренько нам все найдет.

— Ага, — уныло отозвался первый оперативник, — мечтай, мечтатель. Не, пусть у РУБОПа голова болит: их клиенты, их тема, пусть сами личности устанавливают и убийство раскрывают.

— А ты так уверен, что здесь убийство? — недовольно спросил следователь, до этого молча и задумчиво рассматривавший два трупа, лежащие крест-накрест один поверх другого возле проходящей по территории гаражного кооператива теплоцентрали. — Гляди, накаркаешь.

— А что же еще-то? — удивился опер. — Вон, у верхнего руки в наручниках, за спиной сцеплены. Не спать же он лег в таком малоудобном виде.

Следователь недовольно фыркнул и присел на корточки, разглядывая место обнаружения тел.

— Похоже, давненько они тут лежат, — сделал он вывод, — смотрите, между покойничками и утеплителем труб снега почти совсем нет. Наверное, их сюда пристроили, когда обильный снег еще не выпал, на земле его не было, а снежную кучу сверху уже для сокрытия пристроили, насобирали где-то по сусекам. А, доктор? — обратился он к Саблину. — Что скажете? Я прав?

Сергей только плечами пожал. Определять давность наступления смерти по количеству снега над и под трупом не входит в компетенцию судебно-медицинского эксперта. А вот что касается возможной причины наступления смерти, то тут уже можно было кое-что сказать.

— Насчет давности пока промолчу, — сказал он, — но умерли эти парни не от переохлаждения, это почти наверняка.

— Почему? — спросил следователь.

— Когда человек замерзает, он сворачивается клубочком, принимает позу эмбриона, — пояснил Сергей. — Но есть, конечно, и другие признаки. Вот осмотрю трупы — скажу поточнее.

Трупы были в начальной стадии гниения, поскольку лежали поблизости от теплой трубы, да и воздух уже к середине марта достаточно прогрелся. При осмотре Саблин не обнаружил каких-либо телесных повреждений. Расстегнув на трупах брюки, он пощупал промежность: у обоих парней яички находились в мошонке, о чем он и сообщил следователю, записывавшему осмотр в протокол.

— И что? — спросил следователь. — Что это означает?

— Это означает, что они не умерли от переохлаждения. О «признаке Пупарева» никогда не слышали?

Ольга всегда ругала Сергея за неизбывное пристрастие к демонстрации собственных знаний. Частенько это принимало форму издевки и пренебрежения, иногда выглядело язвительностью или менторством, и Ольга каждый раз расстроенно говорила ему о том, что нельзя упиваться собственным превосходством, что обилие знаний и обширная информированность еще никого не сделали честным и достойным человеком и что стыдно этим гордиться и в особенности кичиться. Но Сергей все равно продолжал поступать по-своему, не в силах отказать себе в мелком, но таком приятном удовольствии: подчеркнуть собственную значимость. Однако каждый раз ловил себя на этом и вспоминал об Ольге, хотя ловить и вспоминать было уже поздно: все слова произнесены, их обратно не вернешь.

— Нет, — буркнул следователь. — Зато я знаю про конвенциальные правовые нормы, а вы, небось, нет. Так что не выпендривайтесь, доктор, а объясняйте, если надо.

Сергей мысленно усмехнулся: правильно, Саблин, получи щелчок по носу, жаль, Оля не слышит — вот порадовалась бы. А вслух стал говорить:

— При замерзании, при смерти от переохлаждения у мужчины яички втягиваются в паховые каналы, поэтому определить, умер ли человек от переохлаждения, у мужчины проще, чем у женщины, поскольку у женщины мошонки нет.

— А-а-а, — насмешливо протянул один из оперов, — ну спасибо, что сказал, а то мы не в курсе, я вот каждую ночь ищу у жены мошонку, ищу — и все никак не найду. Теперь хоть знать буду, что ее там и быть не должно, а без вас, доктор, так и помер бы дураком.

Все, включая следователя и эксперта-криминалиста, дружно заржали. Сергей понял, что слегка переборщил.

Отсмеявшись, следователь спросил Саблина:

— И давно они здесь лежат, как думаете?

— Тут уже никакими термометрами давность не установишь, да и другие трупные явления не определяются. Плохое сочетание — с одной стороны, относительно холодные условия, с другой стороны — теплоцентраль, которая прогревает воздух. Это искажает всю картину трупных явлений.

— Так все-таки, доктор, можете что-нибудь сказать о причине смерти? Ну хотя бы в первом приближении, а? То, что они не замерзли, — это я понял. А еще что увидели?

— Ничего больше сказать пока не могу, — покачал головой Сергей. — Наружных телесных повреждений — ран, кровоподтеков, даже ссадин — я не вижу. Кое-где, там, где мягкие ткани оттаяли, можно прощупать кости, но в этих местах патологической подвижности нет.

— Это что значит? — насмешливо переспросил опер — специалист по женским мошонкам.

— Это значит, что переломов по крайней мере в этих местах нет.

— Отлично, — обрадовался следователь. — Значит, будем оформлять трупы как некриминальные.

— Как это? — удивился оперативник, который обратил внимание следователя на наручники у одного из покойников. — А «браслеты» как же?

— «Браслеты» отродясь не были причиной смерти, — усмехнулся следователь. — Вон доктор тебе подтвердит. Ведь подтвердите, доктор? Может человек умереть от того, что ему руки за спиной сцепили наручниками?

Саблин улыбнулся в ответ и отрицательно покачал головой. Понятно, что никакого ответа никто от него не ждет, это просто жонглирование словами, такое обычное при осмотре места обнаружения трупов. Недавняя мгновенная неприязнь к следователю, так ловко щелкнувшего его по носу, уже улетучилась, и теперь он готов был поддержать шутливый тон, потому что давно понял: без этого суточное дежурство просто не вытянешь, особенно если выезжать на трупы. Человеческая психика нуждается в защите от смерти и всего, что с ней связано — от крови, грязи, боли и страданий, иначе работать невозможно. Отсюда и циничные шутки, произносимые рядом с трупами, и дурацкие смешки, и попытки говорить о чем угодно, только не о бренности человеческого тела.

— Ну вот, — удовлетворенно подвел итог следователь. — Напились два братка до полной невменяемости, буянить начали, нехорошо себя вести в общественном месте, ненужное внимание привлекать, собутыльники их решили домой отправить, а братки буйствуют, кричат, сопротивляются, домой не хотят ехать, а требуют продолжения банкета. И потащили их под белы рученьки прочь из питейного заведения, и тому, который помощнее да поздоровее, ручонки «браслетами» сковали, а то больно прытко вырывался. Второй-то похлипче будет, с ним кое-как справились. Тащили их, тащили, да притомились. Братки-то тяжелые, пьяные, идти не хотят, упираются. Ну и надоело их благодетелям это скорбное занятие, бросили они их там, где потише да народу поменьше, пусть полежат до вытрезвления, а то ведь и пупок надорвать недолго, тяжести таскаючи. Бросили, стало быть, и ушли. А братки полежали-полежали — да и уснули на морозе. А потом поспали-поспали — да и померли от алкогольного отравления. Такие истории сплошь и рядом случаются. Вот доктор вскроет трупы, посмотрит, что там у них внутри, и если найдет убедительные данные о том, что здесь имеются повреждения, несовместимые с жизнью, тогда и будем говорить о криминале. А вот личность устанавливать все равно придется, так что давайте-ка, ребятки, ноги в руки — и вперед. РУБОП-то вызвали?

— Да вон они, не к ночи будь помянуты, уже явились.

К гаражам подъехала черная «Волга», из которой вышли крепкие мужички, одетые примерно так же, как и обнаруженные покойники. Один из рубоповцев присел возле трупов и принялся внимательно рассматривать лица мертвецов.

— Вот этот, — он показал на парня в наручниках, — Москаленко, погоняло «Куркуль». То-то я смотрю, его давненько не видно и не слышно. Наколок на теле — как картин в Третьяковке, но вы не парьтесь, это спортсмен, не сидел ни разу. А второй — Жолобов, погоняло «Жлоб», его дружбан закадычный. Они одновременно куда-то подевались. Теперь понятно, куда.

На следующее утро, закончив суточное дежурство, Сергей попросил заведующего танатологическим отделением распределить ему на вскрытие оба трупа из гаражного кооператива. Ему было страшно интересно, от чего же умерли эти парни, какова причина их смерти? Ведь не поспать же они там прилегли, в самом деле?

— Трупы в холодильные камеры не положили, — заметил заведующий, — они почти сутки пролежали в теплом коридоре у радиатора, так что лучше бы их сегодня исследовать. Ты иди отдыхай после суток, до завтра ждать не будем, я кому-нибудь другому распишу вскрытие.

Но Сергей заупрямился. Он давно уже привык не отдыхать после суточных дежурств и бессонных ночей, а профессиональное любопытство всегда брало в нем верх над соображениями физического комфорта. Заведующий укоризненно покачал головой, вздохнул, но просьбу Саблина выполнил.

— Работать будете сегодня с Клавдией Осиповной, — сказал он Сергею, — это вам от меня подарок за сверхурочную работу.

Сергей благодарно улыбнулся. Клавдия Осиповна была легендой судебно-медицинского морга, в котором проработала 41 год. Она обладала двумя огромными достоинствами: необыкновенно быстро печатала на машинке то, что диктовали ей эксперты, проводящие исследование, и прекрасно ориентировалась в медицинской терминологии, не допуская ни малейших ошибок. Правда, была слегка глуховата в силу возраста, и при диктовке приходилось несколько напрягать голосовые связки, но это было совершенно ничтожным неудобством по сравнению с сильными сторонами старого опытного медрегистратора.

Как и предупреждал рубоповец, наколок на теле Москаленко оказалось столько, что одно их описание для протокольной части акта заняло почти час.

— ...на наружной поверхности правого плеча в верхней трети — татуировка, изображающая голову леопарда... на наружной поверхности правого предплечья татуировка, изображающая...

«И для чего так себя разрисовывать? — недоуменно думал Сергей, мерно диктуя наружный осмотр трупа. — Какой в этом смысл? Ну, был бы уркой — хоть можно было бы понять, все-таки на зоне своя иерархия, и татуировки выполняют функцию источника информации, в соответствии с которой с человеком выстраиваются отношения. Но если ты спортсмен, то для чего этот вернисаж?»

Результаты исследования обоих трупов оказались почти идентичными: ни смертельных телесных повреждений, ни признаков асфиксии, ни заболеваний, которые могли бы привести к летальному исходу. Пятен Вишневского — очаговых буро-черных кровоизлияний в вершинах желудочных складок, которые являются еще одним признаком смерти от переохлаждения, — тоже не было. Сергей исследовал оба трупа в одной секционной, заняв два стола, и медленно переходил от одного к другому, вглядываясь, сравнивая и пытаясь хоть что-нибудь придумать. Но на ум ничего не приходило. От чего же умерли эти парни? Ясно, что их убили, но как? Каким способом? Какие вопросы поставить перед гистологами и химиками? Какие исследования назначить? Может быть, здесь отравление? Но чем?

Он набрал материал для гистологической и судебно-химической экспертиз, велел санитару зашивать тела, сходил в регистратуру, чтобы попросить медрегистраторов пока ничего не записывать в журнал о причине смерти, после чего забрал у Клавдии Осиповны напечатанные на машинке страницы протокола и отправился в ординаторскую. Посмотрел на часы: Ленка, наверное, закончила работу и поехала в больницу к матери. Звонить в школу бессмысленно, ее там уже нет. Когда-нибудь он заработает достаточно денег для того, чтобы купить жене и себе по мобильному телефону, но пока что это только мечты. Пейджером Лена не пользуется почему-то, такой удобный для поддержания контакта прямоугольничек так и лежит в комоде с того самого дня, как Сергей подарил его жене на день рождения. Можно было бы, конечно, встретиться в больнице у тещи, день у Саблина сегодня «отсыпной», и он в любой момент имеет право уйти с работы, но раз уж не договорились... Ну и ладно. Тогда он посидит еще, почитает протокол, написанный Клавдией Осиповной, которая ошибок, вообще-то, не делает, но, как говорится, береженого бог бережет.

Он начал читать протокол и уже на второй странице споткнулся, причем в первый момент даже не смог понять, на чем именно. Что-то зацепило глаз и не давало двигаться дальше. Какая-то нелепость, какое-то несоответствие... Сергей начал читать абзац с самого начала и вдруг разразился безудержным хохотом: глуховатая Клавдия Осиповна написала: «...на наружной поверхности правого плеча в верхней трети — татуировка, изображающая ГОЛОГО ЛЕОПАРДА...» Ай да Клавдия Осиповна, ай да затейница!

Несколько секунд поразмышляв о том, как мог бы выглядеть голый леопард, Сергей почувствовал, что настроение поднялось и голова посвежела и начала активно работать. Глаза остановились на выписанном следователем направлении на судебно-медицинское исследование трупа Жолобова. Точно такое же направление на исследование трупа Москаленко было подколото снизу скрепкой.

«...марта 1997 года в районе гаражного кооператива, расположенного по улице... обнаружены трупы граждан Москаленко и Жолобова без внешних признаков насильственной смерти...»

Гараж. Автомобиль. Угарный газ... Почему раньше ему не пришло это в голову? Почему пришло только сейчас, а не вчера при осмотре места обнаружения трупов, и не сегодня при проведении исследования?

Выбежав из ординаторской, он стремглав спустился в морг и, зайдя в комнату медрегистраторов, попросил Клавдию Осиповну дописать в направлении на судебно-химическое исследование слово «карбоксигемоглобин». А заодно и перепечатать страницу с «голым леопардом». Пожилая женщина сперва не могла уловить, в чем суть, а когда поняла — начала смеяться до слез.

— Ой, Сергей Михайлович, вот уж точно: старость не радость! Хорошо еще, что я только «голого леопарда» услышала, а то ведь могла бы «голого и пьяного» в протокол вписать.

Сергей вернулся в ординаторскую и углубился в имевшуюся на рабочем месте литературу в поисках описаний экспертных случаев отравления угарным газом. Когда позвонила Лена, он с изумлением обнаружил, что уже седьмой час вечера.

— Ты почему на работе? — требовательно-сердито спросила жена.

— А почему нет? — шутливо отозвался Сергей, настроение которого стремительно улучшалось по мере прочтения каждого найденного материала. — Где еще должен быть трудящийся мужчина, если не на работе?

— Но ты же после суток! — Лена почти кричала, в голосе зазвенели готовые пролиться слезы. — Ты должен был прийти домой в одиннадцать утра, я так на это рассчитывала, я звонила тебе домой сто раз, потом поехала к маме и все ждала, что ты, может быть, все-таки вспомнишь о семье и приедешь к нам. А ты... Ты...

— Лен, — Сергей оторопел от такого натиска, — я же не с мужиками водку пью и «козла» забиваю во дворе, я, между прочим, работаю. Какие у тебя ко мне претензии, я не понимаю?

— Какие претензии? Да очень простые! У тебя должны быть только две заботы: работа и семья, причем семья должна стоять на первом месте, а не на двадцать первом! Я рассчитывала, что ты после дежурства придешь домой, и когда я освобожусь, мы вместе съездим к маме, потом заберем Дашку из садика пораньше, я ей сегодня пообещала, что мы все вместе пойдем в зоопарк. Она плачет, спрашивает, где папа и почему мы не пошли в зоопарк, и что я должна ответить ребенку?

— У меня было срочное вскрытие, я должен был провести его сам, — он еще пытался что-то объяснить, надеясь на понимание.

Но тщетно.

— Какое вскрытие? При чем тут вскрытие? Ты вскрываешь покойников, которым уже все равно, потому что они мертвые, и никуда они из твоего морга не денутся, могли бы и до завтра полежать. А тебя дома ждут жена и маленькая дочь. Тебе что, какие-то мертвяки важнее твоей семьи, важнее живых людей?

У Лены раскручивалась истерика, но в такие минуты Саблин забывал о своем медицинском образовании и о том, что за спиной у него цикл психиатрии, он не переносил слез и истерик и превращался в обычного мужика, грубого и неделикатного. Тем паче его неприятно резанули слова о «каких-то мертвяках». Он слишком хорошо запомнил свой первый поход в морг, красивую длинноволосую беременную молодую женщину, убитую отвергнутым поклонником накануне свадьбы, и слова тети Нюты о том, что все будущее двух человек, а если считать и неродившегося ребенка, то трех, отказалось уничтоженным в один момент. Были жизни, чем-то наполненные, с планами, целями, чувствами, заботами, окруженные близкими, родственниками и знакомыми. Это же целые вселенные! Как язык-то поворачивается называть покойных «какими-то мертвяками»? Неужели Ленка сама не понимает, какие чудовищные слова произносит? Ведь она же учитель, она с детьми работает, разве может такая работа соседствовать с эмоциональной тупостью и душевной черствостью? Оля никогда бы не сказала ничего подобного, ей такое даже в голову не пришло бы.

— А с какой стати ты обещаешь ребенку, что я пойду с вами в зоопарк? — с холодной яростью спросил он. — И с какой стати ты рассчитываешь, что я поеду в больницу тогда, когда это удобно тебе? Ты у меня спросила, какие у меня планы, чего я вообще хочу, что я собираюсь делать после дежурства? Ты подумала хотя бы о том, что после суток человек должен отдыхать, спать, набираться сил, а не шляться по зоопаркам, чтобы угодить своей взбалмошной жене?

Лена все-таки расплакалась, Саблин расстроился, по возвращении домой вечер опять прошел в гробовом молчании, и Сергей снова удрученно думал о том, что обрек себя на жизнь с женщиной, которая не может и не хочет ничего понимать, кроме собственных желаний и представлений о том, какой должна быть ее семейная жизнь. О том, что в этой самой семейной жизни принимает участие еще один человек, ее муж, со своими собственными желаниями и представлениями, она думать не собирается. И так будет всегда. Ну что ж, это было его решение, сознательное и добровольное, менять которое он не собирается.

Через неделю пришли результаты судебно-химического исследования. При отсутствии в крови, моче и внутренних органах погибших алкоголя, наркотических и других отравляющих веществ, в крови Москаленко имелось 74% карбоксигемоглобина, а у Жолобова — 71%. И это на подгнившем биологическом материале!

Заведующий отделением одобрительно взглянул на Саблина, когда тот доложил результаты исследований.

— Молодец, — похвалил он. — Вот следователю-то радость будет, он уже звонил, спрашивал о причине смерти, очень уж ему хотелось списать трупы как некриминальные, а теперь вряд ли что получится. Либо здесь несчастный случай, либо суицид, либо убийство. Ну а учитывая наличие наручников, два варианта из трех можно вообще не рассматривать. Вот и не любят в следствии судебно-медицинскую экспертизу, от нас одна головная боль, не даем мы им никак хорошие статистические показатели сделать. Ладно, бог с ними, пусть работают, как умеют. Но ты-то, ты-то каков! Как ты вообще догадался назначить исследование на карбоксигемоглобин? Ведь если бы ты его не вписал, причина смерти так и осталась бы неустановленной. Надо же! Всего одно слово, но правильное и вовремя сказанное! Как тебе в голову такое пришло? Никаких признаков отравления угарным газом на макроскопическом уровне не было, и в материалах дела ни одного намека, откуда у тебя вообще такая мысль появилась?

Сергей пожал плечами. Он хотел было в первый момент ответить, что сработала экспертная интуиция, но почему-то промолчал...

...Впервые слово «интуиция» Сережа услышал от тети Нюты, когда ему было лет девять или десять.

Как-то мама после возвращения от тетки спросила: чем вы там занимаетесь, что тебя домой не дозовешься? Сережа добросовестно пересказал, в какие игры он играет и какие книги читает, пристроившись на диване, рядом с Нютой, которая сидела за столом и что-то перепечатывала. О том, что он читал именно то, что она перепечатывала, Сергей благоразумно умолчал, ответил матери что-то уклончивое насчет Жюля Верна. Или подшивки «Науки и жизни» за много лет. В следующий раз, придя к тетке, он сказал, что мама спрашивала, чем они занимаются и о чем разговаривают.

— Ну и что ты сказал маме?

— Сказал, что журналы читаю, а ты мне объясняешь, что непонятно.

Брови тети Нюты слегка приподнялись, губы дрогнули в усмешке. Она откинулась на спинку кресла и посмотрела на племянника прищурившись.

— А про то, что самиздат читаешь, не сказал?

— Нет.

— А почему? Получается, ты маму обманул, так, что ли?

— Не знаю, — честно признался Сережа, ибо и сам не смог бы объяснить, почему он солгал матери. — Просто мне показалось, что ей это не понравится.

— Почему не понравится? — продолжала допрос Анна Анисимовна.

— Не знаю. Мне так показалось. А что, надо было сказать?

— Да нет, ты все правильно сделал.

Тетка рассмеялась, притянула мальчика к себе и поцеловала в макушку. От нее приятно пахло ванилью — Нюта к приходу Сережи испекла ватрушку со сладким творогом и яблоками.

— Оказывается, у тебя хорошая интуиция, — задумчиво продолжала она. — Это тебе в наследство от наших бабушек досталось. Они ведь все людей чуяли, точно знали, кто какой человек, о чем думает, чего хочет и как с ним обращаться. И мама твоя такая же. Она с людьми умеет дружить, к каждому подход находит, ладит со всеми, даже с твоим папой, а уж с ним поладить нелегко, ты мне поверь. Потому ее все и любят. Твоя мама — настоящая Бирюкова, достойная наследница колдовских генов. Вот и ты тоже.

— А ты? — испуганным шепотом спросил Сережа, которого слова про колдовские гены буквально зачаровали.

— Ну, я-то вообще... Мне в этом деле равных нет! — засмеялась тетя Нюта. — Я людей насквозь вижу, еще ни одному человеку не удалось меня обмануть и лапши мне на уши навешать.

— А что такое эта... как ее... инти... инта...

Мальчик никак не мог выговорить трудное новое слово.

— Интуиция? Понимаешь, Серенький, существует очень много всяких каналов, по которым люди могут получать информацию. Глаза, уши, нос, пальцы — это у всех есть, все могут видеть, слышать, чувствовать запах или тактильные ощущения, но одни люди видят и слышат больше, а другие меньше. Это от природы так устроено. Есть более наблюдательные и внимательные, те, у кого каналов много и все они открыты для восприятия информации, а есть такие, которые видят только то, что прямо перед глазами, и слышат только то, что им в уши кричат. Понимаешь, о чем я толкую?

206

— То есть получается, что одни люди знают больше, а другие меньше?

— Вот именно! И дело здесь не в учебниках и умных книжках, которые они прочитали, а в том, сколько информации они получили из внешнего мира. Ну, в том числе, конечно, и из книг и учебников. Из разговоров других людей. Из своего опыта. Из того, что они видят на улице и вокруг себя. И вся эта информация откладывается в голове и лежит там до поры до времени. А потом настает момент, когда нужно что-то обдумать и принять сложное решение. И вот тут вся собранная информация начинает работать и помогать тебе думать. Ты принимаешь решение, даже не зная, почему ты его принял, ты не видишь этой быстрой и негромкой работы, ты только имеешь результат: вдруг какой-то человек тебе перестает нравиться. Он еще не сделал тебе ничего плохого, а ты уже испытываешь настороженность и недоверие к нему. Стараешься не иметь с ним дела, не доверяешь. А потом оказывается, что ты был прав, и этот человек очень плохой, злой, и дела с ним иметь нельзя было. В таких случаях говорят, что у тебя сработала интуиция. А на самом деле ты просто очень внимателен к людям, внимателен к их словам и поступкам, к жестам, интонациям, взглядам, ты все запоминаешь, и у тебя в голове откладывается, что вот этот человек так посмотрел или так сказал, а через неделю кого-то обидел или обманул. И у тебя в голове связываются все его проявления с тем результатом, который ты получишь. Как только ты заметишь у другого человека такие же проявления, ты начинаешь его опасаться, потому что знаешь, что через неделю он может обидеть или обмануть. Вот так и с твоей мамой получилось: она ведь никогда тебе не запрещала читать самиздат, потому что ей даже в голову не приходило, что ты можешь его читать. Она никогда не говорила тебе, что читать такую литературу — плохо, тебе еще рано, она вредная, опасная или еще что-нибудь. У тебя не было никаких причин думать, что ей это не понравится. А ты все равно подумал. Потому что ты интуитивно почуял, что мама к этому отнесется плохо. Понимаешь? Или я слишком сложно объясняю?

Сережа все понял. Какое-то время он еще удивлялся тому, что у него, оказывается, есть какая-то там интуиция. Но вскоре об этом разговоре забыл, потому что его отдали в секцию бокса, и начались занятия, появились новые приятели, и режим дня стал другим, и голова была занята новыми мыслями и заботами. Про чутье на людей, которым так славились его мама и тетка, он напрочь забыл, и вообще людьми он как-то мало интересовался. Не наблюдал за ними, не был к ним внимательным, ничего не запоминал и не обращал ни на что внимания. А теперь выходило, что каналы восприятия информации у него открыты в великом множестве, только информация эта касается того, что ему интересно больше всего на свете — человеческого тела и причин, по которым заканчивается его жизнь. Выходит, тетя Нюта не ошибалась.

Шли дни, акт Сергей давно закончил и сдал, но ни оперативники, ни следователь не звонили ему и не приглашали прийти, чтобы дать объяснения и ответить на вопросы, как часто бывало, когда нужно было выяснить разные подробности, необходимые для юридических формулировок. Похоже, трупы Москаленко и Жолобова все-таки удалось каким-то немыслимым образом «замылить» и провести как некриминальные, чтобы не вешать на и без того мрачную статистическую картину преступности еще одно убийство, которое к тому же почти наверняка останется нераскрытым. Саблин со временем вспоминал о найденных в гаражном кооперативе трупах братков все реже и реже — отвлекали и повседневная работа, и домашние заботы.

Веру Никитичну, наконец, выписали, теперь она находилась дома, но вместо того чтобы, как прежде, помогать дочери с ведением хозяйства, сама требовала заботы и ухода. Саблин понимал, как Лене трудно, он объяснил Ольге, что в ближайшие несколько месяцев не сможет часто с ней видеться, и почти все свободное от профессиональной деятельности время старался проводить дома. А тут еще Коржик...

Сергей так и не расстался с детской привычкой подбирать больных животных и заниматься их лечением и пристраиванием в «хорошие руки». В детстве он много ходил пешком, стараясь по возможности экономить мелочь, выдаваемую родителями на транспортные расходы: доехать до спортшколы, до дома Анны Анисимовны или Василия Анисимовича, и там, где было возможно, паренек предпочитал не пользоваться автобусами и троллейбусами. Три-четыре остановки пешком — не проблема. Конечно, если нужно было ехать на метро на другой конец Москвы, то с «пятачком» приходилось расстаться, но пешая прогулка в течение часа всегда оставалась более предпочтительной именно из соображений экономии. Сережа Саблин с малых лет был бережлив, а деньги просить у мамы с папой не умел и учиться не желал. Эти походы по московским улицам приносили постоянный «урожай» в виде больных кошек, собак и птичек. Иногда попадались выброшенные кем-то черепашки и кролики, пару раз Сережа приносил домой хомячков. Юлия Анисимовна смотрела на забавы сына положительно, ибо стремилась вырастить из ребенка светило медицины и попытки, почти всегда успешные, лечить животных давали ей основания надеяться на то, что Сережа в конце концов заинтересуется медициной. В деньгах для оплаты услуг ветеринаров мать никогда не отказывала. Тетя Нюта принимала в заботе над «урожайными» зверятами самое живое участие, показывая племяннику, как нужно обрабатывать раны, бинтовать, накладывать лангеты, давать таблетки, делать уколы, и тоже то и дело подбрасывала какую-никакую денежку, чтобы Сережа мог купить в аптеке все необходимое.

Сережа рос, взрослел, свободного времени становилось все меньше и меньше, он начал постоянно пользоваться общественным транспортом, а если и шел пешком, то был обычно либо занят беседой со спутниками — приятелями или девушками, либо погружен в собственные мысли, и больные животные стали появляться в просторной квартире Саблиных все реже. Потом он женился, и даже если и видел зверёныша, нуждающегося в помощи, домой уже не приносил: куда приносить? В коммунальную квартиру, в комнату к беременной жене? После рождения Даши ни о каких животных, вполне вероятно, инфицированных, даже речь не могла идти. Но теперь Сергей с семьей жил в отдельной двухкомнатной квартире, дочке было уже четыре с половиной годика, и, увидев возле мусорных контейнеров крошечного щенка, месяцев двух с половиной, не больше, Саблин не смог пройти мимо.

Щенок припадал на одну лапку и был, совершенно очевидно, жутко голоден, он неумело пытался отгрызть хотя бы маленький кусочек от валявшейся возле грязного ржаво-коричневого мусорного бака половинки черствого коржика. Вопрос с кличкой решился моментально, домой Сергей принес нового жильца с именем «Коржик». Ощупав лапки, Саблин обнаружил перелом. Полученных в детстве и подростковом возрасте навыков обращения с больными животными оказалось вполне достаточно, чтобы оказать Коржику необходимую помощь, теперь нужно было дождаться, пока лапка заживет, и заняться поисками новых хозяев. Лене щенок понравился, он был невероятно обаятельным и своим рыже-коричневым окрасом действительно напоминал слегка подгоревший коржик. Дашка была в полном восторге!

Однако спустя несколько дней идиллия закончилась. Лена не желала мириться с тем, что щенку необходимо специальное питание.

— Почему ты не можешь купить собачьи консервы? Или сухой корм. Все так делают и не имеют проблем, а ты выдумываешь какой-то творог, стоишь часами над плитой! Лучше бы по хозяйству помог, если у тебя есть свободное время.

Сергей терпеливо объяснял, что кальцинированный творог необходим щенку, так же, как и вареное мясо, и овсянка, и что до определенного возраста маленьких зверят следует кормить специальной детской едой. Но Лена продолжала ворчать, потому что крупный, широкоплечий Сергей занимал слишком много места в тесной кухоньке, постоянно занимаясь обеспечением шестиразового рациона для своего больного питомца. К тому же щенка в силу возраста нельзя было выгуливать для вполне понятных нужд, и эти самые нужды он довольно успешно справлял на полу, то в большой комнате, то в комнате у Даши и Веры Никитичны, то на кухне, то в коридоре. Единственным местом, которым Коржик пренебрегал, был совмещенный санузел: кафельную плитку пес отчего-то не жаловал, паркет и паласы нравились ему куда больше. Когда Сергей был дома, он сам убирал за щенком, но в его отсутствие заниматься приборкой приходилось Лене, потому что Вера Никитична наклоняться еще не могла.

— Я не хочу целыми днями возиться с зассанными тряпками, — возмущалась Лена. — Я встаю ни свет ни заря, чтобы до ухода в школу успеть навести в доме чистоту, а когда прихожу, нахожу сплошные лужи и кучи! Сколько еще это будет продолжаться? Я не могу спокойно ужин ребенку и больной матери приготовить — на кухне повернуться негде, потому что ты постоянно там толчешься!

Ее претензии были, в общем-то, справедливыми, но Сергей искренне недоумевал: неужели его жене не жалко щенка? Неужели она не может просто потерпеть, пока лапка придет в порядок и удастся пристроить Коржика? Сам он, с одной стороны, неприхотливый и непритязательный в том, что касалось физического комфорта, а с другой стороны, много лет проработавший сначала санитаром, потом медбратом в реанимации, не видел ничего страшного в том, чтобы убрать чьи-то испражнения, подтереть и помыть пол, постирать тряпку. Он не был ни ленив, ни брезглив.

«Вот и в этом мы с Ленкой общего языка не находим», — грустно думал Саблин, собираясь домой после окончания рабочего дня. Он чувствовал, как в нем нарастает тупая усталость от этого противостояния и взаимного непонимания.

Сергей уже запирал кабинет — как обычно, он уходил последним, — когда в конце коридора появился дежурный санитар по имени Костя.

— Михалыч, там вас спрашивают. Я просто так говорю, — он подошел поближе и понизил голос, — а то вы мне потом вставите за то, что не сказал. Но я бы вам не советовал идти.

Санитар считал возможным что-то «не советовать» врачу — судебно-медицинскому эксперту! Саблин не смог скрыть надменной усмешки.

— Это почему, позвольте спросить? — с подчеркнутой вежливостью произнес он, хотя обычно этого санитара называл просто Костиком и на «ты».

Лицо санитара Кости приобрело выражение одновременно испуганное и плутоватое, он вообще был славным парнем, с хорошим чувством юмора, исполнительным, в отличие от большинства других санитаров, но имеющим один, по мнению Сергея, весьма существенный недостаток: совершенно не умел чувствовать и держать дистанцию, не видел разницы между собой и врачами и частенько позволял себе панибратское обращение, которое все ему прощали за то, что работал он все-таки очень хорошо и к тому же был единственным санитаром судебно-медицинского морга, который не пил вообще. Ничего и никогда. «Таких днем с огнем не сыщешь, таких санитаров в моргах просто не бывает», — говорили о Костике.

— Криминальный элемент, — заговорщическим шепотом сообщил он Сергею. — Хотят побазарить с лепилой, который Москаленко и Жолобова вскрывал. Рожи преотвратные! И настроены серьезно, у них аж куртки на боках топорщатся от обилия спецсредств убеждения и принуждения. Не ходили бы вы, Михалыч, от греха подальше.

Сергей молча отодвинул Костика и пошел к входной двери. Еще не хватало, чтобы этот сопляк ему указывал!

Во дворе стояли два черных джипа, вокруг которых нервно прогуливались мужчины разного возраста, но вполне определенного типажа. Самый старший, лет сорока пяти с крупным носом и злыми темными глазами, увидев вышедшего Саблина, ткнул пальцем в бок одного из молодых, бритого наголо «качка». «Качок» немедленно послушался — двинулся в сторону Сергея.

— Слышь, лепила, это ты Куркуля и Жлоба вскрывал?

Сергей сдвинул брови, делая вид, что не понимает, о ком идет речь, хотя клички парней, отравленных угарным газом, отлично помнил.

— Ну, Москаленко и Жолобова, — пояснил «качок».

— А-а-а... Да, я. И что?

— Пацаны интересуются знать, от чего они коня двинули. Скажешь? Или как?

При слове «как?» торс «качка» выразительно шевельнулся, давая Сергею возможность узреть очертания спрятанного под тонкой лайковой курткой пистолета.

— Скажу, — покладисто согласился Сергей. — От отравления угарным газом. Такова причина их смерти.

— Погоди, не уходи, — бросил «качок» и потрусил к носатому.

Доложив ему полученную информацию, он снова вернулся к Сергею, который стоял на крыльце и курил.

— А кто их газом отравил? И как это случилось? — задал он очередные вопросы.

Сергей пожал плечами:

— Понятия не имею. Это не мой профиль. Мое дело — установить причину смерти, а вот уж кто там эту причину организовал и почему, это дело следствия. У них и спрашивайте, они должны это знать.

— Так не знают же ни хера! — со злостью выплюнул из узкогубого рта «качок». — Дела нет, «отказной» написали. Никто никого не ищет и ничего не выясняет.

«Вот мастера! — со злостью подумал Саблин. — Два явно криминальных трупа ухитрились в отказной материал упаковать! Учат их этому специально, что ли?»

— Ну, я-то тем более ничего не знаю. Мне не говорят, — усмехнулся он. — И когда отказной материал составляют, с судебными медиками не советуются, а то не дай бог мы скажем что-нибудь такое, после чего дело возбуждать придется.

«Качок» снова совершил рейс от крыльца морга к носатому боссу и обратно.

— Слышь, лепила... — снова завел он свою шарманку.

На этот раз Сергей все-таки прервал его.

— Сергей Михайлович, — сказал он, выпуская сигаретный дым прямо в лицо братку.

— Чего-чего? — не понял тот.

— Меня зовут Сергеем Михайловичем. Если хотите о чем-то поговорить со мной, обращайтесь ко мне по имени. И на «вы».

— Это... Сергей... Михайлович... — обращение по имени-отчеству явно давалось ему с трудом. — Ну, короче... Пацаны народ не жадный, когда дело своих касается. Велено передать: мы за ценой не постоим. Скажи, сколько. Нам надо точно знать, что с ними случилось.

Скажи, сколько... Интересно, а что будет, если назвать сумму? Сергей много раз слышал о том, что эксперты за взятки идут на преступление — разглашение содержания акта экспертизы, то есть тайны следствия, несмотря на то что письменно предупреждаются об ответственности за это. Но здесь следствия нет, следователем вынесено постановление об отказе в возбуждении уголовного дела, так почему бы не сказать? Хотя сказать-то ему, в сущности, нечего. Раз не было возбуждено дело, стало быть, никто обстоятельств смерти Москаленко и Жолобова не выяснял, то есть обстоятельства эти так и остались никому неизвестными. Даже если бы Саблин и захотел заработать на вполне невинном нарушении, ему это не удалось бы. И снова накатила волна отвращения: брать деньги у тех, для кого слово «смерть» означает только путь решения проблемы, и больше ничего? А как же в зеркало потом смотреть?

— Я ничего не знаю, — твердо повторил он. — А если бы знал — все равно не сказал бы. Не имею права. И вам это прекрасно известно.

«Качок» распахнул куртку, демонстрируя оружие.

— Ты... Вы с нами так не... — все-таки косноязычия в нем было больше, чем ума. — Не надо так с нами. Мы люди серьезные. Мы понимаем, что эксперты со следаками вась-вась, свои люди, короче. И если вы чего не знаете, так вам пять секунд, чтобы узнать.

— А чего вы сами-то у следователя не спросите? — невинно проговорил Сергей. — Он всяко больше меня знает, вы бы из первых рук информацию получили.

— Спрашивали, — «качок» недобро ухмыльнулся. — Только бабло зря потратили. Взять — взял, а сказать — не сказал. Тоже говорил, что не знает. Короче, мы даем бабки — вы даете информацию. Сроку — два дня. Иначе...

Он снова сделал выразительное движение плечами, чтобы Саблин, если он вдруг окажется слепым и тупым, все-таки обратил внимание на открытый распахнутой курткой пистолет. Ох, сколько этих движений плечами, черных кожаных курток и пистолетов всех систем и калибров перевидал Саблин за время работы в морге! Бандитские войны и всяческие разборки уже не первый год накрывали территорию столицы, криминальные трупы доставлялись в Бюро с завидной регулярностью и в изобилии, соответственно, и лица, интересующиеся результатами экспертизы и ходом следствия, появлялись на территории Бюро систематически. В первый раз столкнувшись с этим, Сергей растерялся, но ко второму визиту бравых парней на черных джипах уже был готов, а на третий раз, опробовав продуманный заранее стиль общения и некоторые приемы ведения переговоров и убедившись в их эффективности, перестал реагировать на появление братков. Пришли — и пришли, они спросили — я ответил, они потребовали — я отказал, они угрожают — я веду их поближе к трупам, поговорили, расстались. Вот такая модель.

Ну что ж, подумал Сергей, так — значит, так. Будем разговаривать.

— Холодно, — равнодушно произнес он, поворачиваясь к двери, ведущей в помещение морга. — Если хотите попробовать договориться — давайте зайдем внутрь. Только не все. Человека три, не больше.

Очередной поход к боссу закончился тем, что к Сергею подошли трое: «качок», еще один серьезного вида мужчина с солидным брюшком и сам босс, носатый и темноглазый. Не говоря ни слова, они прошли вслед за Саблиным внутрь, до самой двери, ведущей в помещение, где стояли каталки с зашитыми после вскрытия, но еще не убранными в холодильник трупами. Сергей гостеприимно распахнул дверь и пригласил «гостей» пройти за ним.

— Больше нам поговорить негде, — нагло солгал он, — в ординаторской врачи, в секционных идут вскрытия, присутствие посторонних там строго запрещено. Так я вас слушаю внимательно.

«Качок» моментально сделался приятного серовато-зеленого цвета, а босс и пузатый мужчина сумели сохранить невозмутимое выражение лица только в течение примерно десяти секунд, на большее их не хватило. Взгляду некуда было упереться, куда бы ни повернулся глаз — он неизменно натыкался на обнаженный труп с длинным, зашитым через край грубыми крупными швами секционным разрезом. Почти все трупы имели вид не особо презентабельный уже в силу самого события преступления, а уж после вскрытия... Да в таком количестве.

— Я вас слушаю, — спокойно повторил Сергей, прерывая явно затянувшуюся паузу. Он хорошо знал и по собственному опыту, и по рассказам коллег, что люди из криминального мира, ведущие себя в обычной жизни нагло и напористо, в моргах теряют свою обычную самоуверенность и апломб. То, что сам Саблин называл: «пальцы веером — сопли пузырем», рядом с изуродованными трупами быстро превращалось в затравленность и робость.

Вот и пусть попробуют давить на него здесь, среди каталок и мертвецов.

Через три минуты визит был окончен. Гости пробормотали что-то невнятное и быстро ретировались. Самым странным было то, что мужчина с брюшком на прощание повернулся к Сергею и сказал:

— Извините, доктор. Погорячились. Будьте здоровы.

Саблин стоял на крыльце и смотрел, как братки рассаживаются по джипам и уезжают. «Вот такие у нас издержки профессии, — подумал он. — Никому ничего не должны, ни у кого ничего не просим и не берем, а на нас постоянно давят, что следователи с операми, что бандюки, и всем что-то надо, и все требуют, угрожают, деньги суют, договориться пытаются. А в народе про нас еще и бредни всякие рассказывают, дескать, все судебные медики сплошь пьяницы и циничные идиоты. Вроде ничего плохого не делаем, честно выполняем свою работу, любим профессию, повышаем квалификацию... Чего ж на нас все шишки-то валятся? Правильно я сделал, что завел этих придурков в морг. Отличное средство, хотя лично я не понимаю, как оно срабатывает».

А вслух произнес, громко, с удовольствием, тщательно выговаривая каждый звук в соответствии с поставленным ему когда-то опытным репетитором чистым лондонским произношением:

— Death, a necessary end, will come when it will come.

— Чего? — послышался из-за плеча голос дежурного санитара Костика.

— Это Шекспир, «Юлий Цезарь», — пояснил Саблин. — Я только самый конец цитаты привел, на самом деле она длиннее.

— Это про что?

— Про то, что непонятно, почему люди так боятся смерти. Шекспир об этом тоже думал, представь себе.

— И чего он надумал?

Саблин помолчал, доставая еще одну сигарету. Потом продекламировал:

> Трус много раз до смерти умирает;
> Храбрец вкушает лишь однажды смерть.
> Из всех чудес, известных мне, считаю
> Я самым странным смертный страх людей;
> Ведь знают же: конец необходимый
> Придет в свой час.

— Это правда Шекспир написал? — В голосе Костика звучало удивление. — Вы не шутите?

— Да куда уж тут шутить, когда чуть не пристрелили, — усмехнулся Саблин.

Он собрался было уже спуститься с крыльца, когда его осенила идея.

— Костик, ты ведь с мамой живешь?

— Ну да, — чуть растерявшись, ответил санитар. — С мамой и с сестрой. Старшей, — зачем-то добавил он.

— У вас домашние животные есть?

— Теперь нет, — голос Костика заметно погрустнел. — У нас кот был, восемнадцать лет прожил, я всю жизнь рядом с ним был. Усыпить пришлось два месяца назад. Мама так плакала... Сестра тоже убивалась. Мы к нему привыкли, он хороший был, умный, воспитанный.

— Щенка возьмешь? — предложил Сергей. — Хороший, умный, насчет воспитания пока сказать трудно, это уж как сам сумеешь, он еще маленький совсем.

— Породистый? — спросил лучший санитар судебно-медицинского морга. — Если породистый — мне не потянуть финансово, у меня таких денег нет.

— Насчет породы ничего точно не скажу, ветеринар считает, что это порченый спаниель. Отдаю бесплатно, только лапку еще немножко подлечить надо.

— Правда? — обрадовался Костик. — За так отдаете? Без денег?

— Без денег, — с улыбкой подтвердил Саблин. — Если хочешь — подожди, я его сам долечу, возьмешь, когда он будет совсем здоров. Так-то он в полном порядке, и глистов ему прогнали, и блох вывели.

— Да вы что, Михалыч, мы с мамой сами долечим, пусть мама отвлечется, будет о нем заботиться, ей полегче станет, а то она по коту нашему до сих пор горюет. Знаете, как она сказала, когда мы его усыпили? Я, говорит, все понимаю, восемнадцать лет, старый он уже, чудес не бывает, а все равно дырка в душе осталась. А когда вы щенка привезете?

— Да хоть завтра. Привезу завтра утром, ты как раз с дежурства сменишься и заберешь его домой. Хочешь так?

— Хочу, — глаза Костика возбужденно заблестели. — Я маме ничего не скажу, пусть сюрприз будет. А как его зовут?

— Коржик. Но ты, если хочешь, дай ему другое имя, какое тебе понравится.

— Коржик... — задумчиво повторил следом за Саблиным санитар. — А что? Очень даже. Пусть остается Коржиком. По крайней мере, не банально.

Ну и слава богу, подумал Сергей, шагая в сторону метро, хоть какой-то вопрос удалось решить в позитивном ключе. День можно было считать вполне удавшимся.

ГЛАВА 3

В открытое окно ординаторской врывалось беззаботное щебетание птиц, и Саблин, составляя формулировки для заключения эксперта, попутно думал о том, что надо бы устроить для тещи и дочери какой-нибудь выезд за город хотя бы на месяц, чтобы ребенок подышал свежим воздухом вдали от гари и выхлопных газов. Конечно, Юлия Анисимовна давно уже твердила о том, что их подмосковная дача — самое лучшее место для ребенка, но Сергей не спешил принимать предложение родителей. Все-таки мать не любит его жену, и уж тем более ей не за что особо любить мать Лены, Веру Никитичну, которая, по мнению Юлии Анисимовны, просто воспользовалась благоприятной возможностью, чтобы переехать из Ярославля в столицу и сесть на шею зятю под видом помощи дочери. Помощи после операции на позвоночнике от Веры Никитичны было немного, зато забот и хлопот прибавилось.

Но для того, чтобы снять дачу, нужны деньги, а их нет... И Саблин, думая о проводящей лето в душной грязной Москве маленькой девочке, чувствовал себя несостоявшимся ничтожеством, не мужиком, а тряпкой, никчемным существом, которое не может обеспечить собственному ребенку нормальные условия жизни.

Он торопился закончить заключение, пока в ординаторской никого не было: Сергей терпеть не мог, когда рядом разговаривали, что-то обсуждали, даже просто молчали, но издавали звуки — прихлебывали чай, перелистывали бумаги. Он мог работать только в полной тишине.

Когда открылась дверь и вошел коллега-эксперт, Саблин дописывал последнюю строчку. Коллега по имени Георгий Телеш, или для своих просто Гоша, с утра занял секционную для исследования трупа пятимесячной девочки, и Сергей удивился, что Телеш вернулся в ординаторскую так быстро. По его представлениям, вскрытие и исследование трупа грудного ребенка должно было бы занять куда больше времени.

— Что-то случилось? — спросил он Гошу, отрываясь от своей писанины.

— Ничего, — глаза Телеша удивленно округлились. — С чего ты взял? Что должно было случиться?

Значит, он закончил вскрытие. Ну надо же... Или Сергей так увлекся работой, что не заметил течения времени? Он бросил взгляд на часы: да нет, как он и предполагал, прошло меньше часа с того момента, как Телеш ушел из ординаторской в секционную.

— Ты ребенка вскрывал? — на всякий случай уточнил Саблин.

— Ну да, — кивнул Георгий, наливая воду в электрический чайник.

— И что оказалось?

— Да ничего особенного. Повреждений нет, асфиксия, наверное, или СВДС.

Опять СВДС — синдром внезапной детской смерти! Сергей вспомнил свои споры с матерью, несчастную Красикову, отравившуюся уксусной эссенцией. Диагностическая помойка. Когда неохота возиться — ставим СВДС, и никаких вопросов. Или асфиксию мягким предметом, под которым, как правило, подразумевается молочная железа матери. Пресловутое «присыпание», на которое тоже очень удобно свалить смерть ребенка, если он спал вместе с мамой. А если ребенка все-таки убили умышленно? Или имела место врачебная ошибка при лечении какого-нибудь заболевания?

— Какая асфиксия? — спросил он Георгия.

— Ну какая-какая... Механическая обтурационная, какая же еще? Мягким предметом, вероятно. Во всяком случае, признаков аспирации пищевых масс я не нашел.

Механической обтурационной асфиксией именовалась асфиксия от закрытия, например, ладонью отверстий носа и рта.

— А признаки асфиксии нашел? Странгуляционную борозду или следы пальцев на шее?

Георгий посмотрел на него как на недоучку и хмыкнул, дескать, элементарных вещей не понимаешь, а еще экспертом называешься.

— Я же тебе ясно сказал — асфиксия мягким предметом, а не рукой, какие там следы? Никаких следов не остается.

— Как это — не остается? Ты кожу «маской» снимал?

На этот раз Георгий смотрел на Сергея как на инопланетянина.

— Чего? Какой «маской»? Ты о чем?

— А ты не знаешь, что при вскрытии трупа ребенка нужно кожу с лица снимать «маской» и послойно исследовать? Тебе никто об этом не говорил? Или ты благополучно забыл о том, что вскрытие трупа взрослого и вскрытие трупа младенца проводятся по разным методикам? — Саблин повысил голос и едва сдерживался, чтобы не перейти на крик. Халтуры и безграмотности он не терпел и моментально впадал в ярость, сталкиваясь с их проявлениями.

Георгий вытащил из шкафа коробочку с пакетиками чая, положил два пакетика в свою чашку и со стуком поставил ее на стоящий возле окна в углу комнаты низкий столик. Потом подошел вплотную к столу Саблина.

— Знаешь что, друг ситный, я в экспертизе четвертый год, и не тебе меня учить. Я вскрываю так, как вскрываю. А если ты такой умный, то иди и сам снимай кожу с лица «маской» у грудного ребенка. А я постою рядом и посмотрю, как ты это будешь делать. И самое главное — что ты будешь делать после этого, как спать будешь, как есть, как с женой трахаться, как дочку свою целовать. У нас любителей вскрывать детские трупы отродясь не водилось, от этой работы все бегут как от чумы и стараются сделать побыстрее, чтобы головой не тронуться. Но ежели ты за свою голову спокоен, я с удовольствием пойду к Куприянову и скажу, что ты убедительно просишь все детские трупы расписывать тебе. Хочешь? Всеволод Маркович будет счастлив, что у него в подчинении, наконец, начал работать клинический идиот.

Всеволод Маркович Куприянов был заведующим отделением экспертизы трупов в Московском Городском Бюро судебно-медицинской экспертизы. Если проще и короче — заведующий танатологией. А за глаза, среди подчиненных, — Куприян.

Сергей понял, что еще чуть-чуть — и он ударит Гошу. Причем ударит больно. И кончится все это плохо.

— Хочу, — сквозь зубы процедил он. — Иди к Куприяну и скажи ему все, что считаешь нужным. А пока ты не пошел и не сказал, пока труп ребенка расписан не мне, а тебе, поделись-ка опытом: как ты сейчас собираешься обосновывать асфиксию, если ты толком исследование не провел?

Гоша с облегчением принялся пить чай, настороженно посматривая на Сергея. Похоже, намерение Саблина устроить мордобой было очевидно и для Телеша, и он тихо радовался, что конфликт потихоньку угасает без физических травм.

— Да я и не собираюсь ничего такого обосновывать, — он старался говорить мирно, но голос предательски подрагивал от напряжения, и Саблин понял, что Гоша затаил злобу и прощать настырного коллегу не намерен. — Асфиксию ставить не буду, поставлю СВДС — и никаких проблем. Все так делают.

До самого вечера Сергей пытался взять себя в руки, успокоиться и понять, с чего вдруг он так вызверился на Георгия Телеша. В памяти всплыла старая история, имевшая место еще тогда, когда он после окончания школы и провала при поступлении в институт работал санитаром в реанимации.

...Женщина, отравившаяся зоокумарином, поступила и скончалась во время Серегиного дежурства. Дежуривший в этот день в одной с ним смене пятикурсник, тот самый, который рассказывал всякие ужасы про работу судебных медиков, подрабатывал еще и фельдшером на «Скорой», и когда женщину еще только доставили, сначала охнул недоверчиво, потом глянул документы и покачал головой:

— Вот же бывают в жизни совпадения! Я ведь две недели назад к ней домой выезжал на смерть ребенка.

— А что там случилось? — с любопытством спросил Серега, которому все было интересно.

Пятикурсник рассказал, что когда приехала «Скорая», четырехмесячный малыш лежал на диване, на спине, абсолютно чистый, без признаков жизни, с частичным трупным окоченением. Врач констатировал, потом зафиксировал смерть ребенка и спросил мать, что случилось. Та, не вполне трезвая, начала сбивчиво рассказывать, что вечером все легли спать, малыш лежал в детской на нижнем ярусе двухъярусной кровати, на верхнем ярусе спал старший сынишка девяти лет, родители спали в другой комнате. Проснувшись утром, обнаружили, что ребенок лежит на полу в детской и не дышит. Мать схватила ребенка, перенесла его в другую комнату, положила на диван. Врач осмотрел тело и никаких видимых повреждений не обнаружил. В итоге поставил посмертный диагноз — «синдром внезапной детской смерти», вызвал опергруппу, дождался работников милиции и убыл, оставив им сигнальный лист.

Прошло дней десять, и медбрата-пятикурсника, который выполнял в тот день функции фельдшера линейной педиатрической бригады «Скорой помощи», вызвали к следователю. Врача, как оказалось, вызывали накануне. Пятикурсник всю голову сломал, пытаясь догадаться, что у него будут спрашивать, а когда узнал — удивился еще больше, ведь неясные причины смерти младенцев редко у кого вызывали вопросы, тем более у работников прокуратуры. А вот у этого следователя, строгой худощавой женщины с недобрым лицом, вопросов оказалось немало, и несчастный фельдшер-медбрат весь взмок, описывая подробности событий десятидневной давности. Особенно следователя интересовало, как вели себя родители малыша, как выглядели, что говорили. Парень добросовестно рассказал все, что удалось вспомнить.

— И ты представляешь, что оказалось? — Его глаза горели от возбуждения. — Эта идиотка отправила мужа на работу в ночь, а сама пригласила подругу и уселась с ней водочку кушать. Начали где-то часов в десять вечера, детей уложили — и давай квасить. А малыш проснулся и начал плакать и кричать. Ну, мамашке-пьянице это не понравилось, ей ведь о мужиках да о сериалах поговорить хочется с задушевной подружкой, а тут ребенок орет, сосредоточиться на сплетнях не дает. Она его на руках поносила-поносила, тот не успокаивается, так она разозлилась, рот ему рукой зажала и орет: «Да заткнешься ты когда-нибудь, выродок!» Малыш затих, мать обрадовалась, положила его в комнате на диван и давай дальше на кухне водку пьянствовать. На рассвете подруга все-таки ушла, а мамашка прилегла поспать на диване. А там ребенок лежит, прямо посередине, лечь мешает. Она его и подвинула чуток. И уснула. Даже не заметила, что малыш не реагирует, не просыпается. Когда муж с ночной смены вернулся, то обнаружил жену слегка проспавшейся и несколько нетрезвой, а ребенка — мертвым. Она мужу-то ничего не сказала про то, что закрывала сынишке рот рукой, чтобы он ей не мешал радоваться жизни, наврала, что он упал со своей кровати, она его нашла, подняла и на диван перенесла, а так как была сонная, то не разобралась, когда ребеночек помер, то ли после того, как она его на диван уложила и уснула, то ли раньше, когда с кровати упал. Муж поверил. Вызвали «Скорую», нам все то же самое рассказали. Наверное, ментам, когда те приехали, слово в слово повторили. А потом правда вскрылась. Во как бывает!

Семнадцатилетний Серега с замиранием сердца слушал эту невероятную историю. Надо же, ведь преступление могло остаться не то что нераскрытым — о нем никто и не узнал бы, если бы не нашелся человек, который решил заглянуть чуть поглубже и разобраться в том, что произошло. И все считали бы, что ребенок умер сам по себе. Именно так объяснил пятикурсник неопытному Сереге смысл термина «синдром внезапной детской смерти».

— Так что, ты думаешь, мать поняла, что ее посадят, и с перепугу отравилась зоокумарином? — спросил Серега.

Тот посмотрел на младшего товарища снисходительно и ответил:

— Да протрезвела она. И поняла, что натворила. Собственного ребенка — собственными руками. Как жить-то после этого?

— А если бы она не отравилась, — настырно продолжал спрашивать Сергей, — ее надолго посадили бы?

— Надолго, — авторитетно заявил пятикурсник. — Это уж будь спокоен. И на зоне ей бы жизни не дали, бабы-зэчки таких вещей не прощают.

Еще несколько дней после этого разговора Серега, глядя на идущих по улицам молодых женщин, многие из которых счастливо улыбались, думал о том, что мать-убийца точно так же ходила бы сейчас по улицам, ездила в трамвае, ходила в магазины, покупала себе одежду, смотрелась в зеркало... Она жила бы так же, как все. Если бы не нашелся человек, который поставил под сомнение загадочную аббревиатуру «СВДС»...

Телеш свою угрозу выполнил, уже на следующий день все танатологическое отделение знало о том, что Сергей Михайлович Саблин считает себя крупным специалистом в деле вскрытия трупов маленьких детей, а еще через несколько дней на планерке Всеволод Маркович Куприянов расписал Сергею труп ребенка со словами:

— Отныне, коллега, все детские трупы — ваши. Вы этого хотели — вы это получили. И за это вам низкий поклон и горячая благодарность от всего нашего коллектива.

Послышались смешки, на Саблина кидали и сочувственные, и ехидные, и насмешливые взгляды. Вскрывать детские трупы не хотел никто.

Всеволод Маркович обещание сдержал, и с того дня все трупы маленьких детей доставались Сергею. Он всерьез занялся изучением вопроса о том, что же такое этот таинственный СВДС — синдром внезапной детской смерти, то есть синдром внезапной смерти детей первого года жизни на фоне видимого клинического благополучия. Смерть малыша наступает совершенно неожиданно для окружающих, обычно во время сна, и перед этим состояние младенца никаких опасений не вызывает.

Все в душе Сергея протестовало против практики «навешивания» этого диагноза для того, чтобы скрыть некомпетентность и бездеятельность. Он помнил то, что говорила ему несколько лет назад Юлия Анисимовна, а теперь уже и сам понимал, что диагноз СВДС абсолютно всех устраивает. Педиатры и начальники из управлений здравоохранения довольны, потому что это не болезнь, которую доктора пропустили, а значит, никто не понесет ответственности. Правоохранительные органы с удовольствием напишут постановление об отказе в возбуждении уголовного дела, потому что никто не виноват, и будут избавлены от промывки мозгов за рост насильственных преступлений на территории. Судебно-медицинским экспертам от наличия в Международной классификации болезней такого диагноза тоже одно сплошное облегчение выходит: можно не напрягаться, не искать морфологические проявления какого-либо заболевания, протекавшего скрыто и не замеченного ни педиатрами, ни родителями, или травмы, или механической асфиксии. Кроме того, если эксперт опровергает диагноз, выставленный педиатром, он обязан обосновать и доказать свою точку зрения на клинико-анатомической конференции, поскольку по закону все случаи детской смерти должны быть на этих конференциях рассмотрены в обязательном порядке. Ну и кому охота тратить время, идти на конференцию, что-то говорить, выслушивать нападки и замечания, порой язвительные и даже грубые, и вообще, портить со всеми отношения?

Отчего же происходит это страшное событие? Как оно происходит? Каков его механизм?

Саблин снова вернулся к монографии немецкого патологоанатома Альтхоффа, которую читал только в студенческие времена и уже помнил не очень хорошо. Альтхофф делал особый акцент на том, что отсутствие выраженных симптомов у внезапно скончавшихся грудных детей перед смертью необязательно доказывает, что они были здоровыми, и призывал в подобных случаях проводить более тщательные исследования, нежели те, которые обычно проводятся у взрослых. Особенной должна быть не только методика самого вскрытия, но также и методика проведения всех дальнейших исследований. Сергей черным фломастером подчеркнул фразу: «Термин «СВДС» не отражает причины смерти как таковой».

Еще немецкий патологоанатом высказывался категорически против идей о том, что грудной ребенок может умереть от того, что задохнется рвотными массами или будет лежать на животе, уткнувшись лицом в подушку или простыню. Такие случаи тоже обычно подпадают под пресловутый «синдром», хотя, по мнению Альтхоффа, причина смерти на самом деле совершенно в другом. А вот родители ребенка, которым говорят, что их дитя умерло потому, что они за ним недосмотрели, будут потом до конца жизни мучиться угрызениями совести.

И снова Саблин вспомнил и несчастную Красикову, и отравившуюся зоокумарином детоубийцу.

Он перечитал массу литературы, просиживал все свободное время в библиотеках, искал, выписывал, сравнивал, обдумывал, консультировался с опытными педиатрами, завел несколько толстых тетрадей, в которые заносил и выписки из прочитанных книг, научных статей, авторефератов и диссертаций, собственные наблюдения и те сведения, которые получал во время консультаций. Отдельно, в небольшой тетрадке в твердом переплете, составил перечень вопросов, которые необходимо задать родителям погибшего ребенка, чтобы более или менее четко представлять, обоснован диагноз «синдром внезапной смерти» или нет. Во всех исследованиях описывались случаи, когда ребенок в возрасте до одного года умирал при полном отсутствии каких бы то ни было клинических проявлений заболевания, и последующие исследования патоморфологических проявлений также не обнаруживали. Иными словами, синдром внезапной смерти — не выдумка, не артефакт, он существует в действительности. Однако этим удобным диагнозом очень часто пользовались и в тех случаях, когда имели место и жизнеугрожающие состояния в связи с заболеваниями, и даже явные признаки насильственной смерти.

Для того чтобы чувствовать себя уверенно при выставлении патологоанатомического диагноза, Саблин в обязательном порядке просил родителей умершего ребенка ответить на ряд вопросов: какая была температура у ребенка за сутки до смерти; не вызывали ли к нему «Скорую» или «Неотложную» помощь за сутки до смерти; какие лекарства малыш принимал за сутки до смерти; не вызывали ли к ребенку врача в связи с тем, что он заболел, в течение последних двух недель; как чувствовал себя малыш в последние сутки жизни, не был ли вялым, не снизился ли аппетит, не стал ли вдруг беспокойным без явного повода, не появилась ли сыпь, кашель, насморк, понос, рвота, срыгивание. Некоторые родители отвечали четко и сразу, было видно, что они полностью в курсе того, как чувствовал себя ребенок, но встречались и такие, которые толком ни на один вопрос ответить не могли, и это поднимало в Саблине волну негодования и ярости. Таких родителей он готов был убить на месте.

Он тщательно и методично изучал присланные из поликлиник амбулаторные карты умерших детишек, чтобы найти в них необходимую информацию: наличие у ребенка пневмонии, ее распространенность, характер экссудата; наличие ОРВИ, экзантемных или кишечных инфекций. Изучение медицинской документации оказалось делом непростым: требовалось много терпения, внимания и усидчивости, чтобы разобрать быстрый корявый почерк, которым делались записи в картах. Но неожиданно для себя Сергей понял, что эта кропотливая работа доставляет ему удовольствие.

— Ты же прекрасный гистолог, — засмеялась Ольга, когда он поделился с ней своим удивлением. — Это значит, что ты — человек усидчивый и способный к длительной концентрации внимания без ослабления его остроты, ты не устаешь от монотонной работы, более того, ты находишь в ней удовольствие. Поэтому совершенно естественно, что разбираться с документами тебе не в тягость. Иногда мне кажется, что ты напрасно перешел из гистологии в морг, твое место — за микроскопом, там ты приносил куда больше пользы. Подумай, может быть, тебе имеет смысл вернуться?

Но Сергей даже думать не стал. Его место — у секционного стола. Так он чувствовал. В этом он был убежден. Только работая в секционной, можно испытать удовлетворение от того, что ты — тот, кто нашел путь к истине и сумел защитить беззащитного и наказать виновного. Он отчего-то стеснялся говорить об этом Ольге, прикрываясь словами о научном интересе, о профессиональном росте и о прочих таких понятных каждому категориях. На самом же деле он не желал был «винтиком» в сложном многоступенчатом механизме поиска ответа о причинах смерти, он хотел быть Первым, Главным и Единственным — тем, кто увидит вскрытое тело, проведет исследование на макроскопическом уровне и сам примет решение, какой материал отобрать для дальнейших исследований, и сам сформулирует вопросы специалистам, и сам первым ознакомится с их ответами, и сам лично сделает окончательные выводы, которые и будут представлены следствию. Он не только не объяснял этих мотивов Ольге, он и самому себе стыдился их озвучивать и лукаво твердил какие-то пустые слова о реализации себя как специалиста.

Жене, однако, такая погруженность Сергея в работу нормальной не казалась. Чем больше времени он уделял изучению вопроса о диагностике детских смертей, проводя каждый свободный час не с семьей на диване перед телевизором, как мечтала Лена, и не в походах по магазинам и рынкам, тем чаще она ворчала, скандалила, выговаривала ему, требовала и плакала. Более того, она пошла примитивным проторенным путем, которым идут многие молодые (а порой и не очень молодые) женщины: в случае «неправильного» поведения Сергея отказывала мужу в близости. Единственная привлекавшая Саблина сторона его неудачной супружеской жизни практически сошла на нет и превратилась в награду, которую Сергей должен был заслужить. Заслуживать он не хотел. Его коробило убожество такой постановки вопроса, и однажды он все-таки попытался объяснить Лене, чем именно он так занят и почему для него так важны результаты научных изысканий. Он рассказывал ей об отравившейся зоокумарином женщине, задушившей в пьяном угаре собственного сына, о Красиковой, ребенок которой умер непонятно от чего и которую обвинили в том, что она его «приспала», о маленьких невинных ангелочках, которых убивают умышленно или по неосторожности и смерть которых остается безнаказанной, потому что существует в классификации болезней такой удобный диагноз — «синдром внезапной смерти детей в возрасте до одного года». Об убитых горем родителях, живущих долгие годы с чувством вины, о неграмотных докторах-халтурщиках, допускающих врачебные ошибки, которые так легко и просто прикрыть диагнозом СВДС. Много чего он рассказывал Лене, которая, как ему казалось, внимательно слушала. Но выяснилось, что она вовсе и не слушала Сергея, а думала в это время о том, что хорошо бы мужу поменять работу, чтобы побольше зарабатывать.

— Ой, Сережка, ну что нашел в этой своей экспертизе? — она ласково прижалась к нему и игриво погладила по бедру. — Бросал бы эту работу и шел бы куда-нибудь, где можно хорошие деньги делать. Гинекологом, например, или стоматологом, сейчас богатых развелось — пруд пруди, и все хотят голливудскую улыбку. А еще лучше — пластическим хирургом, ты бы вообще миллионы зарабатывал. Ты бы озолотился! И мы бы пожили, наконец, как люди, в Турцию бы съездили все вместе, дубленку бы мне купили, а еще лучше — шубку натуральную. И сам бы оделся нормально. Может, даже на машину сумели бы быстро накопить. Представляешь, как было бы здорово: ты каждое утро подвозил бы меня к школе на машине! И Дашку в садик на машине возил бы. И раз в неделю мы с тобой ездили бы в магазин и на рынок и закупали бы продукты, чтобы каждый день мне с сумками не таскаться. Подумай, а?

Надо же, усмехнулся про себя Саблин, обе мои женщины — и Оля, и Лена — предлагают мне пути дальнейшей карьеры, и обе заканчивают свои выступления одним и тем же словом: «Подумай». Вроде бы похоже. А какая огромная разница! Просто два мира, даже не параллельных, которые никогда не пересекутся, а существующих в принципиально разных плоскостях реальности.

Лена, однако, не заметила его состояния, а молчание в ответ на свою тираду расценила как готовность подумать. Во всяком случае, в тот вечер она мужа активно поощрила, вероятно, полагая, что тем самым в очередной раз «даст понять»: если он начнет двигаться в правильном направлении и сменит специальность, выбрав что-то более доходное, то так — страстно, изобретательно и ласково — будет всегда.

Сергей поощрение принял с благодарностью, но при этом почему-то подумал: а так ли мне это надо? Неужели я действительно не могу без этого обходиться? Или я просто привык?

* * *

В середине декабря Сергей Саблин отметил день рождения — ему исполнился тридцать один год.

— Ну, Сережа, поздравляю тебя, — заявила утром теща Вера Никитична, — ты начал свой путь по четвертому десятку. Самый плохой возраст.

— Почему? — удивился Сергей.

Над своим возрастом он вообще никогда не задумывался, кроме того единственного года, когда закончил школу и ждал призыва в армию. Все остальное время ему было глубоко безразлично, сколько ему лет. Он в принципе знал, что в отличие от мужчин, женщины буквально трясутся над каждой очередной цифрой, обозначающей их возраст, и панически боятся старения и выхода из категории «молодых». О том, что четвертый десяток — плохой возраст, он слышал впервые.

— Четвертый десяток — это показатель всей жизни мужчины, — с видом знатока принялась объяснять мать Лены. — У астрологов считается, что к двадцати девяти годам мужчина должен полностью определиться со своей судьбой, с профессией, с семьей, то есть твердо встать на тот путь, по которому он дальше пойдет вверх. Если это случилось, то именно на протяжении четвертого десятка лет и будут видны результаты. Если результатов нет — стало быть, и на путь человек не встал. А коль не встал вовремя и не пошел правильным путем, то дальше от него толку уже не будет.

Про «правильный путь» Сергей уже неоднократно слышал от Лены, и разговоры эти ему претили и раздражали до бешенства. Теща, однако, не заметила его изменившегося лица и посветлевших глаз, и продолжала как ни в чем не бывало:

— Тебе нужно будет постоянно присматриваться к себе, прислушиваться, чтобы понять, достиг ты того, чего нужно, или не достиг.

— А чего нужно, по вашим представлениям, достичь? — едва сдерживаясь, спросил он.

— Ну как же, Сережа, нужно, чтобы твоя семья была обеспечена, устроена, обихожена, чтобы люди тебя уважали, чтобы деньги хорошие зарабатывать. Вот тогда ты можешь считать, что ты состоялся.

Она выразительно поджала губы и посмотрела на дочь и внучку: Лена, одетая в дешевый, купленный на вещевом рынке в «Лужниках» костюмчик, который давно уже пора было обновить, натягивала на Дашеньку заштопанные на коленках колготки. Взгляд тещи читался вполне однозначно, дескать, у тебя ребенок в рваных колготках ходит в садик, а ты, здоровый лоб, не в состоянии заработать денег, чтобы девочку одеть прилично, не говоря уж о жене, которая ходит на работу бог знает в чем и не имеет на зиму шубы.

Сергей ждал, что Лена хоть как-то отреагирует на слова матери, встанет на защиту мужа, ведь сегодня день его рождения, и не надо бы заводить все эти разговоры про деньги и пользующуюся уважением карьеру. Но Лена промолчала, только посмотрела на него, и в ее темно-серых глазах он прочитал полное согласие с позицией Веры Никитичны. Н-да, праздничный день начинался явно неудачно.

Он любил день своего рождения, всегда с удовольствием ждал его и потом долго, до самого Нового года вспоминал. Свой тридцать первый день рождения Саблин постарался забыть как можно быстрее.

И это ему вполне удалось. Потому что через неделю Всеволод Маркович Куприянов расписал Сергею на вскрытие труп шестимесячной Ксении Усовой, умершей дома среди полного здоровья в присутствии матери и бабушки. Приехавший врач «Скорой» констатировал смерть исходя из отсутствия дыхания, сердцебиения, зрачковых, ресничковых и корнеального рефлексов. В сигнальном листе, оставленном участковому милиционеру, в качестве диагноза стоял «синдром внезапной смерти». Участковый, основываясь на диагнозе, признаков преступления не усмотрел, оформил труп как некриминальный, написал направление на судебно-медицинское исследование и передал его подъехавшим «труповозам», а застывшим в шоке матери и бабушке сказал, что по всем дальнейшим вопросам им следует обращаться в морг.

Перед тем как проводить вскрытие, Сергей хотел ознакомиться с медицинской документацией, но в наличии оказался только сигнальный листок «Скорой». Амбулаторную карту ребенка из поликлиники надо было еще заказывать, предварительно оформив официальный запрос.

Все детские трупы Саблин вскрывал сам, санитарам не доверял, поскольку специальными методиками они не владели. Сегодня вместе с ним работал тот самый Костик, которому удалось пристроить бездомного рыже-коричневого Коржика. Каждый раз, встречая санитара, Сергей интересовался здоровьем своего экс-питомца и его житьем-бытьем, и Костик охотно рассказывал о том, как растет пес, постепенно превращаясь из очаровательного трогательного ласкового щенка в почти годовалого «подросточка», веселого и покладистого. Доклад о Коржике стал почти ритуалом при встречах эксперта и санитара. И сегодняшнее вскрытие началось с привычного обмена информацией: вчера Коржик научился приносить маме пульт от телевизора и вообще пес удивительно сообразительный, с прекрасной памятью, и отлично поддается дрессировке.

— Если так дальше пойдет — скоро телефонную трубку сможет приносить, — весело говорил Костик.

Сергей надел перчатки и взял в руки секционный нож.

— Михалыч, ну дайте я сам начну, — попросил санитар, — я же стоял рядом с вами, когда вы детишек вскрывали, все видел, все понял, мне самому охота попробовать.

Саблин посмотрел на него удивленно.

— Охота попробовать? Это что, полет на парашюте? Или новый сорт пепси-колы? Это детский труп. Это детская смерть. Это страшно. От этого с ума можно сойти. Ты, Костик, головой-то думай, прежде чем что-то говорить.

Самому Сергею работать с детскими трупами было невероятно тяжело, после каждого такого вскрытия он неделю ходил больной, злой и разбитый, каждый раз испытывая горький соблазн пойти к Куприяну и попросить освободить его от этой тягостной обязанности хотя бы на несколько месяцев, чтобы прийти в себя. И каждый раз говорил себе: «Никто не хочет вскрывать детские трупы. Всем тяжело. Всем больно. Именно поэтому детей вскрывают так плохо, так халтурно, стараясь побыстрее все закончить и забыть. А ребенок не может себя защитить. Мертвый ребенок — тем более. Он не может рассказать, как его убивал сволочь-папаша или как неправильно лечил его двоечник-врач. Он ничего не может. И кто его защитит, если не ты, Саблин?»

Поэтому стремление санитара «попробовать самому» вскрыть детский труп Сергей расценил как проявление полного бездушия. Но ошибся.

— Да я понимаю, Михалыч, что малыша вскрывать — это не мороженое есть, тяжко, страшно, мысли всякие одолевают. Я вот не вскрываю, только рядом стою, и то мне не по себе каждый раз, на душе черно делается. Но мне же хочется чему-то научиться, а то что я тут толкусь целыми днями, а знаний не прибавляется, — смущенно пояснил Костик.

— Так чего ж ты в мединститут не поступаешь, если тебе знаний хочется? Чего ты, в самом деле, в морге уж который год толчешься?

— В институт? — санитар посмотрел на Сергея снисходительно и чуть удивленно. — Да на хрена он мне сдался, институт этот ваш? Чтобы потом копейки зарабатывать? Я здесь на ритуале в сто раз больше бабла подниму, и за учебниками корпеть не надо. Ну что, дадите разрез хотя бы сделать?

— Нет, — твердо ответил Сергей. — Не дам. Стой и смотри, если хочешь научиться. Что непонятно — спрашивай.

Все санитары моргов, что патологоанатомических, что судебно-медицинских, подрабатывали на оказании ритуальных услуг, все об этом знали, но никто ничего и не думал предпринимать, чтобы ввести эту деятельность в более или менее цивилизованное русло. Покойного по закону в морге обязаны только обмыть, одеть и положить в гроб. Это — бесплатно. Все остальное законом не предусмотрено и в обязанности работников морга не вменено. А как быть, если умершего нужно привести в порядок, подгримировать, чтобы выглядел достойно? А если лицо изуродовано? А если череп расплющен? Кто должен сделать так, чтобы умерший имел примерно такой же вид, как и при жизни? И сколько это стоит? На эти вопросы закон не отвечал, и решались они всюду стихийно, кто во что горазд и у кого на что фантазии и наглости хватит.

Осуждать Костика за стремление «наварить» на чужом горе Саблину и в голову не пришло. Навар наваром, но ведь родным и близким усопшего услуги санитаров моргов необходимы, без них просто не обойтись. Значит, эти услуги будут востребованы. А кто сказал, что санитар обязан возиться с мертвыми бесплатно?

Саблин дождался, пока медрегистратор вставит в каретку машинки проложенные копиркой чистые листы, и начал вскрытие. Никаких пороков развития шестимесячной Ксении Усовой он не увидел. Все антропометрические показатели соответствовали возрасту.

«Ну что, Ксюша Усова, — мысленно произнес он, глядя на крохотное тельце, — давай начнем искать, от чего же ты умерла так внезапно, что за напасть с тобой приключилась».

Эта привычка — разговаривать с умершими, которых он вскрывал, — появилась у Сергея совсем недавно, с тех самых пор, как ему начали расписывать детские трупы. Мысленный разговор словно притуплял тяжелую, тянущую душу боль, создавал иллюзию, что ребенок все-таки жив и что еще не все кончено для него. Теперь Саблин разговаривал со всеми, кого вскрывал: и с детками, и со взрослыми. Оказалось, что так легче думается.

Он тщательно произвел послойное исследование мягких тканей лица. Все чисто, ничего нет. Если ребенка душили, закрыв рот и нос рукой, то следы от сдавления мягких тканей пальцами можно было обнаружить вокруг рта и носа, но никаких травматических кровоизлияний он не нашел.

— Смотри, — обернулся он к стоящему рядом санитару Костику, — то, что я сейчас буду делать, называется исследованием мягких тканей шеи спереди и сзади по методу Медведева.

— А зачем? — Костик с интересом следил за движениями ножа, которым Саблин делал секционные разрезы.

— Затем, что нужно посмотреть, нет ли на шее следов сдавления, — объяснил Сергей. — Ты ж понимаешь, чтобы такой крохе шею сдавить или даже свернуть — особой силы не требуется, соответственно, и заметных глазу следов на поверхности кожи тоже может не быть. Но следы-то обязательно должны остаться, если ребенку шею сдавливали. Их просто нужно уметь искать. Вот стой рядом и учись, если ты такой любознательный. Я буду производить послойное исследование мягких тканей шеи.

— Ну да, я видел раньше, как вы это делали, только не очень понимал, зачем. Теперь буду знать. А потом органокомплекс шеи, да?

— Да, — кивнул Сергей. — Смотри внимательно, это очень важный этап. При исследовании органокомплекса можно найти то, что вызвало у ребенка асфиксию. Пищевые массы. Инородные тела, например, соску.

— Да вы что? — не поверил санитар. — Соску? Прямо целиком?

— Ну, чаще, конечно, фрагментами, но иногда даже целиком. Бывает, и тряпку какую-нибудь находим, которую малышу засунули в рот, чтобы он задохнулся. А если младенца душили подушкой, то можно даже фрагменты пуха или перышек от этой подушки найти. И запомни, любознательный ты мой: важно не только найти инородное тело, но и должным образом зафиксировать, в каком месте и в каком положении оно находится.

— А не все равно? — удивился Костик.

— Не все равно. Каждая мелочь имеет значение, — говорил Сергей, не отрываясь от работы. — Знаешь главный принцип судебной медицины? Minimis curat medicina forensic. Если дословно — на латыни это означает: «Маленькие детали управляют судебной медициной». Ну а если покороче, то «Внимание мелочам». Усвоил?

Костик вытянул шею, чтобы не упустить ни одного движения секционного ножа в руке эксперта.

— Супе-е-ер, — уважительно протянул он. — Только я не понял, для чего это надо.

Саблин только головой покачал. Сергею было непонятно, как большинство экспертов проводит вскрытия трупов детей по такой же методике, как и взрослых — линейным разрезом по Фишеру. Да еще не самостоятельно, а поручая это санитару. Ну вот, санитар вскрыл, извлек органокомплекс, и тут откуда-то выпал смятый носовой платок. Откуда? Где он был? В полости рта или уже в гортани? Или еще — при исследовании органокомплекса эксперт видит небольшое перышко, прилипшее к окровавленной поверхности где-нибудь в области правой почки. Что это — признак удушения подушкой? Или просто артефакт, упавший с небритой щеки санитара, до начала рабочего дня спавшего на диванчике у себя в санитарской? Тем более, вскрывая шею по Фишеру, невозможно послойно исследовать мягкие ткани, и тем более мягкие ткани лица. В патанатомии детские вскрытия врачи полностью проводили самостоятельно, начиная от проведения секционных разрезов и заканчивая исследованием органов. Санитары же только зашивали трупы после исследования. Но в судебно-медицинской экспертизе подход у экспертов к детским вскрытиям был другим, более упрощенным.

— Костик, ты бы помолчал, а? — попросила сердитым голосом медрегистратор. — Мне Сергей Михайлович диктует, а ты мешаешь, я сбиваюсь все время, не могу понять, он мне диктует или тебе объясняет.

— Так я ж не научусь, если понимать не буду, — обиженно возразил санитар.

— И на кой ляд тебе этому учиться? — недовольно заметила женщина. — Ты же все равно санитаром был — им и останешься, если образование не получишь. Толку-то тебе с этих знаний.

— А не скажите, коллега, не скажите, — Костик озорно рассмеялся, и Сергея покоробила эта фамильярность. Конечно, к своеобразному юмору санитара все давно привыкли, и никто на него не обижался, но все-таки назвать представителя среднего медперсонала «коллегой», когда сам ты — санитар, это уж как-то... — Ведь что нормальный человек делает, когда ему нужно сделать какую-то работу, а он не может, не умеет или не хочет? Правильно, он ищет и нанимает специально обученных людей, которые знают и умеют, но делают это за денежки. Вот я и хочу стать таким специально обученным человеком, потому что сколько я тут с вами в морге проработал — все время только и слышу, что детский труп вскрывать никто не хочет. Ну, раз не хотите — позовите Костика, он знает, он умеет, он вам за умеренную сумму все сделает в лучшем виде, вам только посмотреть останется. А потом Костик же и зашьет, доктор даже ручек не замарает. Бизнес есть бизнес, его на всем можно делать, если голову иметь, да, Михалыч?

Саблин выпрямился и посмотрел на санитара со сложным чувством одновременно брезгливости и недоумения. Причем брезгливость относилась к тому, что Костик не испытывает ни малейшего волнения и смущения рядом с разрезанным тельцем малышки Ксюши Усовой, а недоумение — больше к себе самому и к ситуации, которая смогла породить такие вот мысли у таких вот Костиков. Ну в самом деле, если никто из врачей-экспертов не хочет вскрывать детские трупы, то что плохого, если львиную долю этой тяжелой и мистически окрашенной работы выполнит тот, кто обладает хотя бы минимальными знаниями и навыками, которыми, между прочим, обладает далеко не каждый судебно-медицинский эксперт. Пусть лучше вскрывает санитар Костик, чем тот, кто за пятнадцать минут разрежет тело «по Фишеру», мельком взглянет и быстренько даст команду зашивать. А то, что санитар собирается брать за это деньги — так каждый труд должен быть оплачен, в особенности тот, который ты сам выполнять отказываешься.

Он долго и тщательно исследовал тело девочки, диктуя протокол медрегистратору и давая попутно объяснения санитару, потом разрешил зашивать. Отойдя к соседнему столу, сегодня пустому, Сергей облокотился на него, скрестил руки на груди и, глядя на ловко работающего Костика, продолжил мысленный разговор.

«Ничего я не нашел такого, что свидетельствовало бы о твоей насильственной смерти, девочка Ксюшенька. Никаких признаков асфиксии. Никаких пороков развития, заболеваний внутренних органов и внутренних травм. А что я нашел? Нашел я всякое разное, что вроде бы о заболевании или убийстве не говорит. У тебя, девочка Ксюша, увеличены нёбные и язычные миндалины, но в разрезе очаговых изменений я не увидел. Шейные лимфоузлы увеличены, на ощупь плотноваты, на разрезах синюшно-красные, сочные, и тоже без очаговых изменений. Та же картина с внутригрудными и брыжеечными лимфоузлами: увеличенные, плотноватые, без очаговых изменений. Что еще я у тебя нашел, моя маленькая Ксюша? Какой-то непорядок в подвздошной кишке, резкое утолщение складок, увеличение и набухание Пейеровых бляшек. Вилочковая железа великовата для шести месяцев, целых 44 грамма, селезенка тоже увеличена. Вот и все, пожалуй, если не считать небольшого синюшно-красного пятна на наружной поверхности левого плеча. В центре пятнышка — точечная буроватая корочка. Это след от прививки. Больше ничего у тебя, маленькая моя, нет. Отчего же ты умерла? Что с тобой произошло? Может быть, виновата генерализованная инфекция с реакцией со стороны иммунной системы? И лимфоузлы затронуты, и селезенка, и вилочковая железа...»

Он открыл шкафчик в поисках предметных стекол. Но стекол не было.

— Почему стекол нет? — недовольно спросил Сергей.

Медрегистратор втянула голову в плечи, она побаивалась Саблина, зная его грубость и недипломатичность.

— Вы же знаете, что стекла всегда должны быть в секционной, мало ли для чего понадобятся. Вот мне сейчас они нужны, а их нет, — продолжал выговаривать он. — Костик, сбегай, принеси.

Когда стекла появились, Сергей сделал отпечатки с внутренней поверхности трахеи и главных бронхов, с поверхностей разрезов легких, с внутренней стороны мягких мозговых оболочек, а также тонкого и толстого кишечника.

— Подождите, пока подсохнут, — сказал он медрегистратору, — упакуйте в бумагу, только спичками не забудьте проложить, а то в прошлый раз вы этого не сделали, и стекла оказались непригодными для исследования. Отправьте их вместе с кусочками органов на гистологию, пусть сделают окраску по Павловскому, вдруг внутри клеток эпителия обнаружатся вирусные включения. Пробирки стерильные хотя бы есть? Или тоже никто не позаботился?

Медрегистратор молча подала ему несколько пробирок. Сергей взял кусочки легких, мягких мозговых оболочек и содержимое кишечника.

— Это — на бактериологию. Всем спасибо. Все свободны.

Откуда у него появилась эта странная манера заканчивать вскрытие такими словами, Сергей Саблин и сам сказать не мог бы. Откуда-то они появились в его голове очень давно, еще когда он занимался вскрытиями, работая в патанатомии больницы. То ли из фильма какого-то, то ли из книги... Но ему ужасно нравилось, что эти слова при завершении работы не произносил больше никто. Они стали чем-то вроде визитной карточки врача-судебно-медицинского эксперта Сергея Михайловича Саблина.

* * *

Вернувшись из секционной в ординаторскую, Сергей посидел минут пятнадцать, выпил чаю с сухариком, вышел, накинув теплую зимнюю куртку, на крыльцо покурить, после чего отправился к Куприянову. Никаких изменений, позволяющих определенно высказаться о причине наступления смерти, он не обнаружил, о чем и доложил заведующему отделением экспертизы трупов.

— Всеволод Маркович, что написать в свидетельстве о смерти? У меня никаких идей, — честно признался он.

— Значит, криминала точно нет? — переспросил завотделением. — Уверен?

— На все сто, — заверил его Сергей. — Причина смерти совершенно точно не насильственная. Но какая — это будет ясно только после того, как придет гистология и бактериология.

— Ну и ничего страшного, — добродушно улыбнулся Всеволод Маркович. — Сейчас вводится новая Международная классификация болезней, Десятый пересмотр, и там есть совершенно замечательный раздел: «Другие и неуточненные причины смерти». Код R99. Вот нам в самый раз, мы этим кодом теперь всех гнилых кодировать будем. И этот код можно использовать при оформлении предварительных свидетельств о смерти. Для окончательного свидетельства он, само собой, не прокатит, а для предварительного — очень даже сгодится. Вот и воспользуйся. Выпиши предварительное свидетельство, а вместо причины смерти напиши: «Причина смерти временно не установлена» и этим кодом закодируй. Потом, когда гистология и бактериология придут, сформулируешь причину смерти и выпишешь окончательное свидетельство взамен предварительного.

Сергей молча кивнул и пошел к себе. Возня вокруг формулировок причин смерти шла давно и всем уже изрядно надоела. Свидетельство о смерти, в котором указывалась ее причина, выдавалось в морге родственникам умершего, которые несли документ в ЗАГС и на его основании получали официальную бумагу — гербовое свидетельство. Естественно, что в гербовом документе причина смерти стояла точно такая же, как и в свидетельстве. Но вся беда была в том, что человека надо было как-то хоронить, желательно в течение нескольких дней после смерти, а уточненный окончательный диагноз становился известен только после завершения всех исследований. Не верьте тому, что показывают в кино и пишут в книгах, думал Сергей, шагая в сторону ординаторской, там труп вскрыли и через полчаса выдали причину смерти, причем в ее окончательном варианте. Никому даже в голову не приходит, что есть масса исследований, которые необходимо провести: гистологическое, судебно-химическое, серологическое, бактериологическое... И результаты этих исследований будут готовы не через час и даже не завтра, а хорошо если через неделю. Чаще — через две. А судебно-медицинский эксперт должен будет с ними ознакомиться, обдумать, если нужно — почитать литературу, проконсультироваться у знающих специалистов, если случай сложный, и только потом сформулировать причину смерти и выписать окончательное свидетельство. Могут родственники столько ждать? А сам усопший? Понятно, что для регистрации смерти в ЗАГСе берется предварительное свидетельство, диагноз из него плавно перекочевывает в гербовое свидетельство, без которого на кладбище или в крематории даже разговаривать не станут, а что же делать, если через три-четыре недели выяснится, что причина смерти совсем другая? Из-за этого возникали постоянные недоразумения, конфликты, склоки и скандалы.

Через неделю Саблин получил амбулаторную карту умершей Ксюши Усовой. С делопроизводством в учреждениях Минздрава никогда не было идеально, вот и в этом случае Сергей сначала лично проследил за тем, чтобы официальный запрос в поликлинику был оформлен должным образом, зарегистрирован и отправлен, а потом ежедневно интересовался в канцелярии, не пришла ли карта. Каждый раз ему отвечали, что ничего нет, и только сегодня, накануне Нового года, делопроизводитель канцелярии выдала ему запечатанный конверт с картой девочки, причем долго его искала и нашла тогда, когда рабочий день уже закончился и Саблин собрался уходить. Он, собственно, уже оделся, запер ординаторскую, поскольку покидал кабинет последним, и заглянул в канцелярию просто на всякий случай. Канцелярские дамы готовили предновогоднее чаепитие, им было не до Саблина и не до амбулаторной карты какой-то там Ксюши Усовой, но одна из них, самая молоденькая и пока еще самая совестливая, все-таки вспомнила, что был пакет из поликлиники, но вот где он... Засунули куда-то второпях, в пылу подготовки к празднику. Сергей настоял на том, чтобы пакет нашли. Дамы с кислыми минами начали поиски.

— Ну что вы, в самом деле, Сергей Михайлович, — проныла заведующая канцелярией, — ведь конец года, все давно разошлись, сегодня же короткий день перед праздником, далась вам эта карта! Что вы с ней будете делать? Отнесете к себе в ординаторскую, где она будет лежать до конца праздников, да? А мы из-за этого...

Она безнадежно махнула рукой и принялась поочередно открывать дверцы многочисленных шкафов, стоящих вдоль стен.

— Домой отнесу, — четко и внятно произнес Сергей. — И до третьего января успею прочитать и проанализировать. Если бы речь шла о смерти вашей внучки, я думаю, вы плюнули бы в лицо тому, кто мешал установлению диагноза. Вам бы тогда совсем не показалось удивительным, что кто-то собирается все праздничные дни сидеть над документами и искать причину смерти ребенка. Нет?

Завканцелярией залилась румянцем негодования, но промолчала, а через несколько минут протянула Саблину плотный запечатанный конверт с картой.

В этом году 31 декабря пришлось на среду, и новогодние праздники получались длиннее обычного. Дома Сергей застал сонное царство: жена, дочка и теща мирно спали в преддверии праздничной ночи. Он разделся в прихожей, стараясь не шуметь, и на цыпочках прокрался на кухню, где на столе стоял противень, накрытый чистым полотенцем. Пироги. Интересно, с чем? Приподняв край полотенца, он нагнулся и принюхался: треугольные, скорее всего, с капустой, а вот длинненькие определенно с вареньем. Хорошо. Пироги Сергей любил, а теща была в деле выпечки большой мастерицей.

Он налил себе чаю, сделал бутерброд, присел у свободного края стола и вскрыл принесенный с работы конверт. Амбулаторная карта была не очень большой, записи в ней касались только обычного патронажного наблюдения, периодических осмотров участкового педиатра да информации о профилактических прививках. Девочка родилась в срок, здоровой, росла и развивалась соответственно возрасту, ничем не болела. Родилась она вне брака, жила с матерью и бабушкой. Отец в обменной карте из роддома не упоминался. На профилактические прививки реакции не отмечалось. Последняя из профилактических прививок — третья вакцинация с учетом прививочного календаря — АКДС (Адсорбированная-коклюшно-дифтерийно-столбнячная) + полиомиелит, а за два дня до смерти ребенку была сделана внекалендарная прививка против гриппа — как обычно, в декабре в Москве начиналась очередная эпидемия. «...Сделана прививка вакцины против гриппа (серия ..., пр-во ..., доза 0,25), через 30 минут реакции нет...». Далее в амбулаторной карте имелся только посмертный эпикриз: «...20.12.97 г., со слов бабушки, ребенок был беспокоен, дали ребенку пустырник около 12 часов. Ребенок стал более спокойный, но вялый, его уложили спать. После 19 часов бабушка обнаружила, что ребенок не дышит, вызвали «СП». Вызов зарегистрирован в 19.43, обслужен в 20.05. Диагноз:

Синдром внезапной смерти. Тело направлено на судебно-медицинскую экспертизу...»

Бутерброд как-то быстро закончился, а голод все еще продолжал утробно урчать где-то в эпигастральной области, и Сергей, продолжая задумчиво глядеть в исписанные довольно приличным для медика, почти хорошо читаемым почерком страницы карты, протянул руку к противню и стянул пирожок. Потом второй. Потом третий. Он с утра ничего не ел и просто утолял голод, даже не чувствуя вкуса и не понимая, какая начинка попадает ему на язык. Четвертый пирожок стащить не удалось, в кухню вошла заспанная Лена, кутаясь в махровый халат, в котором она спала на диване, укрывшись пледом.

— Ты уже дома? — обрадовалась она. — Как хорошо! Сейчас поможешь нам с мамой... А ты что, пироги ел?

В ее голосе зазвучал укор.

— Ну Сереж, ну ты что, ей-богу! Это же к праздничному столу, а ты... Надо было суп разогреть, в холодильнике целая кастрюля стоит, или жаркое, если суп не хочешь. Погреть тебе? Будешь кушать?

— Да нет, — благодарно улыбнулся Сергей. Его почему-то всегда невероятно трогали попытки Лены проявить заботу. — Я перехватил уже, бутерброд съел, пирожки украл.

— А что ты читаешь?

Она с любопытством заглянула в карту.

— Амбулаторная карта, — пояснил он. — Девочка умерла внезапно дома, я ее вскрывал, теперь вот хочу разобраться, как она развивалась, чем болела.

Лена отступила на два шага, на лице ее проступила гримаса ужаса и отвращения.

— Ты вскрывал? То есть это ты с работы принес? Из морга своего?

Сергей почувствовал, что сейчас начнется. Но ведь праздник, Новый год. Как не хочется его портить очередным скандалом! Надо постараться погасить эмоции, пока они не захлестнули обоих.

— Леночек, это амбулаторная карта из поликлиники, у нашей Дашки тоже есть такая. Ничего в ней нет страшного. Что ты, в самом деле?

— Ничего нет страшного? Ты таскаешь в дом вещи от покойников! В дом, где маленький ребенок! Как ты можешь?! Ты это на кухню принес, здесь продукты, которые мы едим, которые ребенку даем! Господи, за что мне это?! Ты не человек, ты просто монстр какой-то!

Насчет монстра Сергей уже когда-то слышал... И судя по тому, как снова переменилось лицо жены, понял, что глаза у него стали теми самыми, волчьими. Глазами деда Анисима, которого давно уже не было в живых.

Лена отступила, а Саблин, как обычно, ушел в глухое молчание. Объяснять больше ничего не хотелось. И праздновать Новый год не хотелось тоже.

* * *

Бактериологическое исследование, назначенное по случаю Ксении Усовой, никакого роста болезнетворных микробов не выявило. В заключении судебно-химического исследования было указано, что признаков алкоголя, лекарственных препаратов и наркотических веществ не обнаружено. Сергей Саблин с нетерпением ждал ответа экспертов-гистологов. Их заключение пришло последним, потому что на исследование был отправлен объемный материал — Сергей при вскрытии нарезал много кусочков внутренних органов и тканей.

Результат оказался фактографическим, без четкого указания на конкретное заболевание или хотя бы на группу заболеваний. В документе было только описание патоморфологических изменений. Сергей долго вчитывался в напечатанные на машинке строчки: «...резчайшие системные расстройства кровообращения... Резко выраженные альтеративные и слабо выраженные экссудативные изменения стенок сосудов... Акцидентальная инволюция тимуса I—II степени... метаболические изменения миокарда... Отек и набухание вещества головного мозга... Реактивная фолликулярная лимфаденопатия. Фолликулярная гиперплазия селезенки...» Ну да, он и при макроскопическом исследовании отмечал увеличение размеров тимуса — вилочковой железы — и селезенки. Дополнительное судебно-гистологическое исследование мазков-отпечатков трахеи, бронхов, мягких мозговых оболочек и стенки кишечника показало, что «при окраске по Павловскому фуксинофильных включений (вирусов) в клеточных структурах не выявлено...».

Очень похоже на цитомегаловирусную инфекцию, лимфоузлы увеличены, это он тоже видел на вскрытии.

Или не похоже?

Сергей отправился в отделение гистологии. Заведующая отделением, с которой у него за время работы гистологом сложились добрые отношения, пригласила эксперта, проводившего исследование по случаю Ксюши Усовой, они втроем долго просматривали стекла, обменивались соображениями, высказывали разнообразные идеи, но ни к чему определенному так и не пришли.

— Вы не будете возражать, если я проконсультирую материал в патанатомии? — спросил Сергей под конец.

Заведующая лукаво усмехнулась и кивнула.

— У Ольги Борисовны? Конечно, я не возражаю.

Саблин сердито подумал о том, что о его романе с Ольгой Бондарь, вероятно, знает куда более широкий круг людей, чем он предполагал. Конечно, для сотрудников патологоанатомического отделения больницы, где они с Ольгой вместе работали, их отношения секретом не были. Все были в курсе. Но вот то, что гистологи из патанатомии обменивались информацией с гистологами из судмедэкспертизы, оказалось для него неожиданным.

С Ольгой он виделся в последний раз дня за три до Нового года и искренне радовался представившейся возможности встретиться с ней. Если бы не стекла по Усовой, он смог бы выбраться к Ольге не раньше следующей недели. По телефону они общались ежедневно и подолгу, а вот личные встречи удавались далеко не так часто, как обоим хотелось бы.

В патанатомии клинической больницы Сергей первым делом пообщался с Ольгой, которая попросила показать материалы. Она внимательно смотрела в микроскоп, после чего удрученно покачала головой.

— Зря ты на меня понадеялся, Сереженька, я тебе тоже ничего конкретного не скажу. С заключением вашего эксперта-гистолога я полностью согласна. Ты Петровичу звонил?

Петровичем любовно называли заведующего патологоанатомическим отделением больницы. Причем происхождение этого прозвища так и осталось для Саблина непонятным, ибо имя доктора медицинских наук Гладких было «Виктор Иванович». Но его уже много лет упорно именовали не иначе как Петровичем, а вовсе не Иванычем.

— Звонил, а как же, — кивнул Сергей. — Он согласился проконсультировать наши материалы, назначил мне аудиенцию сегодня на четырнадцать тридцать, но я специально приехал с самого утра, чтобы тебе показать стекла.

— А повидаться? — Ольга улыбнулась и погладила его по волосам. — Не хотел? Только ради стекол с утра пораньше явился?

— Да ну тебя, — засмеялся Сергей. — Вечно ты меня в смущение вгоняешь. Между прочим, ты единственная, кому это вообще удается. Вот как началось с первой встречи, так и продолжается.

— Тебя вгонишь в смущение, как же, — расхохоталась она. — Кто Саблина смутит — тот дня не проживет. Ты же наглый и самоуверенный тип, смутить которого невозможно по определению, потому что он всегда прав.

Сергей с удивлением смотрел на нее. Неужели он в глазах Ольги выглядит именно таким? Как же она может его любить, если он действительно такой, мягко говоря, неприятный? Или она его уже давно не любит, просто терпит по привычке?

— Ты серьезно? — осторожно спросил он. — Я в самом деле такой плохой?

Ее лицо стало серьезным, глаза мягко светились.

— Ты не плохой, Саблин, — тихо сказала она. — Ты — ужасный. Я в жизни своей не встречала человека тяжелее тебя.

— А как же ты...

Он не договорил, запнулся и снова смутился. Как сформулировать вопрос? «Как же ты меня любишь, такого ужасного?» А вдруг эти слова покажутся Ольге проявлением самоуверенности? С какой стати он так убежден в том, что она его любит?

— Как же я тебя выношу? — она уже снова улыбалась, от недавней серьезности не осталось и следа. — Я тебя люблю, Саблин. Просто люблю. Хотя и все про тебя знаю. И все вижу. Иди к Петровичу, уже двадцать пять минут третьего, он опозданий не любит.

Петрович-Гладких встретил Сергея радушно, но сразу предупредил:

— Я не детский патоморфолог, так что в материалах по шестимесячному ребенку вряд ли смогу разобраться квалифицированно. Но вот что могу пообещать твердо — это то, что твои стекла посмотрят самые опытные врачи отделения, и мы совместно обсудим результаты. А если ни к чему не придем, передадим на кафедру патанатомии, там все-таки маститые спецы есть. Годится?

Сергей поблагодарил за обещанную помощь и стал терпеливо ждать ответа патологоанатомов.

Через неделю позвонила Ольга.

— Саблин, мне поручено тебе передать, что твои стекла мы смотрели всем отделением, и по отдельности, и вместе. Чуть не подрались, — она издала короткий низкий смешок. — Но без толку. Ничего не придумали. Потом отдали материалы на кафедру, а там у них как раз имеется докторант, который всю жизнь занимается вопросами патологии детского возраста. Докторскую на эту тему пишет.

— Он посмотрел? — с замиранием сердца спросил Сергей.

— Ну конечно! И начал сразу же задавать массу вопросов, на которые мы в патанатомии, как ты сам понимаешь, ответов не знаем. Так что тебе имеет смысл с ним связаться, встретиться и поговорить. Запиши телефон.

Сергей тут же схватил ручку и на первом попавшемся листке записал имя и номер телефона специалиста по патологии детского возраста. Имя его слегка озадачило, оно звучало очень уж по-прибалтийски: Янис Орестович Пурвитис.

— Он что, в докторантуре на коммерческой основе? — спросил Сергей. — Насколько я знаю, граждане других государств не имеют права учиться в нашей докторантуре.

— Да нет же, — рассмеялась Ольга, — он из Саратова, гражданин России. Просто из латышской семьи, которая живет там уже лет сто. Он славный, должен тебе понравиться.

Сергей немедленно перезвонил по указанному телефону.

— Да-а, — раздалось в трубке тягучее и какое-то вязкое, — это я смотрел ваши материалы. У меня к вам есть ряд вопросов. Если вы будете настолько любезны и найдете время для того, чтобы оказать мне честь и лично встретиться, мы могли бы побеседовать более предметно.

У Сергея чуть терпение не лопнуло, пока он дождался конца вычурной тирады. Ну кто сегодня так разговаривает, елки-палки! Сегодня каждая секунда на счету, а он тянет резину со своими великосветскими оборотами! Непонятно, что такого «славного» нашла в нем Ольга. «Может, он за ней ухаживает? — мелькнула мысль, от которой у Сергея немедленно испортилось настроение. — И, может, быть, он ей даже нравится... А вдруг он холост, и Оля вполне может рассматривать его как перспективного мужа. А что? Коллега-патологоанатом, возраст подходящий. Ах ты черт возьми!»

Ему прежде никогда не приходило в голову, что Ольга может хотеть выйти замуж. Понятно, что не за Саблина, поскольку тот не свободен. Значит, за кого-то другого. Ей ведь нужна семья, детей рожать хочется. А Саблин ничего предложить не может.

От этой мысли Сергей похолодел. И, договариваясь о встрече с медлительным Янисом Орестовичем, он уже заранее настроился не любить докторанта из Саратова.

Пурвитис проживал в общежитии для аспирантов и докторантов — ветхом пятиэтажном доме неподалеку от главного здания мединститута. Сам дом впечатление производил довольно убогое, фасадная штукатурка давно начала отваливаться и обнажала бесформенные пятна старого кирпича, лифта не было, равно как и не было лампочек на трех этажах из пяти. В январе темнеет рано, и Сергей пару раз чуть не свалился, поднимаясь по лестнице с выщербленными ступеньками на четвертый этаж. Зато все аспиранты и докторанты жили здесь в однокомнатных квартирах.

Пурвитис открыл ему дверь в вельветовых штанах с вытянутыми коленками, явно на два размера больше, чем требуется, и в длинной вязаной кофте с отвисшими огромными карманами. Высокий, нескладный, лет сорока пяти, как показалось Сергею, какой-то рыхлый и мятый, с редкими тонкими светлыми волосами и неожиданно резкими жесткими чертами лица, он казался дисгармоничным. «Словно хищник на пенсии, — зло подумал Сергей, разглядывая потенциального соперника. — Состарился, ослабел, обрюзг, охотиться уже не может, а черты внешнего облика еще не растерял». Против воли он бросил взгляд на правую руку докторанта — обручального кольца не было. «Ну точно, соперник, за моей Олей ухлестывает, хочет удачно жениться на москвичке и перебраться из Саратова в столицу. И повторит Ольга мою нескладную судьбу».

Янис Орестович между тем протянул ему руку в приветствии и все тем же тягучим вязким голосом пригласил пройти в комнату. Двигался он так же неторопливо, как и говорил. Они уселись за прямоугольный стол, стоящий посередине небольшой комнаты и заваленный книгами и бумагами. Возле окна на отдельном одноногом столике красовался микроскоп, на который Саблин бросил жадный завистливый взгляд: ему так хотелось иметь микроскоп дома, чтобы в свободное время смотреть микропрепараты и совершенствоваться в гистологии, которую он не переставал любить! Но Лена была против: ничего, что напоминало бы «неприличную и грязную» работу мужа, в квартире быть не должно.

— Если у тебя есть свободное время, — сердито говорила она каждый раз, когда Сергей заводил речь о выделении ему хотя бы на кухне места для микроскопа, — займись лучше ребенком или по хозяйству помоги. А таскать в дом куски, отрезанные от мертвецов, я не позволю.

Пурвитис разложил перед собой записи и долго их читал, прежде чем задал Саблину первый и, в сущности, единственный вопрос: не делали ли Ксюше Усовой за несколько дней до смерти, максимум — за две недели, какой-нибудь прививки. Сергей помнил запись в амбулаторной карте наизусть, но на всякий случай сверился с тетрадью, в которую вносил необходимую информацию и которую взял с собой на встречу.

— Три-АКДС плюс полиомиелит, — задумчиво и медленно повторил докторант. — А через несколько дней прививка от гриппа... Серию и производителя не записали, случайно?

Сергей записал всё. Он снова открыл тетрадь и продиктовал внесенные в амбулаторную карту сведения о вакцинах. Пурвитис возвел глаза к потолку, пошевелил губами и вздохнул.

— Все ясно.

— Что вам ясно? — Сергей вспылил неожиданно для себя самого и тут же почувствовал неловкость.

Пурвитис коротко взглянул на него, из чего Сергей заключил, что саратовский прибалт заметил его вспышку.

— Видите ли, — тонкие узкие губы Яниса Орестовича дрогнули, словно он пытался спрятать улыбку, рвущуюся наружу, — осложнениям вакцинации у детей разного возраста посвящен один из разделов моей докторской диссертации. Я за много лет набрал большой материал. Кроме того, у меня есть возможность получать материалы из-за рубежа, как в переводах, так и на языке оригинала. В общем, поверьте мне, уважаемый Сергей Михайлович, про осложнения вакцинации я знаю немало. Гистологическая картина вашего случая позволяет мне высказать предположения об анафилактическом шоке в форме острой сывороточной болезни как реакции на прививку.

— Вы имеете в виду прививку против гриппа? — уточнил Сергей.

— Именно. Прививку именно этой вакциной после третьей вакцинации АКДС. У этой вакцины не очень хорошая репутация. Я не имею в виду саму по себе вакцину как таковую, я имею в виду только вакцину с данным серийным номером у данного конкретного производителя. К сожалению, этот производитель имеет мощные связи в нашем Минздраве и умеет добиваться получения госзаказов, поэтому охватил своими щупальцами огромные территории, на которых детишек вакцинируют именно этой продукцией. Там завязаны колоссальные деньги, можете мне поверить. С одной стороны госзаказ, что само по себе весьма и весьма прибыльно, с другой стороны — щедрая оплата одной европейской страны, которая ежегодно разрабатывает новые вакцины против гриппа и нуждается в широкомасштабных исследованиях. А что такое эти исследования? Это вакцинация детей и наблюдение за результатами.

— Вы хотите сказать, что производители из Европы не хотят проводить исследования на своих детях и предпочитают использовать наших?

— Ну конечно. А разве вы не знали, Сергей Михайлович?

— Погодите, — Сергей потряс головой, — вы же сами только что сказали, что вакцина разработана в Европе, а у нас серийный номер и производитель вакцины, которой вакцинировали девочку, — наш, российский. Я не понимаю...

Янис Орестович мягко улыбнулся, протянул руку и тронул Саблина за плечо.

— Не надо так волноваться, Сергей Михайлович, не кричите, пожалуйста. Мне Ольга Борисовна говорила, что вы прекрасный гистолог, а мне что-то не верится.

— Это почему?! — вспыхнул Сергей.

В патанатомии он считался одним из лучших специалистов по гистологии и сумел удержать эту репутацию, перейдя в судмедэкспертизу. Более того, после перевода на работу в отделение экспертизы трупов он стал одним из очень немногих экспертов, которые после вскрытия и набора материалов для микроскопического исследования сами смотрели микропрепараты. Да кто он такой, этот мямля-размазня-докторант, чтобы оценивать его, Саблина, профессиональный уровень!

— Потому что, уважаемый Сергей Михайлович, гистолог должен иметь чугунную задницу, уметь часами сидеть над микроскопом, не отрываясь, не расслабляясь, не теряя внимания и не уставая. Эта работа хороша для флегматиков, а вы, насколько я успел заметить, человек холерического темперамента, что и позволило мне усомниться в характеристике, которую вам дала уважаемая Ольга Борисовна. Вот я, позволю себе заметить, идеальный экземпляр для занятия этой деятельностью. Я спокоен, медлителен, вязок. Про таких, как я, принято говорить: «тормоз». Нам, «тормозам», самое место в гистологии.

Он улыбнулся открыто и искренне, и Сергей моментально забыл о том, что вероятный противник уже дважды упомянул Ольгу.

— Я не холерик, — весело пояснил Саблин, — просто я взрывной, меня с детства мама за это ругала. А вообще-то я усидчивый и терпеливый. И гистологию очень люблю.

— А меня жена называет «холодный компресс», — рассмеялся Пурвитис. — Она тоже медик, но при этом она армянка. Можете себе представить такую комбинацию: я, простой прибалтийский парень, медленный и основательный, и она — огонь, искры, девятый вал! Не понимаю, как она прожила со мной двадцать лет! Я-то с ней совершенно счастлив, но вот ей, боюсь, со мной тяжеловато. Зато дети у нас на редкость удачные, все трое взяли от нас с супругой лучшие качества.

Значит, жена и трое детей. Уже легче. Выходит, он Саблину не соперник.

— Так я не понял, что там с европейской и российской вакцинами, — напомнил он, возвращая докторанта к изначальной теме беседы.

— Уважаемый Сергей Михайлович, механизм и процедура просты и всем известны. Европейцы разрабатывают препарат, причем совсем не обязательно вакцину, это может быть и любой препарат, хоть анальгетик, хоть антидепрессант. Все, что угодно. Потом разработчик вступает в некие отношения с российским производителем фармацевтической продукции. Они договариваются о том, что россияне покупают у европейца лицензию на производство этого препарата. Россияне проталкивают себя на тендере, дают взятки, пользуются связями и возможностями и обеспечивают себе госзаказ на производство. А коль госзаказ, то сверху идет указание учреждениям здравоохранения закупать именно эту продукцию. Вы же понимаете: государство не станет оплачивать производство чего бы то ни было без гарантии, что оно сможет это продать и на этом заработать. Продукцию удачливого российского производителя начинают закупать учреждения здравоохранения, пусть и не все, но очень и очень многие. В случае с вакциной прививают детишек и наблюдают за течением поствакцинального периода, фиксируют реакцию, осложнения или их отсутствие. Материалы широкомасштабного наблюдения передают заинтересованному лицу, то есть разработчику в Европе. И получают за это очень хорошие деньги. Вот и весь механизм, собственно говоря.

Сергей ушам своим не верил. Неужели такое может быть? Неужели можно дойти до такой степени цинизма и ненависти к своему народу, чтобы использовать собственных детей для проведения опытов в интересах чужой страны?

— Вы в этом уверены? — спросил он после недолгого молчания. — Звучит как-то уж очень... невероятно.

Янис Орестович пододвинул к себе одну из толстых картонных папок с шелковыми длинными завязками, открыл, порылся среди бумаг и достал тонкую пластиковую папочку.

— Сергей Михайлович, вот здесь у меня наблюдения по результатам применения вакцин, изготовленных именно этим производителем. Вирус гриппа мутирует ежегодно, вам это должно быть хорошо известно, и каждый год проводится вакцинация препаратами, разработанными для новой разновидности гриппа. Интересующий меня производитель уже три года лидирует на рынке, получая госзаказ. А это означает, что именно его продукция применяется в нашей стране повсеместно. Это очень и очень нехорошая вакцина, у нее крайне тяжелые поствакцинальные осложнения. И с такой картиной, как у вашей девочки Усовой, я уже встречался. Гистологическое строение лимфатических узлов и участков слизистой тонкой кишки соответствуют реактивной лимфоаденопатии, а это может быть проявлением иммунной реакции клеточного типа, характерной для острой сывороточной болезни. Смотрите, что получается: девочка перенесла какую-то вирусную инфекцию или, может быть, пищевую аллергию, организм сенсибилизирован, и в этот сенсибилизированный организм вводится сыворотка, в результате мы имеем неспецифическую генерализованную реактивную лимфоаденопатию. У ребенка появились антитела иммуноглобулинов Е. При введении вакцины в организм поступил чужеродный белок-антиген, и это повлекло за собой бурную реакцию иммунного ответа и развития анафилактического шока в форме сывороточной болезни.

— Одним словом, анафилактический шок?

— Именно, — Пурвитис печально покачал головой. — Анафилактический шок в форме острой сывороточной болезни на введение вакцины. Можете так и написать в экспертном заключении. Это будет правильно. Я так часто с этим сталкивался, что даже код МКБ наизусть помню.

— А вы заключение дадите? — с надеждой спросил Саблин.

Пурвитис отрицательно покачал головой и тонко улыбнулся. Ну понятно, патологоанатомы всегда отличались большой осторожностью. Впрочем, даже если бы он и согласился дать свое заключение, вряд ли оно имело бы хоть какую-то силу, ведь никто к докторанту из Саратова официально не обращался, а неофициальная бумага ни малейшего веса не имеет.

— Если хотите, я помогу вам сформулировать диагноз и написать эпикриз, — предложил Янис Орестович. — А от заключения увольте.

Через два дня Сергей Саблин отнес заключение по Ксении Усовой заведующему отделением экспертизы трупов. Всеволод Маркович пробежал глазами первые строчки и побагровел:

— Вы что здесь написали, Сергей Михайлович? «Смерть Усовой Ксении наступила от анафилактического шока в форме сывороточной болезни в ответ на введение вакцины против гриппа серия... производитель... Изложенное заключение о причине смерти подтверждается характерной патоморфологической картиной шока, обнаруженной при судебно-гистологическом исследовании, а также анамнеза...» Это что вы мне принесли?

— Это заключение по Ксении Усовой, — спокойно ответил Сергей, не очень понимая, что так взбесило Куприяна. — Вы же меня уже вторую неделю дергаете, чтобы я его подготовил и сдал. Вот, я подготовил. Что-то не так?

Всеволод Маркович тяжело вздохнул и резким движением отодвинул от себя акт экспертизы, словно тот по меньшей мере источал яд или кусался.

— Вы что, действительно ничего не понимаете? Я всегда считал вас неглупым человеком, а вы...

— Что — я? — с вызовом спросил Саблин. — Вы не согласны с моим диагнозом? Давайте обсудим его, и я постараюсь вас убедить.

— Да не надо меня ни в чем убеждать! — взорвался Куприян. — Я не желаю, чтобы в стенах этого учреждения родилась идея о смерти ребенка от вакцинации! Я не хочу, чтобы мое отделение стало источником скандала, который прогремит на всю страну! Я, в конце концов, хочу спокойно работать, заниматься своим делом и не бегать по инстанциям, отвечая на вопросы руководства. А вопросы непременно будут, потому что поголовная вакцинация детей — это вопрос политический, а не научный и не экспертный.

Он с трудом перевел дыхание и сделал паузу, глядя на стоящий на подоконнике цветок не первой свежести. Цветку с изысканным названием «крассула» было уже немало лет, и, несмотря на неприхотливость и устойчивость к плохому обращению, он все-таки засыхал, потому что обращались с ним в этом кабинете из рук вон плохо. Каждый раз, приходя в кабинет заведующего отделением,

Сергей боролся с соблазном попросить отдать ему несчастного бедолагу для выхаживания, уж он-то не забывал бы и полить вовремя, и опрыскать, и обрезать при необходимости — у тети Нюты он в детстве прошел хорошую школу цветоводства. Более того, тетка неоднократно замечала, что у племянника, как говорится, «хорошие руки»: пересаженные им цветы никогда не болели и не погибали, точно так же, как выздоравливали и становились красивыми животные и птицы, которых он выхаживал. Уж в том, что он сумел бы привести в чувство заброшенную «крассулу», Сергей не сомневался.

— Вы уверены в своих выводах? — наконец устало спросил завотделением.

— Да, — твердо ответил Саблин.

— Чем они обоснованы? Чем они подтверждаются?

— Я консультировался у специалиста по патологии детского возраста, он готовит докторскую диссертацию, у него собран огромный материал по поствакцинальным реакциям и осложнениям.

— Понятно, — кивнул Всеволод Маркович.

Ему удалось полностью взять себя в руки, и теперь он говорил неторопливо, негромко и даже, на первый взгляд, доброжелательно.

— Сергей Михайлович, давайте проясним позиции. Ваш консультант — это всего лишь консультант, ваш личный консультант, поскольку его никто официально не привлекал в качестве специалиста или эксперта. Даже если он написал вам какое-то заключение, оно не имеет веса. Вы это понимаете?

Сергей молча кивнул.

— Теперь что касается диссертации, — голос Всеволода Марковича зазвучал устало. — Когда она будет защищена и пройдет утверждение в Высшей аттестационной комиссии, тогда на ее выводы можно будет и ссылаться, и опираться, поскольку их научная ценность и достоверность будут подтверждены всей процедурой. До тех пор, пока этого не случилось, все умные, даже гениальные мысли вашего консультанта — это всего лишь пустой звук. Ими нельзя оперировать, на них нельзя ссылаться, ими нельзя ничего ни подтвердить, ни опровергнуть. И вполне возможно, эта диссертация вообще не будет защищена, потому что при научной экспертизе выяснится, что она несостоятельна в научном плане. Вы меня поняли, Сергей Михайлович?

Саблин снова кивнул.

— Ну а коль так, — вполне миролюбиво продолжал Куприян, — давайте-ка с вами подумаем, что можно в этой ситуации сделать. Анафилактический шок как реакцию на вакцинацию мы отвергаем, это однозначно. Что можно предложить взамен? Чем вам не угодил синдром внезапной смерти? Тимус увеличен, лимфоузлы увеличены, вполне можно поставить в качестве причины смерти тимико-лимфатическое состояние.

Нет, больше он молчать не будет. Пока заведующий рассуждал о политической ситуации и процедуре защиты диссертации, он не спорил, потому что разбирался в этом слабо. Но уж когда дело касается патанатомии, он, Сергей Саблин, готов драться до крови, как когда-то дрался с мальчишками во дворе.

— Здесь нет никакого тимико-лимфатического состояния, — громко и четко, словно на экзамене, произнес он. — Увеличение массы тимуса это не более чем следствие резкого полнокровия этого органа. Если вы забыли, коллега, — Сергей язвительно усмехнулся, — то я вам напомню, что при тимико-лимфатическом состоянии в тимусе происходит гиперплазия клеточных элементов, а в надпочечниках происходит как раз обратный процесс — гипотрофия или атрофия их коры. Комбинация этих признаков и есть тимико-лимфатическое состояние. Гистологическая картина этого не показывает.

Куприян несколько секунд буравил Сергея взглядом, потом недобро усмехнулся:

— Благодарю за лекцию, коллега, вы помогли мне освежить в памяти давно забытые знания. Но мои забытые знания, коллега, были получены когда-то и останутся со мной. А вот если у вас каких-то знаний нет, то их и нет, и появиться они не могут, пока вы не проживете достаточно долго, пока не поработаете как следует и не набьете на лбу свои собственные шишки.

Голос его звучал одновременно равнодушно и насмешливо.

— Я готов признать вашу профессиональную квалификацию и считаться с ней, более того, я готов уважать ваши научные позиции, но вам никто — вы слышите? никто! — не позволит отправить за пределы Бюро заключение, в котором будет написано то, что вы написали. Вас все равно вынудят переписать заключение и изменить диагноз. Можете в этом не сомневаться.

— И кто это меня вынудит? — с вызовом спросил Сергей.

— А кто угодно, — Куприян махнул рукой в сторону окна. — Могу и я заставить. Может зам по экспертной работе, может сам начальник. Горздрав. Минздрав. Люди в сером. Люди в черном.

— Как в американском кино? — усмехнулся Саблин.

— Как в российской действительности, — мрачно отозвался завотделением. — Сергей Михайлович, вы не можете не понимать, что за такой диагноз порежут на тонкую лапшу нас всех, от начальника Бюро до лично вас. Причем вам достанется больше всех. Вы грамотный специалист, вы любите нашу профессию, вы могли бы работать в ней очень долго и очень успешно. Но если вы будете упираться, этого не произойдет. Вам просто не дадут работать. Вас уничтожат.

Он помолчал еще немного, потом встал у окна, повернувшись спиной к Сергею.

— Послушайте моего совета, — наконец произнес он. — Перепишите заключение и измените диагноз. Так будет лучше для всех. В нашей стране ребенок не может умереть от вакцинации. Не может и не должен.

— Нет, — упрямо ответил Саблин, глядя себе под ноги.

Куприян пожал плечами, но так и не обернулся, продолжая смотреть в окно.

— Ну что ж, тогда я передаю ваш акт заму по экспертной работе. Пусть он с вами выясняет отношения, а с меня достаточно, — и после небольшой паузы добавил, не скрывая ехидства: — Коллега.

Прошло еще два дня, и Сергея вызвал заместитель начальника Бюро по экспертной работе. Разговор был коротким и неэмоциональным, и Саблин, азартно готовившийся принять очередной бой, отстаивая свои позиции как специалиста, даже ничего не смог сказать толком, за что ужасно на себя злился. Зам по экспертной работе сразу все прояснил: если судебно-медицинский эксперт Саблин Сергей Михайлович настаивает на своем диагнозе, то акт экспертизы будет незамедлительно передан в правоохранительные органы. После чего будет возбуждено уголовное дело по факту смерти ребенка от вакцины. В Бюро придут следователи и прочие официальные лица, а по случаю девочки Усовой будет назначена комиссионная экспертиза, результаты которой почти наверняка опровергнут выводы эксперта Саблина. Если все вышеперечисленное приведет к осложнениям с Министерством здравоохранения и с сообществом педиатров, то позиция Бюро будет состоять в том, что все проблемы — из-за Саблина Сергея Михайловича. В результате чего вышеупомянутый врач-эксперт Саблин С.М. останется один на один с системой.

Сергей снова отказался менять диагноз и удостоился такого взгляда со стороны зама по экспертной работе, что впору было удавиться.

— Мне сегодня звонили по поводу экспертизы, — сказал замначальника Бюро, когда Сергей уже подошел к двери, — я пообещал, что акт будет представлен не позднее пятницы. У вас еще есть время подумать.

Пятница. Сегодня среда. Послезавтра. Есть время подумать... Да о чем тут думать-то! Девочка умерла потому, что ей ввели вакцину, которую вводить было нельзя, не сделав предварительно анализ крови. А анализ не сделали потому, что осложнения при применении этой вакцины тщательно скрываются от медицинской общественности. Пурвитис говорил, что об опасности данной вакцины хорошо известно, однако сведения эти «для служебного пользования» и широкой огласке не подлежат.

Он ничего переписывать и менять не станет. Будут неприятности — значит, будут. Черт с ними.

Не сахарный, не растает. Надо же, в конце концов, положить конец этому безобразию! Непроверенная должным образом вакцина изначально небезопасна, а если она изготовлена с нарушением технологии, неизвестно из каких компонентов, неизвестно в каких условиях, и такой сомнительного качества препарат распространяется по медицинским учреждением с благословения государства, которое поручило его производство не тому, кто сделает лучше, а тому, кто пронырливее и дал более крупные взятки? Что, смотреть на это сквозь пальцы? Делать вид, что этого нет?

Холодная ярость зародилась где-то в груди и поднималась все выше и выше, затапливая мозг и грозя вырваться наружу резкими и грубыми словами. Рабочий день закончился в три часа, но Саблин просидел за своим столом в ординаторской почти до семи вечера, снова и снова листая труды Альтхоффа, Цинзерлинга и других специалистов. Нет, он все-таки прав. Никаких сомнений.

Дома отмолчаться не удалось: за столом вместе с Леной, Дашенькой и Верой Никитичной сидела Юлия Анисимовна, накануне вернувшаяся из поездки в Австрию.

— Смотри, Сережа, какие чудесные вещички твоя мама привезла для Дашки! — Лена радостно кинулась навстречу мужу. — А качество какое! Мне говорили, что вещи этой фирмы можно носить годами, стирать — надевать, стирать — надевать, и ничего им не делается!

— Зачем годами-то, — буркнул все еще не остывший Сергей. — Дашка растет, через полгода это все ей мало будет.

— Но можно же отдать кому-нибудь, подарить или продать, вещи-то хорошие...

Радужного настроения Лены ничто не могло испортить, и через некоторое время Сергей отмяк, оттаял и начал улыбаться. Хорошо, что мама сегодня здесь, можно с ней поговорить, уж она-то превосходно разбирается в ситуации с иммунизацией малышей. Все-таки завкафедрой педиатрии крупного медицинского института — не кот начхал!

Он дождался момента, когда Вера Никитична увела Дашеньку, чтобы уложить ее спать, а Лена вышла на кухню с горой грязной посуды, и рассказал матери о Ксюше Усовой и своем диагнозе. Он успел дойти только до разговора с Пурвитисом, когда Лена вернулась в комнату. Услышав, что муж рассказывает свекрови что-то «по медицине», решила было включить телевизор, чтобы не скучать, но почему-то передумала, снова уселась за стол и стала слушать. Сергей, не прерывая повествования, мысленно отметил, что Ленка, похоже, сегодня в прекрасном настроении и собирается изображать перед Юлией Анисимовной примерную жену, уважающую любимого мужа и его строгую маму. И если настроение у Лены не испортится до того момента, как они лягут спать, то...

— Короче, в течение завтрашнего дня мне предложено принять окончательное решение, потому что в пятницу утром акт должен уйти из Бюро.

Он хотел добавить еще что-то о трусливости и безнравственности своего руководства, когда жена неожиданно вмешалась в разговор, для ее ушей вообще-то совсем не предназначенный. Но Елену Саблину тонкости дипломатического этикета никогда особенно не волновали. Она о них просто не знала.

— Чего тут решать, Сережа! Конечно, нужно сделать так, как они говорят. Тут и рассуждать не о чем. Тебя же с работы выгонят, если ты сделаешь по-своему. И что ты будешь делать? Куда пойдешь?

Сергей в изумлении обернулся к жене. Мало того, что она слушала, так она, оказывается, имеет собственную позицию!

— Ты не понимаешь...

Он собрался было спокойно объяснить Лене про вакцину, про недобросовестных производителей, про ни в чем не повинных детишек и их родителей, но она даже рта раскрыть ему не дала.

— Сережа, это ты не понимаешь! Если будет скандал, тебя выгонят из Бюро, а больше никуда уже не возьмут! Никому не нужно иметь рядом с собой источник опасности. Чем ты будешь зарабатывать? На что собираешься содержать семью? Ты же ничего не умеешь, кроме как трупы резать и «стекла» смотреть.

— Ничего, трупорезы всегда и везде нужны. И те, кто умеет и любит смотреть «стекла», тоже нужны. Без работы я не останусь, — холодно отпарировал он.

— Да что это за работа, честное слово! Гроши получаешь, зато днюешь и ночуешь в своем Бюро. Домой приходишь поздно, уставший, злой, со мной не разговариваешь, ребенком не занимаешься, только ешь и спишь да носки с майками и трусами в корзину складываешь, чтобы я постирала. Ты живешь как будто в гостинице, только молчишь и требуешь ухода. А денег в дом не приносишь. Зато приносишь вещи со своих мертвецов, ребенка пугаешь, меня с мамой до слез доводишь. Что ты хочешь доказать своим героизмом? Что ты самый умный? А то, что ты самый хороший муж и отец, ты доказать не хочешь? Тебе ведь это неинтересно, да? Для тебя семья ничего не значит, нас с Дашкой как будто и вовсе нет в твоей жизни, ты на нас внимания не обращаешь, все твои мысли и все разговоры — только о работе, о трупах, о покойниках, о том, кого и чем убили или зарезали. А у тебя, между прочим, ребенок пяти с половиной лет. Ты вот за все время хоть раз сказку ей рассказал? Книжку почитал? У нас нет денег на преподавателя, так ты бы хоть английским языком с ней занимался, раз не можешь заработать, как все приличные люди! Все кругом ездят отдыхать за границу, у всех дети учатся в частных гимназиях, а потом в Европе, а у нас? Где Дашка учиться будет, ты подумал? Ей в октябре уже шесть лет исполнится, но ты, по-моему, этого не помнишь. Я все жду, когда ты одумаешься, наконец, и перейдешь на другую работу, чтобы нас хоть как-то обеспечивать. А ты, судя по всему, и не думаешь ничего менять в своей жизни, так и будешь до самой пенсии в трупах ковыряться, а мы с ребенком будем существовать на копейки и ходить в обносках. Вот маме твоей спасибо, она хотя бы для Дашки вещи и продукты приносит, а то мы вообще не знаю как выживали бы! И если ты сейчас попрешь против начальства, то ты и этой работы лишишься, тебя уволят с «волчьим билетом», тебя больше никуда не возьмут, и что мы все будем делать? Ты мне говорил, что с твоей специальностью частной практикой заниматься нельзя.

— Нельзя, — подтвердил Сергей ледяным тоном. — Частной практикой занимаются врачи-клиницисты, а я по специальности патологоанатом. И что ты хочешь мне предложить? Чтобы я наплевал на сотни тысяч маленьких детей, которым не повезло родиться на территории нашей страны? Чтобы я наплевал на собственную профессиональную добросовестность и честность и прогнулся под начальство?

— А что плохого в том, что ты прогнешься? — В голосе Лены звучало искреннее недоумение. — Все прогибаются — и ничего. Все так живут. Правильно твой начальник сказал: ты собираешься пойти против системы, и система тебя уничтожит.

— Пусть уничтожит, — набычившись, ответил он.

Ему было мучительно стыдно перед матерью за этот разговор, за то, что она видит, какая недалекая и неглубокая личность — его жена, на которой он женился вопреки желанию родителей, за то, что он не в состоянии достойно содержать собственную семью, ответственность за которую столь неосмотрительно взвалил на себя шесть лет назад. Одним словом, ему было непереносимо стыдно за то, что мама теперь воочию убедилась в том, насколько была права, отговаривая сына от скоропалительной женитьбы. Лена его не понимает и ни в чем не поддерживает. И что самое обидное — понимать не хочет, а поддерживать не считает нужным. Медик должен вступать в брак только с медиком. Теперь он в полной мере осознал смысл слов Юлии Анисимовны. Но он не признается в своей ошибке матери! Ни за что! И вообще, никакой ошибки он не совершал, он совершенно правильно поступил, женившись на девушке, которая ждала от него ребенка. Никак иначе он поступить не мог и не должен был, потому что есть такая эфемерная, но очень сильная вещь, как самоуважение...

— Пусть уничтожит? — негодовала тем временем Лена. — Ну конечно, ты готов потерять работу, и эту, и любую другую, ты готов превратиться в люмпена, валяться целыми днями на диване и плакаться по поводу того, что тебя, такого честного и принципиального, поперли с должности. А жить мы на что будем? На доходы от твоей честности? На дивиденды от принципиальности? Тебе на себя наплевать, но ты хотя бы о семье своей подумай!

Юлия Анисимовна поднялась из-за стола, лучезарно улыбнулась и направилась в прихожую.

— Сынок, проводи меня.

И только тут Сергей сообразил, что за время, пока говорила Лена, мать не произнесла ни слова. Как будто ее здесь не было. Или все происходящее ее никоим образом не касалось. Как-то это было непохоже на Юлию Анисимовну Саблину... Она свято соблюдала данное когда-то сыну обещание ни единым словом не обижать невестку, не обсуждать и тем более не осуждать его выбор в обмен на возможность видеться с внучкой и оказывать посильную помощь. Мать часто приезжала в гости к Сергею, навещала Дашеньку, водила ее на детские спектакли и цирковые представления и всегда была вежлива и доброжелательна с Леной и Верой Никитичной, мило поддерживала общий разговор и охотно смеялась над их незамысловатыми шутками. Такого тяжелого молчания, как сегодня, исходящего от Юлии Анисимовны, никогда не бывало. Неужели мама поняла, что творится у сына на душе?

От этой мысли Сергею стало еще больше не по себе. Он представил, какой разговор его ожидает с глазу на глаз с матерью, и снова злость и ярость поднялись откуда-то из-за грудины. Ничего, пусть будет какой угодно трудный разговор, он готов отстаивать свое решение. Он будет биться за него до последнего.

Схватив с вешалки теплый пуховик, он выскочил из квартиры, даже не подождав, пока Юлия

Анисимовна оденется. Вызвал лифт и придерживал ногой автоматическую дверь, пока мать не вышла. Они молча спустились вниз, машина Юлии Анисимовны стояла у самого подъезда.

— Давай поговорим, — очень мягко произнесла она, нажимая кнопку на электронном брелоке и открывая замок водительской дверцы. — Садись в машину, холодно.

— Я покурить хотел, — пробормотал Сергей, доставая из кармана пуховика пачку «Кента».

В квартире он не курил из-за Даши, всегда выходил или на балкон, если позволяла погода, или на лестницу, если было холодно или дождливо.

— Покуришь в салоне, — твердо сказала Юлия Анисимовна и села на водительское место.

Он молча подчинился, сел рядом с матерью, сунул в рот сигарету, щелкнул зажигалкой, выдвинул из-под передней панели пепельницу. Мать повернулась на сиденье и ласково положила ладонь ему на колено.

— Сынок, я ни в чем не стану тебя убеждать, я только прошу, чтобы ты меня выслушал. Я в педиатрии очень давно, как ты понимаешь. В советское время была создана мощная система вакцинопрофилактики и сплошной иммунизации населения. Сейчас эта система рухнула. И знаешь, почему?

— Не знаю, — сухо ответил Сергей, глядя вперед через лобовое стекло.

Рухнула не только система вакцинопрофилактики, рухнула и медицинская промышленность, в медицинских учреждениях не хватает самого необходимого, частично потому, что нет денег на закупку, частично — оттого, что закупать нечего. От своих однокурсников, после института работавших в стационарах, Сергей слышал, что иногда вместо газоотводной трубки приходилось использовать трубку интубационную, а за отсутствием мужских мочеприемников применяли обычные презервативы, отрезая наконечник и присоединяя к нему тонкую резиновую трубку, опускаемую в бутылку. Стыдно. Унизительно.

Из подъезда вышел сосед с собакой, на втором этаже зажглось окно одной из комнат, а на первом этаже, наоборот, свет погас. Одиннадцатый час, люди ложатся спать. За какими-то из этих окон живут маленькие детки, грудничcaки, которые еще ничем перед этой жизнью не провинились и родители которых делают все, что им предписывают участковые педиатры, даже не догадываясь о том, какие страшные опасности таятся в этих предписаниях, если их выполнять не должным образом. А мать сейчас начнет его «лечить» и объяснять, что в этом нет ничего страшного, и зря он упирается и отказывается переписывать заключение, и что систему все равно не сломать... Тошно.

— И я не знаю, — негромко отозвалась Юлия Анисимовна. — Но ты посмотри, что делается вокруг. В газетах настоящая истерия по поводу того, что русский народ травят вакцинами. По телевизору выступают какие-то люди с сомнительным состоянием психики и крайне недостаточным образованием, которые на всю страну кричат о вреде вакцин. Зачем? Почему? Можешь мне ответить?

Сергей собрался было высказаться в том ключе, что, дескать, все эти выступления как раз и направлены на то, чтобы уберечь детей от недоброкачественных вакцин, и его экспертное заключение это только подтверждает. Но остановился. Что-то в голосе матери его насторожило. Юлия Анисимовна была, несомненно, очень умным человеком и просто так кидать спасательный круг заблуждающемуся сыну не стала бы. Поэтому он счел за благо промолчать, ожидая продолжения.

— И я не знаю точного ответа. Но у меня есть все основания подозревать, что это — проявление самой обычной коммерческой войны. Есть те, кому выгодно разрушить нашу отечественную медико-фармацевтическую промышленность, а для этого нужно опорочить продукцию российского производства и внушить всем мысль о том, что она вредна или в крайнем случае бесполезна. Нужно распустить слухи о том, что препараты изготавливаются с нарушением технологии и в антисанитарных условиях, нужно посеять в населении панические настроения, которые приведут к категорическому отказу покупать российские лекарства. А потом — все просто. Рынок рушится, обороты падают, производители разоряются, и на освободившееся место приходят те самые заинтересованные субъекты.

— Кто? — спросил Сергей, слушавший мать с неослабевающим вниманием.

Она говорила совсем не то, что он ожидал услышать. И он чувствовал себя растерянным и обескураженным. Он готовился к войне, а получил непонятно что.

— Да кто угодно. Зарубежные добросовестные производители. Зарубежные недобросовестные производители. Отечественные добросовестные, равно как и недобросовестные производители. Посредники-торговцы, которые намерены закупать за рубежом просроченные или не прошедшие клинических испытаний препараты за три копейки и продавать их здесь за тридцать рублей. Желающих нажиться на болезнях всегда было много.

Да, про необходимость проведения широкомасштабных клинических испытаний и про поиски подходящего массива «подопытных кроликов» Сергею говорил и Янис Орестович. Честно признаться, в тот момент ему показалось, что докторант из Саратова сильно преувеличивает и вообще страдает излишней подозрительностью, граничащей с паранойей. Однако мать повторяет его слова, и звучат они из ее уст куда более убедительно.

— Ты тоже считаешь, что зарубежные производители пытаются сделать из нашей страны полигон для клинических испытаний своей продукции, в частности, вакцин? — спросил он недоверчиво.

— Тоже? — Юлия Анисимовна вздернула брови и посмотрела на сына с любопытством. — А кто еще так считает? С кем ты говорил об этом?

— С Пурвитисом.

— Это тот докторант, у которого ты консультировал «стекла»? Умен, ничего не скажешь. И насколько достоверны его сведения?

Сергей пожал плечами:

— Не знаю.

— В любом случае, сынок, ты должен отдавать себе отчет в том, что наша страна не в состоянии проверить безопасность той продукции, которая приходит из-за рубежа либо в виде готовых препаратов, либо в виде сырья для их изготовления, либо в виде лицензирования российских производителей, которые начинают выпускать отечественные так называемые аналоги. У нас в стране нет для этого экспериментальных баз. И мы в результате не можем ни проверить, насколько безопасны вакцины, которые мы закупаем, ни создать условия для изготовления безопасных собственных вакцин. Ты представляешь себе, что значит проверить рекомбинантное лекарственное средство? Это высокотехнологический эксперимент, требующий колоссальных затрат. К сожалению, мы очень далеки от уровня передовых лабораторий мира и практически совершенно не ориентированы на контроль подобной продукции.

— Ты к чему ведешь, я не понимаю? — нахмурился Сергей. — К тому, что мой диагноз только подтверждает то, что ты рассказываешь?

— А я еще не все рассказала. Ты меня дослушай, сынок. В нашей стране регистрируется все то, что не прошло клинических испытаний у зарубежных производителей. Или такие испытания все-таки прошли, но не в достаточном объеме. И вот к нам хлынула настоящая лавина разных вакцин от всяческих доброхотов, которые делают вид, что стремятся помочь России, находящейся в сложной экономической ситуации и испытывающей огромные проблемы в сфере здравоохранения, а на самом деле просто хотят заработать большие деньги. Очень большие, Сереженька. Такие, какие тебе и не снились. И что они нам везут, прикрываясь лозунгами о бескорыстной помощи? Они везут нам не завтрашние и не сегодняшние технологии, а позавчерашние. На самом деле это всего лишь отходы от их современного производства. Или, как вариант, они присылают те вакцины, которые им необходимо исследовать в ходе широкомасштабного эксперимента. Эксперимента на детях, Сереженька. У них это называется широкомасштабными наблюдениями. Такой, видишь ли, красивый эвфемизм. На самом же деле речь идет именно об экспериментах и именно на наших детях.

— Не может быть, — прошептал Сергей в ужасе. — Мам, ты правду говоришь? Я, конечно, допускал, что Пурвитис в чем-то прав, но чтобы так...

— А теперь, — Юлия Анисимовна словно не слышала реплики сына и продолжала ровным голосом преподавателя, привыкшего читать полуторачасовые лекции без перерыва, — я тебе расскажу про одну вакцину, которую применяли много лет и применяют до сих пор. Что в ней есть? В ней есть соли ртути, которые, как тебе хорошо известно, еще более опасны, нежели сама ртуть. И тем не менее в ней есть мертиолят — ртуть-органическая соль. Идем дальше. В этой вакцине присутствует формалин, а уж кому, как не тебе, судебно-медицинскому эксперту, знать, что это сильнейший мутаген и аллерген.

Это было правдой, Сергей постоянно страдал то аллергическим бронхитом, то аллергическим ринитом, то приступами гастрита, не спровоцированными «неправильной» едой. И страдал не только он один, мало находилось судебно-медицинских экспертов, работающих в танатологии, которые не испытывали бы на себе действие формалина, широко применяемого в моргах. Болели все поголовно, кто чем: астматическими бронхитами и бронхиальной астмой, крапивницей, хроническим ринитом, аллергическими холециститами, колитами, гастритами, у многих возникали эритемы и трещины на коже, да всего не перечислишь. Такова плата за возможность заниматься своей профессией.

— Детей травят формалином? — он ушам своим не верил.

— А ты как думал, — усмехнулась мать. — Причем заметь себе, никто и никогда еще не проверял, как действует этот чудовищный конгломерат мертиолята и формалина, как говорится, «в одном флаконе», хотя бы на детенышах животных. Каковы непосредственные реакции на вакцинацию у малышей? Каковы отдаленные последствия для подростков? Никто этого не знает. Фирмы-производители легко выходят из положения: пишут в инструкциях предупреждение и тем самым слагают с себя ответственность. Дескать, мы вас предупредили, что там мертиолят и формалин, а уж вы сами решайте, вакцинировать вашего ребенка или нет. Вот и получается, что в нашей стране уже давно проводятся многолетние широкомасштабные испытания на наших детях, у которых развиваются различные патологические синдромы, а все удивляются, почему у нас такой рост количества детей-инвалидов. И несчастные родители этих детей даже не подозревают об истинной причине происходящего. И что самое ужасное — у родителей нет никакого выхода. С одной стороны, проплаченные и тщательно подготовленные кампании по запугиванию населения то гриппом, то дифтерией, то туберкулезом, с другой стороны — запретительные меры в отношении детских садов и школ. Приезжают вакцинаторы, всех детишек выводят строем и вакцинируют, причем родители зачастую даже не знают об этом, их информируют постфактум. А то еще и запрещают невакцинированным детям посещать садик или школу.

— А что же педиатры, мам? — в недоумении спросил он. — Они что, не видят всего этого? Не знают?

— Знают, сынок, — вздохнула Юлия Анисимовна. — Еще как знают.

— Так почему же они молчат? Почему не бьют тревогу?

— А они и не молчат, — грустно улыбнулась мать. — Они постоянно докладывали об этом, давали информацию о поствакцинальных осложнениях, а эта информация попадала в статистику, и статистика получалась такой нехорошей, такой угрожающей и взрывоопасной, что ее прятали под гриф «Для служебного пользования». Тысячи детей страдают, но разве чиновникам из Минздрава есть до этого дело, если те, кому нужно пропихнуть свою продукцию на наш рынок и озолотиться, платят взятки немыслимых размеров? Вот я тебе пример приведу, кстати, по той самой вакцине с формалином и мертиолятом. Ты хоть и не педиатр, но, вероятно, понимаешь, что такое заболевание, как гломерулонефрит, слабо поддается лечению. Так вот, наши отечественные педиатры очень внимательно на протяжении двадцати пяти лет следили за развитием этого заболевания как поствакцинального осложнения на АКДС и ее «ослабленные» модификации. Наблюдали, отмечали развитие осложнений и последующую инвалидизацию детей.

— И что? Что в итоге?

— А ничего, сынок. Понаблюдали, научные отчеты написали, отчеты загрифовали, на этом все и закончилось. Никто ничего не предпринял. Никто ничего не сделал.

Сергей молчал. Сказать было нечего. Но он так и не мог понять, что пытается объяснить ему мама. Она его поддерживает в решении не менять в акте экспертизы ни одной буквы? Или пытается заставить его принять другое решение? В нем снова поднялась волна злости, утихшая было под грузом обвалившейся на него информации.

— Тогда я тем более должен настаивать на своем заключении, — агрессивно проговорил он.

— А вот теперь, сынок, подумай, что будет дальше. Ты оставляешь заключение в первоначальном виде. Акт экспертизы уходит из Бюро. Его читают там, где положено, и по факту смерти ребенка от вакцины в обязательном порядке возбуждают уголовное дело. К тебе приходят люди из прокуратуры и задают тебе очень неприятные вопросы, на которые тебе будет крайне трудно ответить убедительно, то есть так, чтобы самому не оказаться за решеткой.

Он в изумлении посмотрел на мать.

— Ты о чем? Почему я должен оказаться за решеткой? Разве я вакцинировал ребенка с ослабленным иммунным статусом? Разве я виноват в том, что участковый педиатр не учел повышенную сенсибилизацию малышки?

Юлия Анисимовна убрала руку, которая на протяжении всего разговора так и оставалась лежать на колене сына. Открыла сумочку, достала пудреницу, оглядела в маленьком зеркальце свое все еще очень красивое лицо, пальцем пригладила волосок на брови. В этот момент мать напомнила ему тетю Нюту, которая точно так же отстранялась от собеседника перед тем, как собиралась сказать что-то очень важное и значимое. Пауза явно затягивалась, и Сергей понял, что сейчас, собственно, и начнется самая главная часть их беседы.

— Сережа, никто не будет обвинять тебя в смерти девочки, и знаешь почему?

— Потому что я в ней не виноват, — уверенно ответил он.

— Нет, сынок, ты опять ничего не понял. Ты никого и ничего не слышишь, кроме себя самого. Я полчаса сотрясаю воздух, чтобы объяснить тебе расклад сил, а ты слышишь только себя и считаешься только с тем, что думаешь сам. Тебя не будут обвинять в смерти девочки просто потому, что до смерти этой малышки никому нет дела. Это никому неинтересно. А вот что их интересует, так это ответ на вопрос: сколько ты взял?

— Чего взял? — не понял Сергей.

— Денег, сынок. Взятку какого размера и от кого конкретно ты получил за то, чтобы поставить именно этот диагноз, в котором к тому же опорочил продукцию конкретного производителя. Никто — ты слышишь меня? — никто и никогда не поверит, что ты поставил такой диагноз бесплатно, на основании только лишь результатов экспертных исследований. Никому в голову не придет, что ты честный мальчик и пытаешься бороться с системой. У всех на уме будет только одно: на кого ты работаешь? В чьих интересах действуешь? Кто просил тебя подорвать авторитет этой вакцины? Кто заплатил тебе за то, чтобы ты подлил масла в огонь всеобщей истерии? Вот так будет стоять вопрос. И никак иначе. И что бы ты ни говорил — тебя никто не услышит. Тебя истерзают, из тебя вынут все кишки, вываляют в грязи, измучают Лену, о нас с папой я уже вообще молчу. Придут и ко мне, и будут спрашивать, на какие деньги я ездила в Австрию и с каких доходов мы купили вторую машину. Устроят обыски у тебя дома и на рабочем месте, у нас дома, на даче. Более того, дадут команду — и в Ярославле точно так же начнут истязать всю семью Лены, всех тех, кто там живет, и обыски будут проводить, чтобы найти деньги или ценности, которые не имеют отношения к зарплате. Найдут — скажут, что это и есть те самые преступные деньги, которые эксперт Саблин получил в виде взятки. Потом тебя посадят. Вот и все, сынок. А детей будут продолжать вакцинировать некачественными или плохо изученными вакцинами.

— Но я же пытаюсь бороться за правду!

— И что? Даже если ты будешь бороться за три правды, а не за одну, все равно тебя обвинят в том, что ты играешь на чьей-то стороне. Ты пойми, сынок, на этом поле война идет очень давно, и все уже много раз поделено и переделено, все устоялось, каждую позицию поддерживает тот или иной лагерь. Поэтому что бы ты ни сказал, ты невольно окажешься на чьей-то стороне, соответственно, сторонники других лагерей будут считать тебя врагом и пытаться тебя сначала опорочить, дискредитировать, а потом уничтожить. В ситуации, когда речь идет о больших деньгах, правды нет и быть не может. Могут быть только соображения стратегии и тактики зарабатывания этих самых больших денег. Бороться с ветряными мельницами — это очень благородно, но совершенно бессмысленно.

— И какой выход ты предлагаешь? — язвительно спросил Сергей, который с самого начала разговора, едва они сели в машину, все ждал, когда же мама скажет про ветряные мельницы. Он почему-то был абсолютно уверен, что она непременно скажет. Так и случилось.

— Я знаю только один выход: каждый день добросовестно вскапывать свой огородик.

— Ты о чем? О трупах, которые я каждый день исследую?

— Сынок, — засмеялась Юлия Анисимовна, — ты всегда был излишне прямолинейным. Победить систему в одиночку еще не удавалось никому. Но сделать так, чтобы система сначала забуксовала, а потом увяла и засохла, вполне реально. Единственное, что для этого нужно, — ежедневно добросовестно делать свое дело. Всем без исключения. Твой огородик — это твоя зона ответственности. Если у каждого человека будет свой маленький огородик, который постоянно вскапывать, пропалывать, поливать, удобрять, обихаживать, то через очень короткое время вся наша планета превратится в цветущий сад. Ты меня понимаешь? Если каждый педиатр, прежде чем вакцинировать ребенка, будет делать анализ крови на иммунный статус и на эозинофилёз, то трагических последствий от поствакцинальных осложнений можно будет избежать. И это — их зона ответственности. Не говоря уж о близких и родных, которые тоже попадают в эту зону. У каждого человека есть своя зона ответственности, в которую входят честная работа и искренняя забота о близких. Этого вполне достаточно для того, чтобы иметь право уважать себя. Ты свой огородик совсем запустил, Сереженька.

— Ты имеешь в виду мою работу? — вновь окрысился Сергей. — Ты о ней ничего не знаешь и не имеешь права судить.

— Я имею в виду твою семью, сыночек. Ты знаешь, я дала слово не обсуждать Лену и не давать ей никаких оценок. Ты меня прости, но сегодня я вынуждена свое слово нарушить и сказать тебе, что твоя жена во многом права. Я не стану касаться тех моментов, в которых я с ней не согласна, но ты действительно должен больше внимания уделять если не Лене, то хотя бы своей дочери. Я все понимаю насчет тебя и Ольги, поэтому промолчу о твоем отношении к законной жене, это не мое дело. Но когда речь идет о Дашеньке, я не стану молчать, потому что речь идет о моей внучке. Единственной и любимой. Мы с папой много вложили в твое образование, так почему бы тебе в самом деле не поделиться своими знаниями с ребенком, если уж ты не зарабатываешь достаточно для того, чтобы платить за дополнительное обучение? Английский, классическая музыка, история живописи и архитектуры, поэзия, цветоводство, которому обучала тебя Нюточка, — все это ты прекрасно знаешь, всем этим владеешь. Да, в профессиональной деятельности ты этим не пользуешься, так воспользуйся в семейной жизни. Пусть это будет тем инструментом, при помощи которого ты сможешь вскапывать огородик своей семейной жизни и вырастить на нем прекрасный цветок. Сереженька, сыночек, подумай: может быть, вместо того чтобы болеть душой за всех детей нашей страны, имеет смысл вложить душевные силы в одну-единственную девочку — твою дочку и мою внучку — и сделать ее счастливой? Пусть каждый родитель и каждый врач честно работает в своей зоне ответственности, тогда не нужно будет бороться с системой. Система окажется бессильной и никому не сможет навредить. Ты меня понял?

— Я тебя понял, — в голосе Сергея звенел металл. — Еще Александр Васильевич Суворов учил: «Каждый воин должен понимать свой маневр». Это в том смысле, что каждый должен точно знать, что, зачем и когда ему следует делать. Первую часть цитаты ты хорошо использовала. Но про продолжение ты, впрочем, как и многие другие, очень удачно забыла. Или ты помнишь?

Юлия Анисимовна внимательно посмотрела на сына и усмехнулась:

— Я многому тебя научила в детстве, сынок. «Тайна есть только предлог, больше вредный, чем полезный. Болтун и без того будет наказан». Ты эти слова имел в виду?

Он молча кивнул, так же молча поцеловал мать в щеку и вышел из машины. Постоял возле подъезда, глядя вслед отъезжающему автомобилю, потом с тоской посмотрел на дверь, потянулся было к ручке, но передумал. Добежал до телефона-автомата и позвонил домой:

— Я приду поздно, не жди меня, — бросил он в трубку и снова набрал номер.

На этот раз он звонил Ольге. Та удивилась столь неурочному звонку — в одиннадцать часов вечера Сергей обычно был дома, если не дежурил, и звонить не мог. И уж тем более не мог просить о немедленной встрече.

— Ничего не случилось? — встревоженно спросила она.

— Не знаю, — коротко ответил он. — Поговорю с тобой — пойму.

Поймав бомбилу, который согласился подвезти его до Ольгиного дома за немыслимые деньги, он уже через двадцать минут входил в ее квартиру.

Ольге ничего не нужно было объяснять, она прекрасно помнила всю историю Ксюши Усовой. Единственное, чего она не знала, это того, о чем с Сергеем разговаривали завотделением, зам по экспертной работе и Юлия Анисимовна. Ему удалось изложить все довольно кратко и весьма внятно.

— С тобой столько разговаривали, — усмехнулась Ольга, — и разговаривали далеко не самые глупые люди, что все возможные аргументы тебе уже привели. Повторяться не буду. Обдумай все, что ты услышал, взвесь и принимай решение.

— Какое? Ты можешь мне посоветовать, какое решение принимать?

— А любое, — Ольга улыбнулась, обняла Сергея, прижалась к нему. — Ты можешь принимать любое решение, какое сочтешь нужным. Я всегда тебя поддержу и всегда буду на твоей стороне. Ничего не бойся.

— А если действительно с работы попрут и больше никуда не возьмут? — осторожно спросил он.

— Саблин, ну не валяй ты дурака! — Ольга рассмеялась своим чудесным мягким низким смехом. — Есть два момента: первый — патологоанатом никогда не останется без работы в нашей стране. Нас постоянно и всюду не хватает. Особенно если речь идет о хорошем гистологе. И второй момент: у тебя есть родители, которые тебя всегда поддержат и всегда тебе помогут. Уж устроиться-то на тяжелую работу с нищенской зарплатой — это в пять секунд.

— Я не хочу, чтобы они мне помогали, — Сергей упрямо мотнул головой. — Я должен все в этой жизни сделать сам. Только сам.

— Ладно, — легко согласилась она. — Не проблема. Устроишься сам.

Она поцеловала его и тихо повторила:

— Ничего не бойся, Саблин. Я с тобой.

На следующее утро Сергей пришел на работу, сел за свой стол, достал чистый лист бумаги, взял тонкий красный фломастер и пять раз крупными буквами написал:

«IF I LOSE MY HONOUR I LOSE MYSELF».

«Если я потеряю честь, я потеряю себя». Шекспир, «Антоний и Клеопатра».

Минут десять, не отрываясь, смотрел на исписанный латиницей листок, потом аккуратно сложил его и спрятал в тетрадь, в которой содержались записи по случаю Ксении Усовой.

Через час врач — судебно-медицинский эксперт Сергей Михайлович Саблин подал акт экспертизы по Ксении Усовой, не изменив в нем ни единой запятой.

ГЛАВА 4

Февраль в том году стоял на редкость солнечный, ночью бил морозец, а днем воздух под солнечными лучами прогревался так, словно уже давно наступил март. Суточное дежурство в составе следственно-оперативной группы началось три часа назад, группа уже выезжала на квартирную кражу, но без Саблина: судебно-медицинскому эксперту на месте происшествия в этом случае делать нечего. А вот на второй вызов выехать пришлось.

Дежурная машина плотно встала в «пробке»: Москву в очередной раз «перекрыли», чтобы освободить проезд для какого-то политического босса. Водитель злобно матерился, включенная сирена выматывала нервы, но сделать все равно ничего нельзя было — слишком много машин беспорядочно столпилось на плохо организованном перекрестке, и даже при большом желании невозможно было дать проехать машине со спецсигналом. Сергей сидел, опустив веки, потому что солнечные лучи били в глаза через оконное стекло, а занавески, которая по правилам должна была бы это окно прикрывать изнутри, на месте не было. И куда она могла подеваться? Кому нужна грязная пыльная выцветшая занавесочка из дежурной машины?

— Чую задницей, на «головняк» едем, — сокрушенно вздыхал один из оперативников. — Уж больно стремно все началось.

Саблин промолчал, но в глубине души понимал, что парень прав. Начиналось все действительно плоховато. Вострая бабуля, проживающая на третьем этаже девятиэтажного дома, вызвала участкового, дескать, соседи сверху, с четвертого этажа, всячески ей мешают, стучат чем-то по ночам, а сегодня и вовсе стояк забили, и она туалетом пользоваться не может, потому как из унитаза что-то такое неприятное выплывает. Участковый зашел в туалет, посмотрел, что же там такое выплывает, покачал головой, поморщился и направился этажом выше. Звонил в квартиру, расположенную над бдительной бабулькой, стучал, подавал сигналы голосом, однако ему никто не открыл, хотя движение за дверью было очень даже слышно: в квартире совершенно точно кто-то был. Участковый вызвал слесаря и дежурного опера, а пока они добирались в адрес, сбегал в опорный пункт и посмотрел паспорт дома. В паспорте было записано, что в указанной квартире проживают отец и сын Кошонины. Отец шестидесяти трех лет был пенсионером по старости, а его тридцативосьмилетний сынок — пенсионером по инвалидности, поскольку являлся психически больным и состоял на учете в психоневрологическом диспансере. Оба тихие алкоголики, никто на них никогда не жаловался, и проблем у участкового с ними никаких не было.

Дверь вскрыли, участковый и опер вошли и сразу почувствовали выраженный трупный запах. Отец и сын Кошонины мирно сидели в комнате на диване и безучастно смотрели на незваных гостей. Трупный запах доносился до стороны ванной комнаты, куда и двинулись первым делом два работника милиции и любопытствующий слесарь. Двинулись — и тут же выдвинулись обратно в коридор, при этом двое из троих блевали. А тот, которому удалось удержаться, имел весьма выразительный цвет лица.

После чего была немедленно вызвана следственно-оперативная группа. Н-да, с такой предысторией ожидать приятного и ненапряжного осмотра места происшествия не приходится. Дежурный следователь, похоже, оценивал перспективу выезда еще более пессимистично, чем Сергей, ибо сидел мрачный и угрюмый, хотя еще за несколько минут до звонка в дежурную часть от тех, кто побывал в квартире Кошониных, весело травил анекдоты, игриво поглядывая на эксперта-криминалиста Ровенскую, ту самую крупную яркую черноволосую женщину, которая когда-то дала Сергею ценные советы при выезде на трупы, обнаруженные в лесопарке. Лидия Игоревна Ровенская Сергею нравилась, она была уравновешенной, острой на язык, все свои язвительные замечания произносила неторопливо и очень серьезно, отчего слова ее звучали намного смешнее. И дежурить с ней он любил, потому что была Ровенская обстоятельной, дотошной и очень профессиональной, а эти качества Сергей, не терпевший халтуры и безграмотности, ценил в людях больше всего.

Ровенскую, казалось, предстоящие приятные впечатления не волновали ни в малейшей степени, всю дорогу она разговаривала по мобильному телефону то с сыном, то с дочерью, то с мужем, то со свекровью. Сергей с завистью поглядывал на черную аккуратную трубку с небольшой антенной в пухлой руке криминалиста: у него самого был только пейджер, мобильник ему пока не по карману. И кто знает, сможет ли он когда-нибудь его приобрести, а если и сможет, то осилит ли абонентскую плату. У эксперта-криминалиста Ровенской оклад содержания ниже зарплаты судебно-медицинского эксперта, но у нее муж хорошо зарабатывает, в бизнесе крутится, и она может позволить себе и мобильный телефон, и хорошую одежду, покупаемую явно не там, где приходится приобретать вещи его жене...

Перед подъездом дома, откуда поступил вызов, стояли две машины с логотипами телекомпаний. И как они ухитряются всё узнавать так быстро? И не только узнавать, но и приезжать, как будто для них не существовало «пробок», в которых застревали все остальные автомобилисты. Саблину кто-то объяснял, что все печатные издания, радиостанции и телеканалы прикармливают персонал больниц, работников дежурных частей органов внутренних дел, секретарей судов и прочих персонажей, от которых можно оперативно получать необходимую информацию. Ну и что эти бравые деятели камеры и микрофона собираются снимать? То, что невозможно показывать? Да и снять-то, скорее всего, тоже будет весьма затруднительно. Если уж участковый и опер не выдержали, то куда им, этим малахольным творческим работникам!

Едва машина остановилась и члены дежурной группы начали выходить, телевизионщики кинулись к ним. Настроение у следователя испортилось еще больше и реализовалось немедленно и открыто, да в такой форме, что желание задавать вопросы у тележурналистов моментально пропало. Они отступили, группа вошла в подъезд, и Сергей слышал у себя за спиной спокойный голос Ровенской, вполне доброжелательно советовавшей журналистам набраться терпения: до конца осмотра места происшествия никто из посторонних в квартиру допущен не будет, а вот потом, вполне вероятно, им будет предоставлена возможность поснимать. Что же касается ответов на вопросы, то тайну следствия нарушать нельзя, но вполне возможно, следователь по окончании работы скажет им несколько слов.

Сергей остановился и придержал дверь подъезда, ожидая Лидию Игоревну.

— Что вы с ними цацкаетесь? — недовольно спросил он. — Зачем тратите время на то, чтобы им что-то объяснять?

Ровенская посмотрела чуть удивленно.

— А почему нет? Почему не объяснить человеку, если он не понимает или не знает? Вы же не возражали, когда я вам в лесополосе объясняла, что вам следует делать, а чего не следует. По-моему, вы вовсе не были против. Чем эти ребята хуже вас? Они тоже на работе, а тот факт, что их работа вам почему-то не нравится, вовсе не делает их плохими или недостойными. А кстати, что вы имеете против тележурналистов? Они вам чем-то насолили?

Он не ответил. Ему не было до телевизионной журналистики ровно никакого дела. Но мысль о том, что они будут снимать именно сегодня и именно этот сюжет, вызывала отчаянный протест. Если все так, как он предполагает, то телезрители увидят такое... И то же самое увидят Лена и ее мать. После того разговора в присутствии Юлии Анисимовны миновала всего неделя, воспоминание было еще свежим и весьма болезненным, в отношениях Сергея с женой появилась натянутость, которая так и не ослабела за прошедшие дни, и если сейчас его домашние увидят самую неприглядную и грязную сторону его работы, то покоя ему в семье не видать. Больше никогда. Он буквально слышал срывающийся от негодования и ужаса голос Лены, которая говорит: «Как ты можешь после такого возвращаться домой и этими руками обнимать ребенка и меня!» Ну, примерно что-то в таком роде. И еще наверняка будет сказано что-нибудь о том, что ради такой работы не стоило шесть лет учиться в институте и потом еще год в интернатуре. И еще много всякого разного, крайне неприятного и, что самое главное, несправедливого. А уж если он попадет в кадр, тогда вообще караул! Уже не удастся отбрехаться тем, что к таким случаям судебно-медицинская экспертиза никакого отношения якобы не имеет. Ленка его поедом съест.

В квартире Кошониных все оказалось даже хуже, чем предполагал Саблин. В совмещенном санузле взору представала живописная картина: пол ванной комнаты залит мутной зловонной жижей, в которой плавали фекалии и кровавые ошметки и валялись лом и топор. Унитаз вдребезги расколот. Рядом с ним стоял алюминиевый таз с фрагментами гниющих органов. В самой ванне Саблин увидел порубленные на мелкие куски фрагменты человеческой плоти. Надев перчатки, он нагнулся и внимательно рассмотрел их: никаких сомнений, эти куски когда-то составляли стопу и голень человека.

Он слышал голоса, доносящиеся из прихожей и комнаты, отца и сына Кошониных, так и не проронивших ни слова, увезли, зато явились в великом множестве представители окружного и городского управлений внутренних дел, а также прокуратуры. Но надолго их не хватило, Сергей с Ровенской все еще обследовали санузел, а «наблюдатели из инстанций» сбежали подальше от трупной вони. Оперативники тоже не выдержали. В результате на месте происшествия остались только следователь, Ровенская и Сергей.

— Слабаки, — без всяких эмоций изрекла эксперт-криминалист, — нежные мимозы, а туда же, погоны носить хотят, зарплату получать, льготы всякие.

Сергей с улыбкой посмотрел на ее красивое лицо с крупными чертами, большими ярко накрашенными глазами и пухлыми губами, покрытыми темно-красной помадой. Ровенская заметно побледнела, было видно, как ей тяжело работать, но держалась она уверенно и невозмутимо, как обычно. У нее было потрясающее самообладание, которое всегда восхищало Саблина.

— Неужели вас не «ломает»? — спросил он, запаковывая в специальные флаконы и контейнеры образцы того, что обнаружилось в санузле. — Такая красивая женщина, примерная жена, заботливая мать... Вы должны, по идее, уже в обмороке валяться, а вы работаете, словно ничего необычного не происходит. Или вы часто с таким сталкиваетесь?

Лидия Игоревна помогла Сергею аккуратно извлечь из разлитой по полу жижи топор и должным образом упаковать, чтобы не повредить следы, возможно, имеющиеся на предмете.

— Весь ужас в том, Сергей Михайлович, что с ТАКИМ я сталкиваюсь в последние годы все чаще и чаще. Жизнь становится невыносимой, люди теряют человеческий облик. Дай вам бог никогда не увидеть того, что пришлось повидать мне. Особенно когда дело касается новорожденных детишек и домашних животных. Такое впечатление, что у людей просто тормоза отказали, и они уже не понимают, что хорошо, а что плохо, что нравственно, а что безнравственно. На поверхность вылезло Абсолютное Зло в своем материальном проявлении. Когда-нибудь все это закончится, но непонятно, когда, и доживу ли я до этих сладостных времен. Ну что, Сергей Михайлович, кто первый, вы или я?

Вопрос Ровенской касался последовательности проведения экспертных исследований по найденным топору и лому. Криминалистическая экспертиза должна будет исследовать объекты на предмет наличия на них следов рук, волокон одежды и так далее, а медико-криминалистическая экспертиза, которую проводят у Сергея в Бюро, призвана ответить на вопрос, этими ли орудиями нанесены травмы и произведено расчленение. Вообще-то неплохо было бы и труп найти, а то без него как-то определенности не хватает. Кошонины на вопросы о трупе не дали ни единого ответа, как, впрочем, и на все остальные вопросы, которые им задали, прежде чем увезти. Они хранили гордое молчание. Еще следователь вынесет постановление о проведении медико-биологической экспертизы, которую будут проводить опять-таки в Бюро судебно-медицинской экспертизы, дабы ответить на вопрос о том, есть ли на орудиях следы биологического происхождения, то есть кровь, частицы мозгового вещества и прочее, и если есть, то кому принадлежат, человеку или животному. Короче, в Бюро работы с топором и ломом будет много, поэтому пусть лучше сперва их посмотрят криминалисты, они свою часть сделают быстрее, а уж потом за дело возьмутся судебные медики. В принципе, следователи всегда соблюдали именно такой порядок проведения экспертиз, потому что важно было сохранить и закрепить обнаруженные следы, а если отдать предметы сразу медикам, то криминалистам потом делать будет уже совсем нечего. Попробуй-ка проведи медико-биологическую и особенно медико-криминалистическую экспертизу, не повредив и не уничтожив следов, которые должны исследовать милицейские или прокурорские криминалисты! Иногда, правда, находились среди следователей, особенно малоопытных, умельцы, догадавшиеся назначить сперва экспертные исследования, проводимые в Бюро судебно-медицинской экспертизы, а потом выносили постановление о проведении экспертизы криминалистической. И тогда грубо и громко матерились все эксперты, что в учреждении Минздрава, что в правоохранительных органах. Ну что ж, дураки в любой профессиональной среде попадаются.

Дежурный следователь к категории дураков ни в коем случае не относился, поэтому принял решение правильное, более того, проявил уважение к представителям обеих экспертных специальностей и попросил их сформулировать вопросы для постановлений.

Когда закончили с санузлом, начали втроем осматривать остальные помещения. На кухне обнаружились две кастрюли с остатками вареного мяса, а на балконе Саблин нашел дурно пахнущий мешок с начавшим разлагаться человеческим торсом с головой, но без рук и без ног. На груди в проекции сердца он увидел явно прижизненную колото-резаную рану с грязным бурым интенсивным пропитыванием на фоне зеленоватой кожи. Внутренние органы отсутствовали — они были извлечены через прорубленную топором дыру в правой подмышечной области и на правой боковой стенке живота.

— Красиво, — протянул следователь, осматривая находку Сергея. — Опупеть можно. Чего это они его так грубо распотрошили?

— Эвисцерация проводилась лицом, абсолютно не знакомым ни с техникой вскрытия трупов, ни с техникой разделки на мясо туш животных, — усмехнулся Саблин. — Это если официальным языком выражаться. А если попроще, то извлечение органов проводилось человеком неопытным и не имеющим представления об анатомии ни человека, ни животных. То есть из числа подозреваемых можно смело исключать врачей и мясников.

Следователь задумчиво покивал, глядя куда-то в небо.

— Ну ясное дело, Кошонины не врачи и не мясники, папаша Кошонин всю жизнь на заводе железобетонных изделий пропахал, а сынок так и вовсе никогда не работал, поскольку диагноз «шизофрения» получил еще в семнадцать лет, сразу же на инвалидность сел и пенсию потихоньку пропивал.

— Откуда вы знаете? — удивился Сергей. — Они же молчали все время, ни на один вопрос не ответили.

— Сергей Михайлович, у меня глаза есть, — фыркнул следователь, — и читать я тоже умею. Не так хорошо, конечно, как вы, но кое-как, по слогам, справляюсь. Пока вы с нашей драгоценной Лидией Игоревной Ровенской делали свою работу, я делал свою, то есть осматривал место происшествия. И увидел на стенах большой комнаты двенадцать почетных грамот, которые получил Кошонин-старший как победитель соцсоревнования, еще при советской власти. А в коробке с документами нашел медицинские и пенсионные документы Кошонина-младшего.

Сергей почувствовал себя неловко и поспешил сменить тему. Он вспомнил, что когда Лидия Игоревна изымала и упаковывала лом, она, осторожно удерживая его за концы, зачем-то понюхала сначала один конец, потом другой. Сергей тогда хотел спросить, зачем она это делает, но отвлекся на что-то. Вот теперь и спросит.

— Пыталась определить, есть ли там запах фекалий, — ответила Лидия Игоревна, не отрываясь от своего занятия: поиска и фиксации следов на мешке, в котором находился расчлененный труп.

— А зачем? — не понял Сергей.

— Ну, как вам сказать, — Ровенская лукаво усмехнулась, — проверяла кое-какие предположения, чтобы потом более грамотно и полно провести свои исследования. Вы обратили внимание на то, что в кухне нет холодильника?

На это Сергей внимания не обратил, в чем и признался.

— Эх, вы, — в голосе Лидии Игоревны слышалась насмешка, но не злая, а какая-то уютная, домашняя. С такой насмешкой родители обычно говорят любимым детям: «Эх, ты, растяпа!» — Но хотя бы погоду-то вы замечаете?

— Погоду замечаю, — сердито отозвался Сергей. Он терпеть не мог, когда его поучают. Вообще это было его слабым местом. Попытки поучать виделись ему сплошь и рядом и приводили в бешенство. — Только при чем тут погода?

— А чего вы злитесь? — рассмеялась Ровенская. Одетая в лыжные нейлоновые брюки и свободный толстый свитер, она работала на балконе без куртки, и Сергей видел, как ей холодно. Зато цвет лица снова приблизился к почти нормальному, болезненная бледность, появившаяся во время работы в ванной, сменилась выступившим на морозе слабым румянцем. Лидия Игоревна с сентября по середину апреля всегда приходила на дежурство в лыжных брюках из непромокаемой ткани, причем не страдающий невнимательностью Сергей отмечал, что брюки эти обновлялись несколько раз за сезон, они бывали и черными, и серыми, и синими, и цвета бордо или темной сливы. Саблин подозревал, что брюки эти — из коллекций спортивной одежды ведущих мировых фирм и стоят ох как недешево. При этом вне дежурств Лидия Игоревна одевалась очень красиво и выглядела неизменно элегантно. Однажды он спросил Ровенскую, почему она так странно одевается, и она, расхохотавшись, ответила, что при осмотре места происшествия бывает необходимым вставать на колени и лазить бог знает где: и по земле, и по лужам, и по снегу, и по крыше, и даже по канализационной трубе. В чем же еще приходить на такую работу, как не в штанах, которые не промокают и которые легко отчистить от любой грязи, просто проведя по ним влажной тряпкой, а нет — так и просто на ладонь поплевать.

— Я не злюсь, я просто не понимаю смысла ваших вопросов, — ответил Саблин, еле сдерживаясь.

— Ой, какой вы, Сергей Михайлович... Сочувствую вашей супруге. Небось из конфликтов не вылезаете. Ладно, отвечаю вам: эти Кошонины кого-то убили. Куда труп девать — не сообразили. Для начала вынесли на балкон. Зима, холодно, труп там себе лежит в мешочке и есть не просит. Кошонины живут на две пенсии, то есть не жируют, а еще же водку надо покупать, так что на продукты совсем денег не хватает. И они решают покушать того, кого зарезали. Отреза́ли куски, варили, питались. Холодильника у них нет, это вы знаете. Потом выглянуло солнышко, оно уже две недели как ежедневно светит. И даже греет. И труп начал потихоньку оттаивать и разлагаться. Что делать? Беда ведь, он же пахнет, надо что-то предпринимать. И вот наши милые ребята Кошонины начали от него куски отрезать, в мелкую лапшу рубить и спускать в унитаз. Рубили в ванне, в унитаз заталкивали. Вот такая примерно технология. А вчера или сегодня утром у них стояк и фановая труба забились. И кто-то из них взял лом и попытался пропихнуть затор. Это совершенно точно, потому что от лома исходит выраженный запах фекалий. Пихал, пихал, да не рассчитал силу и расколотил унитаз. Вот так примерно. Но это, конечно, только мои догадки.

Из квартиры они ушли только через четыре с половиной часа, измученные тем, что видели и обоняли на протяжении этого времени. Одна съемочная группа не дождалась выхода следователя и уехала, а вторая проявила стойкость, и когда Сергей вместе с Ровенской и следователем вышел на улицу, корреспондент и оператор кинулись задавать вопросы. Сергей постарался быстро пройти в машину и не попасть в кадр, Ровенская тоже, несмотря на комплекцию, довольно ловко прошмыгнула за ним следом, а следователь попал в цепкие лапки прессы и остановился. Видно, решил все-таки сказать несколько слов, очень уж чудовищным оказался случай.

«Жизнь намного ужаснее любого фильма ужасов», — думал Сергей на обратном пути. Не зря он эти фильмы никогда не любил и не смотрел. Ужасов ему вполне хватало на работе. Чего стоили только одни детские трупики, поклеванные птицами или обглоданные бездомными собаками! Или валяющаяся на проезжей части беременная матка с восьмимесячным плодом, буквально вырванная из женщины при автотранспортной аварии! После такого и спать не будешь, и никаких фильмов ужасов не захочешь. Завтра он сменится с дежурства, и если в Бюро не будет ничего срочного, поедет домой и посмотрит свой любимый вестерн «Веревка и кольт».

Он любил оружие и лошадей. Они казались Сергею Саблину атрибутами благородной мужественности и спокойного уверенного бесстрашия. Поэтому из всех кинематографических жанров он предпочитал именно вестерны. У него была довольно приличная коллекция кассет, которые он приобретал самыми разными путями: заказывал за деньги в разных полулевых фирмёшках, покупал у тех, кто выезжал за рубеж, заказывал Юлии Анисимовне, которая частенько бывала за границей. Большинство этих фильмов оказывались не дублированными, но Сергея это отнюдь не смущало: его знаний английского языка было более чем достаточно для просмотра вестерна. Если уж этих знаний хватило на Шекспира, то для картины о смелых и благородных парнях с Дикого Запада их всяко хватит.

А из всех вестернов Сергей Саблин больше всего любил «Веревку и кольт», потому что этот фильм был совсем не похож на настоящий вестерн, хотя таковым вроде бы являлся. Снял его любимый актер Сергея Робер Оссейн, он же сыграл и главную роль. А музыку к фильму написал его отец, композитор Андрэ Оссейн, урожденный Амилькар Гусейнов, азербайджанец из Узбекистана, много лет назад эмигрировавший во Францию. Музыка к фильму приводила Сергея в то странное состояние, которого он обычно опасался, но отказаться от которого не мог: нежной щемящей тоски и предвидения горького конца. В этом фильме было совсем мало диалогов, зато много крупных планов и много музыки. Единственное, что не нравилось

Сергею, так это игра актрисы, исполнявшей главную роль. Она была настолько профессионально слабее своего партнера Оссейна, что при изобилии крупных планов ее актерская беспомощность становилась более чем очевидной. Красавица с изумительной фигурой не умела совсем ничего, кроме как заставить свои глаза наливаться слезами перед камерой. Это было тем немногим, что у нее получалось действительно хорошо. Но Сергей считал актрису единственным недостатком фильма и пересматривал его постоянно, когда испытывал необъяснимую тоску, от которой не мог избавиться.

* * *

Юлия Анисимовна, как неожиданно для себя осознал Сергей, оказалась куда лучшей провидицей, чем он полагал. Вероятно, он недооценивал мать, которая, как и предупреждала его покойная тетя Нюта, была «немножечко колдуньей», а скорее всего, просто действительно много знала, много понимала и прекрасно ориентировалась в политической ситуации, да и не только в политической. Одним словом, все произошло именно и в точности так, как она предсказывала.

Через две недели после того, как акт судебно-медицинской экспертизы по Ксении Усовой ушел из Бюро, в морг явились приятного вида мужчины, которые принялись задавать Сергею вполне, на первый взгляд, невинные вопросы, касающиеся круга его знакомств и образа жизни. Предупрежденный матерью, Саблин сразу сообразил, куда эти вопросы ведут: есть ли у него контакты с представителями той или иной заинтересованной стороны и не брал ли он взятку за то, чтобы поставить именно такой диагноз и написать именно такое заключение, в котором будет стоять именно такая, а не какая-нибудь другая причина смерти ребенка.

Сергей злился, грубил, хамил, но мужчины не утрачивали приятности манер и продолжали день за днем терзать его вопросами. В ординаторской был проведен обыск, затем последовал обыск дома, затем, как и опасалась Юлия Анисимовна, у нее дома, на даче, а также у родственников по линии жены, проживающих в Ярославле. Обстановка дома стала совершенно непереносимой. Лена плакала каждый день и кричала, что он сломал жизнь и себе, и ей, и ребенку, что из-за его дурацкого тупого упрямства все теперь страдают, что какие-то люди приходили к ней в школу и задавали очень странные вопросы директору и завучу об учителе младших классов Саблиной, в частности, о том, не стала ли она приходить на работу в более дорогой одежде и с ювелирными украшениями, которых раньше у нее не было.

— Это унизительно! — рыдала она. — Я не могу по коридору пройти спокойно, на меня все оглядываются, пальцем показывают, причем не только педагоги, но и дети, все поголовно, с первого по одиннадцатый класс! Все теперь обсуждают, сколько стоит кофточка, которая на мне надета, и сколько стоят туфли, в которых я хожу. Обсуждают, спрашивают, где я это купила и сколько заплатила. А я отвечаю, что все это куплено на Петровско-Разумовском вещевом рынке, или на Рижском, или в «Лужниках». И на меня смотрят, как на врушку, никто не верит мне, а этим козлам, которые пришли из-за тебя, все поверили. Я-то в чем виновата? За что меня так опозорили?

В конце концов где-то что-то произошло, где именно — Сергей так никогда и не узнал, то ли

следователя сменили, то ли какое указание сверху
вышло, то ли кому-то взятку дали, но Сергея, изрядно издерганного и почти переставшего спать,
вдруг перестали спрашивать про связи и деньги.
Все успокоилось, затихло, и он решил, что скандал
закончился. К Бюро пока никаких претензий не
было, а тот факт, что судебно-медицинский эксперт Саблин, вместо того чтобы заниматься своей
непосредственной работой, по полдня общается с
приятными мужчинами, сказался, конечно, нега-
тивно на отношениях с коллегами, но катастро-
фой не стал. Никто Сергея не пытался уволить, никто больше не грозил ему карами небесными, и когда приятные мужчины перестали приходить,
звонить, приглашать к себе и устраивать обыски,
Саблин решил, что «торпеда прошла мимо». Он со-
хранил собственное достоинство, он не потерял
профессиональной чести, он не поступился прин-
ципами — и ничего, небо не разверзлось и земля
под ногами не провалилась. Все то, что произошло, как оказалось, вполне можно пережить.

Он приободрился, снова стал улыбаться, хотя
на душе скребли кошки: конфликт с Леной становился все глубже, и возвращаться после работы домой хотелось с каждым днем все меньше. Он зачас-
тил к Ольге, и это вызвало очередную волну упреков и подозрений со стороны жены, которая была
крайне недовольна тем, что Сергей так мало времени проводит дома и ничем не помогает ни в
плане хозяйства, ни в плане воспитания дочери.

— Мало того, что ты навлек на всех неприятности, мало того, что ты испортил мне жизнь в школе, а моим родственникам — жизнь в Ярославле,
мало того, что мы с мамой лишаемся здоровья из-
за твоих выкрутасов, так ты еще и бросаешь меня

на произвол судьбы, дома бываешь только по ночам, приходишь, пьешь чай и ложишься спать, а утром встаешь и уходишь на эту свою кретинскую работу в этот свой вонючий омерзительный морг! Ты устроил из собственного дома гостиницу, где тебе удобно переночевать и где тебе нальют тарелку супа и подадут чистое белье. А сам ты что-нибудь делаешь для своей семьи? Только не надо говорить, что ты приносишь зарплату. Эту зарплату ты можешь засунуть себе в задницу, от нее все равно никакого толку!

Упреки стали постоянными, и Сергей уже по нескольку раз в день думал о том, что Ленка, в сущности, права. Он ничего не делает для семьи, но это только лишь потому, что он не знает, не умеет, не понимает и в конечном счете не считает нужным что-либо делать. Ему не нужна семья. Он не семейный человек. Он — волк-одиночка. И взгляд у него волчий, как у деда Анисима.

Ему никто не нужен. Кроме Ольги. Но ему нужна именно Ольга, одна Ольга, и только Ольга. А вовсе не семья с той же Ольгой. Не создан он для семейной жизни.

И вдруг последовал новый вызов в прокуратуру. На этот раз следователь, уже другой, озабоченный и строгий, поставил Сергея в известность о том, что он привлекается в качестве свидетеля по делу о получении взятки крупным чиновником из Минздрава по фамилии Лукинов. При этих словах Сергей вздрогнул. Вот теперь только все и начнется, понял он. До этого были одни цветочки. А вот и настал черед крупных, тяжелых и невыносимо горьких и ядовитых ягодок. Со слов следователя, Лукинов взял крупную взятку за то, чтобы в интересах определенной фармацевтической компании протолкнуть госзаказ на вакцину. И в случае, если факт получения взятки удастся доказать, Лукинову грозит реальный срок лишения свободы. И срок отнюдь немалый.

Сергей не очень понимал, радоваться ему или злиться. С одной стороны, его поступок поднял волну, и теперь те, кто выпускает вакцину без достаточных клинических испытаний или низкого качества, будут наказаны. И отныне к проблеме вакцинации детей будет приковано самое пристальное внимание, и больше не будет возможности пользоваться беспомощностью родителей и их малышей. Наконец в этой сфере начнут наводить порядок. То есть все то, что он претерпел, он претерпел не напрасно.

Но эта позитивная мысль очень скоро угасла, уступив место совсем другим соображениям, возникшим после очередного допроса у строгого следователя. Сергей спросил, что будет дальше, на что следователь, недоуменно пожав плечами, ответил:

— Дело будет передано в суд, а там — как суд решит. Но еще не факт, что дело окажется в суде. У меня есть начальство, которое далеко не всегда разделяет мою точку зрения.

— Ну хорошо, — нетерпеливо проговорил Сергей, — а дальше-то что? Вы будете заниматься вопросом применения вакцин, проверки качества препаратов, которые поступают из-за рубежа или изготавливаются у нас? Вы будете принуждать Минздрав издать четкие и конкретные методические указания по процедуре вакцинации? Что вы будете дальше делать?

Следователь посмотрел на него странным взглядом.

— Сергей Михайлович, я глубоко уважаю вашу гражданскую позицию. Скажу больше: я не только уважаю, но и разделяю ее. Поэтому не стану лукавить перед вами. Дальше не будет ничего. Ровным счетом. Более того, этого Лукинова даже не посадят, в том случае, если дело дойдет до судебного разбирательства. Максимум, что ему грозит, это отстранение от должности.

— Но почему? — возмущенно воскликнул Сергей. — Я не понимаю... Почему?!

— Сергей Михайлович, — устало вздохнул следователь, — вы как маленький ребенок, честное слово. Неужели вы думаете, что возбуждение уголовного дела против Лукинова — это результат торжества справедливости?

— Вы хотите сказать...

Лицо следователя, еще мгновение назад усталое и какое-то безнадежное, снова стало собранным и строгим.

— Все, что я хотел сказать, я сказал. Вы неглупый человек, вы должны сами все понять.

На то, чтобы все понять и разложить по полочкам, у Сергея ушло часа два, после чего он пришел к твердому убеждению: уголовное дело против Лукинова — это попытка расправиться с минздравовским чиновником со стороны тех, кто не сумел получить тот самый госзаказ. Эти люди просто-напросто воспользовались ситуацией с Ксюшей Усовой и заключением о причине ее смерти, чтобы удовлетворить собственные интересы. Они кому-то заплатили за то, чтобы материалы о смерти девочки от вакцины превратились в материалы о коррупционном поведении Лукинова. И если первоначально люди, которым покровительствовал Лукинов, заплатили за то, чтобы опорочить заключение эксперта Саблина, обвинив его в том, что акт экспертизы был щедро проплачен, то потом пришли совсем другие люди и заплатили совсем другие деньги, намного большие, для того, чтобы те же самые факты и обстоятельства использовать для мести Лукинову. Все эти уголовные дела, обыски, допросы и прочие прелести не имеют никакого отношения к борьбе за здоровье детей и добросовестное поведение как врачей, так и изготовителей фармпрепаратов. Все это имеет отношение только к деньгам.

К большим деньгам.

К очень большим деньгам, таким, какие Сергею и не снились. Именно об этом говорила ему мать.

* * *

Он впал в злобно-тоскливо-напряженное настроение, грубил коллегам, хамил Лене и Вере Никитичне, вгрызался в работу, как оголодавший бездомный пес вгрызается в случайно попавшую в его зубы кость с остатками мяса. Он понимал, что Лукинов, чиновник из Минздрава, прекрасно осведомлен о том, кто именно явился первопричиной обрушившихся на него неприятностей. И ждал.

Дождался Сергей довольно быстро. Не прошло и двух недель с момента возбуждения уголовного дела против Лукинова, как позвонила Юлия Анисимовна и таким спокойным тоном попросила сына приехать «на полчасика после работы», что у него не оставалось ни малейших сомнений: будет скандал.

Так и вышло. Юлия Анисимовна, обычно умеющая держать себя в руках, дала волю неукротимому казацкому темпераменту, унаследованному от Анисима Трофимовича. И хотя начала она разговор относительно умеренным тоном, очень быстро сорвалась на интонации, выдающие ее кипящее негодование.

— Как ты можешь?! Ты же знаешь, кто такой Лукинов и кем он приходится Бондарям! Бондари — мои друзья, давние друзья, а Лукинов так много сделал для них, организовал их перевод в Москву, устроил на хорошую работу, помог с квартирным вопросом, и до сих пор он их поддерживает и опекает. Ты не забыл, что Бондари — не только мои друзья, но и родители Оли? Ты хоть понимаешь, чем может обернуться твоя никому не нужная эскапада для твоей же любимой женщины? Я тебя предупреждала, я все тебе объяснила, по полочкам разложила, обрисовала дальнейшую картину, но ты все равно сделал по-своему. И я терпела, пока это касалось только меня и папы. Я терпела обыски, унизительные допросы, убирала и мыла дачу и квартиру после нашествия этих уродов в милицейских и прокурорских погонах, отпаивала папу валокордином и обзиданом, оправдывалась перед соседями и краснела перед коллегами, но я терпела и не говорила тебе ни слова упрека, потому что понимала: это МОЯ плата за действия МОЕГО сына, которого Я вырастила и воспитала. Что посеешь, то и пожнешь. Помнишь любимое испанское выражение Нюты, которое она переняла от своего обожаемого поляка-полиглота? Mia tristeza es mia y nada mas. Моя печаль — это моя печаль, и на этом всё. Но когда дело касается уже не только меня, я не могу молчать. О скандале с вакциной знает теперь все педиатрическое сообщество. И о том, что именно мой сын обвиняет врачей в некомпетентности, которую они проявляют при вакцинации детишек, тоже все знают. Ты думаешь, на мне это никак не сказывается? Ты думаешь, меня не дергают, не спрашивают, не упрекают? Каждый считает своим долгом высказать мне свое негодование в связи с тем, что мой сын предает корпоративные интересы. У папы на работе тоже не лучше, его окончательно затерроризировали и те, у кого свои интересы в Минздраве, и те, кто связан с педиатрами. Его вызывали на ковер к высокому руководству и спрашивали: «Уважаемый Михаил Евгеньевич, это у вас в семье так принято — нарушать этику поведения с коллегами? Это вы научили своего сына предавать интересы врачебного сообщества? Значит, вы считаете, что такое поведение — правильно и нормально?» Сережа, твой отец — звезда, светило, он выдающийся ангиохирург, его приглашают оперировать не только в клиники Москвы, но и в Европу. Но он не борец и не интриган, он хирург, он умеет только это. А гавкать на начальство и скалить зубы он не может. И если с ним захотят расправиться, отлучить его от операционной, он не сумеет за себя постоять. Одним словом, мне стыдно за то, что ты сделал. Уважительному отношению к коллегам я учила тебя с самого детства. Разве ты хотя бы раз в жизни слышал от меня о том, что некий врач — плохой, неграмотный и неправильно лечит больных? Оценивать действия другого врача, комментировать их и тем более корректировать — верх неэтичности. Это недопустимо. А ты позволяешь себе...

— С чего ты это взяла? — огрызнулся Сергей. — Я не лезу в лечебный процесс. Я не клиницист. И твой этот Лукинов тоже никого не лечит, так что...

— Сережа, не надо думать, что ты на этом свете самый умный, — жестко проговорила Юлия Анисимовна. — Ты комментировал действия педиатров в своих показаниях, которые давал следователю. Причем ты выражался таким образом, что твои нападки касались не одного конкретного педиатра, а всех огульно. И теперь это всем известно.

Сергей прищурился, глядя на мать.

— Откуда, интересно? Разве протоколы моих допросов опубликованы в прессе? С каких это пор ты стала верить досужим сплетням?

Но чувствовал он себя не очень уверенно. Потому что действительно говорил все это следователю со строгим сосредоточенным лицом. Он совершенно не думал в тот момент ни о врачебной этике, ни о корпоративных интересах, ни об общепринятых принципах поведения с коллегами. Он думал только о том, что есть люди, которые наживаются на здоровье маленьких детей. И хотел положить этому конец. И все-таки... Как мама узнала?

Юлия Анисимовна достаточно хорошо знала своего сына, чтобы поддаться на его простенькую уловку. А уж об аппаратных играх и всевозможных хитрых вариантах коррупционного поведения она знала практически все, ибо круг ее знакомств был настолько обширен, что не было, пожалуй, такой сферы, о какой завкафедрой педиатрии профессор Саблина не имела бы информации. Поэтому объяснение, которое услышал Сергей на свой вопрос, не вызвало у него сомнений.

— Потому что есть люди, которые готовы платить деньги за то, чтобы узнать содержание документов в уголовном деле. И, конечно же, есть люди, готовые эти деньги взять. На всех уровнях. Я имею в виду уровень и того, кто платит, и того, кто берет. Если твой следователь показался тебе приличным и честным человеком, это не означает, что все его руководство вплоть до самого верха на него похоже. Кому надо — тот узнал, что именно ты говорил на допросах. И рассказал об этом тому, кому посчитал нужным. Информация разошлась, обросла подробностями и выдумками, несуществующими деталями и не произнесенными тобой словами. С этим теперь уже ничего поделать нельзя. А под ударом оказались мы с папой и Бондари, которые ни в чем не виноваты, но тоже имеют массу проблем из-за того, что под Лукиновым кресло зашаталось. Ты никогда не умел смотреть вперед хотя бы на один шаг. Ты всю жизнь сначала делаешь, потом думаешь, потому что уверен в собственной непогрешимости и в том, что ни при каких условиях не можешь совершить ошибку. Ты хотя бы представляешь себе, что будет, если для Лукинова все обойдется?

— Ничего не будет, — буркнул Сергей. — Он останется на своем месте, и все довольны.

— Господи! — Юлия Анисимовна повысила голос до крика. — Кто доволен?! Кто, скажи мне?! Лукинов остается на своем месте и начинает сводить счеты с тем, кто всю эту кашу заварил. То есть с тобой. Лично с тобой, экспертом Сергеем Саблиным из Московского Городского Бюро судмедэкспертизы. Ты что же, думаешь, что он утрется и промолчит? Проглотит? Или проявит благородство и простит тебя, идиота? Да он одним движением пальца расправится и с тобой, и с папой, и со мной. А если он знает, что ты крутишь многолетний роман с Оленькой Бондарь, то и ее не пощадит, потому что будет думать, что раз она твоя любовница, то все знала и во всем поддержала тебя. Ты этого добиваешься?

Вместо диалога получался монолог, Сергей пытался вставить какие-то слова, что-то объяснить, но логичной аргументации не получалось: когда он сильно злился, то утрачивал способность мыслить ясно и последовательно. Он мямлил что-то отрывочное, с отчаянием осознавая, что мать не права, но он не в состоянии ей противостоять. Что-то надломилось внутри, лишая его сил и обычной остроты ума.

В итоге он ушел, хлопнув дверью, так и не сказав решающего слова.

Темная глухая злоба на мать и на собственное интеллектуальное бессилие бушевала в нем, ища выхода, и Сергей поехал к Ольге. Поехал без предупреждения, без приглашения. Ключи от ее квартиры у него были.

Ольга оказалась дома. Он не дал ей произнести ни одной фразы, прямо с порога обрушившись на нее с упреками. Дескать, вся ее семейка пригрелась под крылышком у подонка, а теперь его, Саблина, обвиняют в том, что он своими действиями разрушает благополучие мерзавца Лукинова и всех, кому он покровительствует.

— У него руки по локоть в крови, а вы с этих рук корм берете и нахваливаете! — орал он, нимало не смущаясь тем, что стены в доме были не особо толстыми, обеспечивая превосходную слышимость, о чем он, естественно, давно знал. — Мне мать устроила скандал, я с родителями разругался из-за вас и вашего Лукинова. Давай теперь еще ты меня выгони — и я буду абсолютно счастлив!

Ольга ни разу не перебила его, слушала внимательно, подперев щеку ладонью, словно он не скандалил и не претензии предъявлял, а читал вслух интересную книгу. Ее белокожее лицо, обрамленное темными густыми кудрями, было невозмутимым, ни один мускул не дрогнул. Даже ресницы, необыкновенно густые и длинные, казалось, замерли, обрамляя миндалевидные глаза, неподвижно уставившиеся на Сергея.

Постепенно он выпускал пар и остывал. Наконец запал мрачной злобы иссяк, и Сергей умолк, сердито уперевшись глазами в стоящую на плите медную джезву. Свет лампочек трехрожковой люстры отражался и подрагивал на ее изогнутом боку, танцуя затейливыми пятнышками. Плита... Джезва... Они с Ольгой сидят на кухне. Как они здесь оказались? Почему? Он отчетливо помнил, как поднимался в лифте, как открывал дверь, как вошел и начал говорить... А теперь он сидит на кухне за столом, без куртки, на ногах тапочки без задника, которые Оля сама купила и подарила ему в день первого свидания в этой квартире, и перед ним на столе чашка, изящная белая с синей «сеточкой» чашка ломоносовского фарфора с остатками кофе. Он ничего не помнил. Он ничего не замечал. Он полностью погрузился в свою ярость, в свои слова, в свою ненависть, в свою обиду, в желание выплеснуть ее хоть куда-нибудь. Господи, что он наговорил Ольге? В чем упрекал ее? В чем обвинял?

Он не мог собраться с мыслями и вспомнить. Он чувствовал только глубокое отчаяние и такую же глубокую опустошенность.

Ольга налила себе еще кофе, вымыла пустую джезву и убрала ее в навесной шкаф. Снова села за стол, помолчала, потом мягко улыбнулась.

— Саблин, я не поняла, ты что, пугаешь меня? Ты думаешь, я начну плакать и умолять тебя не давать больше никаких показаний против нашего родственника? А в суде от всего отказаться? Ты думаешь, я начну просить тебя не портить карьеру моим родителям? Или ты, может, думаешь, что я за свою карьеру сильно переживаю? Как мне трактовать твое эмоциональное выступление? Ты только скажи, как надо, я так и сделаю. Я же послушная девочка.

В ее низком голосе звучала неприкрытая ирония. Сергей понял, наконец, что что-то пошло не так. Не так, как он ожидал, как прогнозировал. Впрочем, с Ольгой Бондарь любые прогнозы были смешны и наивны: таких людей, как она, он не понимал, не чувствовал и не умел предвидеть их реакции и поступки. Ольга была слишком «не такая», слишком непохожая на самого Саблина, слишком отличная от него. Сергей, как ни пытался, так и не научился за шесть лет угадывать, о чем она думает и что собирается сделать или сказать. Он просто любил ее.

— Оль... — растерянно пробормотал он. — Ты о чем?

Она неторопливо допила кофе, протянула руку, взяла чашку Сергея, заглянула в нее, поставила обратно на блюдце и вопросительно подняла глаза: будешь допивать? Он виновато кивнул, сделал два последних глотка, после чего обе чашки с блюдцами разделили судьбу джезвы, оказавшись вымытыми, вытертыми и спрятанными в шкаф. Ольга явно не торопилась отвечать на вопрос.

— Ну что ты молчишь? — спросил Сергей.

Он хотел произнести эти слова требовательно и строго, но получилось отчего-то жалобно и почти умоляюще. Услышав собственный голос, он снова разозлился. Слабак. Ничтожество. Недоумок. У него аффективная дезорганизация мышления, если под влиянием сильных эмоций и переживаний он перестает владеть собой и теряет хладнокровие и контроль и над ситуацией, и над собственными мозгами.

— Саблин, Саблин, — тихо засмеялась Ольга, — ну что ты несешь? Откуда ты взял всю эту чушь? Почему ты решил, что я должна бояться за свою карьеру? Патологоанатом — профессия более чем востребованная, тебе ли не знать. Без работы я никогда не останусь, так что благосклонность Лукинова для меня никакой ценности не имеет. Хороший патологоанатом нужен всегда и везде. А я, Саблин, хороший патологоанатом. Очень хороший. Даже лучший, чем ты сам. И тебе это прекрасно известно.

Сергей посмотрел на нее с благодарностью.

— Ты не сердишься на меня?

— За что? — удивилась она. — За то, что ты поступил честно и в результате твоих действий у моего родственника неприятности, которые в конечном итоге могут ударить по моей семье?

— Ну да. Оль, я ведь не знал, что он замешан, я просто...

Она предостерегающе подняла ладонь, и Сергей заметил на пальце кольцо. Как сказали бы криминалисты, «белого металла с камнем синего цвета», поскольку в момент первичного осмотра никогда нельзя с точностью утверждать, что это такое: платина, белое золото, серебро, мельхиор или что другое, равно как и нельзя с ходу называть камень синего цвета сапфиром. Но Сергей знал, что это именно платина и именно сапфир. Это кольцо Ольга приметила в ювелирном магазине, когда они вместе искали подарок для ее мамы ко дню рождения. Кольцо было немыслимо дорогим. Значит, она его все-таки купила. На зарплату патологоанатома? Или как? Ему стало тяжко и муторно.

— Саблин, ты постоянно забываешь о том, что законы жанра существуют помимо наших желаний, — сказала она. — Они просто существуют, и их невозможно отменить. Поэтому их надо учитывать, вот и все. А злиться на них и переживать — пустая трата эмоций. Людей на нашей планете очень мало. Это иллюзия, что нас много. Нас мало. И мы все связаны очень короткими цепями. Давно доказан принцип пяти рукопожатий, повторяться не буду, ты в курсе. Поэтому когда ты что-то делаешь, ты должен иметь в виду, что цепочка, по которой пройдут волны от твоего поступка, может с большой степенью вероятности привести к человеку, которого ты знаешь, или который знает тебя, или с которым ты незнаком до поры до времени, но который может повлиять на твою жизнь и твою судьбу, а также на жизнь и судьбу твоих близких. Таков закон жанра. Это не значит, что нужно постоянно оглядываться или воздерживаться от поступков. Это означает только одно: такие последствия надо иметь в виду. Они могут наступить. Вот и все. За что же мне на тебя сердиться? Ты совершил поступок, последствия наступили. Все закономерно. Расслабься, Саблин.

Но расслабиться не удалось. И легче почему-то тоже не стало.

ГЛАВА 5

К концу мая стало понятно, что история со смертью шестимесячной девочки от вакцинации ничем не закончилась, Лукинов остался в своем кресле и поступил именно так, как и предрекала всезнающая и многоопытная Юлия Анисимовна: Сергей Саблин перестал быть на хорошем счету у руководства Бюро судмедэкспертизы, и его перевели из отделения экспертизы трупов назад в гистологию. Платили в гистологии меньше, чем в морге. Коллектив был Саблину знаком, ведь свою работу в Бюро он начинал именно здесь, в судебно-гистологическом отделении. И вновь, как и раньше, он оказался здесь единственным мужчиной. Ему было трудно, ведь существовать среди женщин — это особая наука и особое умение, которым обладает далеко не каждый. Дамы-гистологи обожали посплетничать, обсуждали детей, мужей, внуков и свекровей, тряпки, кухню и сериалы, которые сами, естественно, не смотрели, но воспринимали на слух, пока перед телевизорами просиживали их домочадцы. От многочасовой работы с микроскопом «садилось» зрение, и глаза уставали за рабочий день так, что телевизор смотреть никакого желания уже не было. В принципе Сергей в начале своей работы в Бюро к милой болтовне довольно быстро привык и относился спокойно, но теперь едва справлялся с раздражением и желанием высказаться грубо и нелицеприятно. Однако и тут приходилось себя умерять, ведь если в морге в одной с ним ординаторской сидели еще двое мужчин-экспертов и при случае Сергей мог позволить себе любые непарламентские выражения, то в присутствии женщин считал это недопустимым. А высказаться ох как хотелось! И не только тогда, когда его доставали пустопорожние разговоры, но и тогда, когда коллеги проявляли непрофессионализм или откровенную халатность, демонстрируя тем самым полное безразличие к этическим сторонам своей работы.

Дома тоже становилось все труднее, ссоры и конфликты с Леной не прекращались, особенно с того момента, как Сергей начал приносить уменьшившуюся зарплату. Вера Никитична, благоразумно пытавшаяся сохранить нейтралитет, поскольку проживала в московской квартире на птичьих правах, не придумала ничего умнее, как избегать контактов с зятем, ни о чем с ним не разговаривать и вообще стараться не попадаться ему на глаза. Это злило Лену, которая в дополнение к упрекам в материальной несостоятельности главы семьи добавляла претензии по поводу того, что Сергей создает в доме невыносимую обстановку, он постоянно не в настроении, он всегда уставший, у него нет ни сил, ни желания обращать внимание на близких, он ничем не помогает и вообще всех запугал, вон даже мама боится лишний раз выйти из комнаты и стакан чаю выпить.

Все это смертельно надоело Саблину, но куда деваться — он не представлял. Не разводиться же! Об этом и речи быть не может.

В августе грянул дефолт, и сгорели даже те крошечные сбережения, которые удалось выкроить «на черный день» из премий и тринадцатых зарплат. Отношения с родителями так и не потеплели после весеннего кризиса, вызванного скандалом вокруг Лукинова и вакцины АКДС, мать регулярно навещала внучку и привозила ей подарки, но старалась при этом свои визиты спланировать так, чтобы не встречаться с сыном. Сергей понимал, что это не от нежелания его видеть, а исключительно от стремления «наказать и доказать». Что поделать, бирюковская порода, кровь деда Анисима.

Единственным островком покоя оставалась Ольга, но Сергей после перевода в гистологию стал ездить к ней реже: понимал, что своим плохим настроением и неуправляемой резкостью и грубостью может все испортить. Потерять еще и Ольгу он не хотел. Все, что угодно, только не любимая профессия и не любимая женщина!

В середине декабря неожиданно объявился Петька Чумичев по прозвищу «Чума», одноклассник, с которым Серега все школьные годы просидел за одной партой, но с которым после выпускного ни разу не встретился. Чума поступил в какой-то технический вуз, кажется, что-то связанное с металлургией, и после получения диплома вообще исчез из столицы, хотя Саблину звонил каждый год ровно по два раза: в день рождения Сергея и в свой собственный.

— Не могу отказать себе в удовольствии услышать твой мерзкий басок в самый лучший день в году! — хохотал в телефонную трубку Чума. — Давай скорее, быстро поздравляй меня!

Сергей от души поздравлял бывшего однокашника, испытывая благодарность к нему за то, что тот не обижается на забывчивость друга. Положа руку на сердце, Сергей сам, без напоминания Чумы, ни разу за все годы вовремя не вспомнил о его дне рождения.

И в этом году Чума, конечно же, позвонил, чтобы поздравить Саблина, но оказался в этот день в Москве.

— Может, посидим? — предложил он. — Не сегодня, конечно, я ж понимаю, у тебя семейный праздник, а как насчет завтра? Или послезавтра? Я в столице еще неделю пробуду.

Сергей с радостью принял предложение: он цеплялся за любой благовидный предлог, чтобы как можно меньше времени проводить дома.

Чума назначил встречу в ресторане с такими ценами, что Сергей сперва заколебался, глянув в меню.

— Ты попроще ничего не мог выбрать? — недовольно спросил он. — Мне не потянуть, если платить пополам.

— Обалдел?! — Чума, одетый модно и очень недешево, с золотым «Ролексом» на левом запястье, посмотрел на него, округлив глаза и приподняв брови. — Какой еще «пополам»? Это кто такой? Я такого не знаю. Я пригласил — я и плачу. А у тебя что, с финансами совсем кирдык?

Сергей не стал ломаться и строить из себя успешного буржуа. Друг все-таки, хоть и в прошлом. Он выпил первую рюмку, потом вторую, третью и поведал Чуме обо всех своих невзгодах. Тот слушал, казалось, не очень внимательно, то и дело отвлекался на то, чтобы дать указание официанту или ответить на звонок по мобильному телефону. Одним словом, никакого понимания и сочувствия Саблин от одноклассника не дождался.

Зато напился так, как не напивался уже давно.

* * *

Чума неожиданно позвонил через три дня и снова предложил «попить водочки».

— Опять за бешеные бабки? — с подозрением спросил Сергей, только в этот момент осознавший, что так толком и не знает, где обретается его бывший одноклассник и на каком таком бизнесе зарабатывает деньги, позволяющие носить дорогие наручные часы и кутить в самых шикарных московских ресторанах.

Почему так получилось? Ведь Чума звонил два раза в год, но, как вспомнил Сергей, сам задавал вопросы, интересовался здоровьем родителей Сергея, которых знал еще со школьных времен, интересовался, нет ли каких проблем и не нужна ли помощь, но про себя ничего не рассказывал. Почему?

«Да потому, что я не спрашивал, — с досадой подумал Саблин. — Я за последние годы не задал ему ни одного вопроса. Я даже не знаю, женат ли он и есть ли у него дети. Неужели мама права, и я не слушаю и не слышу никого, кроме себя самого, и меня никто и ничто не интересует, кроме моей профессии и собственных проблем? Надо же, как неудобно получается. И ведь мы с Петькой целый вечер просидели в ресторане, до глубокой ночи, неужели все это время я говорил только о себе? Да нет, не может быть, наверняка я спрашивал, он отвечал, рассказывал о себе, просто я напился и ничего не помню. Ладно, извинюсь сегодня, признаюсь, что был пьян и все забыл, и спрошу еще раз. Он нормальный парень, свой в доску, не обидится».

Ресторан на этот раз Чумичев выбрал другой, еще более «навороченный» и дорогой.

— Серега, — начал он с места в карьер, — а не пора ли тебе сменить пейзаж?

— Какой пейзаж? — растерялся Саблин.

— Пейзаж, в котором протекает твоя неудалая жизнь, — рассмеялся Чума. — Как ты смотришь на то, чтобы уехать из Москвы к чертовой бабушке, надолго и за дорого? Немного зная тебя, предвижу твой вопрос и отвечаю сразу: я не бандит, с криминалом не связан, а работу тебе предлагаю по специальности. Будешь судебно-медицинским экспертом. Как тебе такая перспектива?

Саблин пожал плечами. Какой смысл менять шило на мыло? Судмедэкспертиза — государственная структура, подчиняется Минздраву и принадлежит к бюджетной сфере. То есть зарплаты никак не могут быть больше, чем в Москве. Ну, разве что чуть-чуть... Но стоит ли это «чуть-чуть» резкого изменения всей жизни? Хотя, конечно, возможность уехать из столицы и не жить с Леной — вещь привлекательная. Но это же означает и жить без Ольги. А вот тут все не так просто.

—Перспектива сомнительная, — осторожно ответил он. — А можно поконкретней?

Конкретика заняла примерно час, в течение которого друзья уничтожили сначала картофельную тортилью с луком, потом опустошили огромное блюдо с ломо, чоризо, сальчиченом и хамоном Серрано, с удовольствием отведали Сопа де рабо де торо — суп из бычьих хвостов, съели по порции паэльи с морепродуктами — ресторан оказался испанским — и по мороженому, которое заказали, стесняясь друг друга: очень уж не по-мужски. Зато вкусно.

Петр Чумичев поведал, что живет и работает в Северогорске, за Полярным кругом, и в городе у него хорошие завязки, позволяющие решить практически любой вопрос. Там можно заработать большие бабки, достаточные, чтобы достойно содержать семью, ведь «северные» надбавки еще с советских времен привлекали тех, кому необходимо было улучшить финансовое положение. Город Северогорск находится в 500 километрах от Норильска, там богатейшие природные ресурсы, на которых стоят три крупнейших и очень даже не бедствующих комбината. Эти комбинаты платят в городской бюджет такие немаленькие налоги, что городская администрация имеет возможность доплачивать всем бюджетникам огроменные суммы.

— Начнешь работать, — уверенно вещал Чума, словно Сергей уже на все согласился, — там как раз у меня приятель в горздраве, он поспособствует твоему назначению, сначала экспертом, потом дорастешь до начальника отделения, потом до замначальника всего Бюро, покажешь себя во всей красе, а потом станешь в Северогорске руководителем Городского Бюро, когда мы снимем нынешнего начальника, который нам там ни на фиг не нужен — слишком жаден, когда дело касается производственных травм, да и пьющий.

Оказалось, что за три дня, прошедших с их предыдущей встречи, Чумичев созвонился со своим знакомым из Северогорского горздрава и заручился его согласием пригласить на работу в город нового судебно-медицинского эксперта с перспективой «вырастить» из него нового начальника городского Бюро СМЭ, толкового, знающего и непьющего. Услышав последнее, Сергей болезненно поморщился:

— Ты ж видел меня... Знаешь, что я могу...

— Да ладно, — махнул рукой Чума. — Все могут. Важно, чтобы человек не квасил постоянно, в том числе и на работе. А так-то пей, сколько хочешь.

Предложение подкупало именно возможностью решить одновременно три проблемы: уйти из сугубо женского коллектива гистологического отделения в морг, где работают чаще всего мужчины; заработать денег, чтобы Лена, наконец, угомонилась,

да и совесть была бы спокойна насчет того, что он
материально обеспечивает свою семью; жить без
Лены. И без ее мамы. Правда, без Дашки, но если
быть совсем честным, он и так видит дочь не каждый день: приходит, когда девочка уже спит, уходит, когда она еще не проснулась.

И без Ольги.

Но это он как-нибудь решит. Привыкнет, в конце концов. Он же волк-одиночка.

Но остался последний непроясненный вопрос:

— Почему в вашем городе Бюро? Это ведь не
областной центр. Должно быть отделение областного Бюро. Ты ничего не напутал? — спросил он
Чумичева.

— Да прям! — рассмеялся тот. — Чтобы я — и
напутал? Сроду такого не бывало. У нас именно что
Городское Бюро. Особенность города. Ну, приедешь — сам разберешься и все поймешь.

— Сколько времени даешь «на подумать»?

— Думай, сколько тебе нужно, — великодушно
разрешил Чума. — Для нас спешки нет, горздрав
готов в любой момент оформить тебе вызов. А ты
уж сам определяйся, как тебе удобно.

Черт возьми, как, оказывается, приятно есть
фисташковое мороженое! Особенно когда у тебя
хорошее настроение.

* * *

Сергей думал ровно два дня. Он ни с кем не со-
ветовался и не обсуждал предложение Чумичева,
полагая, что это исключительно его личное дело —
где жить и работать и как зарабатывать на достой-
ное содержание жены и дочери.

Приняв решение, он отправился к родителям.
Несмотря на прохладные в последнее время отношения и почти полное отсутствие контактов, Сер-

гей не считал возможным не поставить их в известность о своем скором отъезде.

Юлия Анисимовна встретила сына радостной улыбкой, вероятно, полагая, что он пришел мириться. О том, что Сережа собирается просить прощения, она даже и не думала: знала, что он на это не способен. Но первый шаг к примирению — это и есть, в сущности, признание собственной неправоты и готовность извиниться.

Она ничего не стала спрашивать и выяснять, сразу провела Сергея в комнату, усадила за стол и накрыла ужин. Из кабинета появился Михаил Евгеньевич, который, насколько Сергей понимал, был совершенно не в курсе конфликта между женой и сыном и воспринял визит Сергея как нечто само собой разумеющееся. Сергей отметил, что отец плохо выглядел и за последние месяцы здорово постарел, хотя держался по-прежнему прямо, глаза его были ясными и острыми, а руки — теплыми и твердыми. И все равно он чувствовал, что перед ним человек уже очень немолодой. Ведь отец всего на три года старше мамы, ему только шестьдесят один год, а смотрится он пожилым человеком никак не моложе семидесяти пяти.

Поужинав, Михаил Евгеньевич потрепал сына по плечу и снова скрылся в кабинете. Мать завела какой-то обычный спокойный разговор, спрашивала о внучке, а Сергей все не мог собраться с духом и сказать.

— Ма, ты помнишь Петьку Чумичева, Чуму?

— Конечно, — улыбнулась Юлия Анисимовна. — Вы с ним за одной партой сидели, и он часто к нам приходил. Очень энергичный был мальчик, из таких обычно получаются весьма пробивные деятели. Почему ты спросил?

Сергей ответил. Ответил подробно, пересказав слово в слово (память у него была не хуже, чем у тети Нюты!) все, что говорил ему Чума. Юлия Анисимовна кивала, будто бы соглашаясь с каждым словом, но глаза ее становились все холоднее и холоднее.

— Понятно, — констатировала она, когда Сергей закончил рассказывать. — И что ты решил? Поедешь?

— Поеду, — кивнул он. — Не могу не поехать. Ты должна меня понять.

— Конечно, сынок. Я тебя понимаю. Тебе нужно уехать из Москвы, тебе нужно уйти и из Бюро, и из гистологии, и от Лены. Я все это прекрасно понимаю. А вот ты-то понимаешь, на что обрекаешь себя?

— На что? — с вызовом спросил он. — Ты сейчас начнешь запугивать меня тяжелыми климатическим условиями, полярной ночью, полярным днем, отвратительной экологическаой обстановкой, отсутствием возможности воспитывать собственного ребенка, да? Не надо, не старайся, я все обдумал и все решил.

Мать усмехнулась недобро.

— Да нет, сынок, судя по твоим словам, ты обдумал далеко не все. Петр сказал тебе, что их, то есть «отцов города» и руководителей разного масштаба, не устраивает нынешний начальник Бюро. Он им на этой должности не нужен, они хотят его сменить. Заменить кем-то более покладистым и сообразительным. В данном случае — тобой. Тебе это ни о чем не говорит? Не боишься стать марионеткой в руках тех, кто собирается «вырастить тебя под себя»?

Об этом он как-то не подумал. Он, конечно, запомнил слова Чумы, в противном случае не пересказывал бы их матери, но открывающаяся возможность решить самые болезненные проблемы как-то отодвинула на задний план второе дно сказанного Петром. А мама все ущучила сразу. Но не признаваться же в том, что чего-то не учел и о чем-то не подумал!

— Я справлюсь, — хмуро заявил Сергей. — Меня голыми руками не возьмешь. Ты же знаешь, какой у меня характер, сама говорила, что я — вылитый дед Анисим.

— Ну, смотри, сынок. Я тебя предупредила. А что Лена говорит? Как относится к тому, что ты собрался уезжать так далеко и, вероятно, надолго?

Лена? Да он и не говорил ей ничего. С какой стати? Как он скажет — так и будет. Это его жизнь, и только он, Сергей Саблин, будет решать, как ею распорядиться.

— Она пока не знает ничего, — невозмутимо сообщил он матери. — Но я думаю, она будет только рада. Даже, вероятно, счастлива. Квартира маленькая, хоть и двухкомнатная, повернуться и так негде, нас там трое взрослых и ребенок, я здоровенный, места много занимаю, меня кормить надо, обстирывать, гладить мои сорочки и брюки, мыть за мной посуду. Ей без меня будет только легче. А я буду присылать деньги, как можно больше. Буду во всем себя ограничивать, копейки лишней на себя не потрачу, чтобы ей и Дашке побольше досталось.

Юлия Анисимовна неодобрительно покачала головой и поджала губы.

— Ты не прав, Сережа. Конечно, ты сделаешь так, как считаешь нужным, ты всю жизнь делаешь только так, но мне это не нравится. Так нельзя поступать с женой. Какой бы она ни была.

— Мама! — он предостерегающе повысил голос. — Мы с тобой договаривались. Ты мне сама пообещала, что не будешь обсуждать мою личную жизнь.

— А я не обсуждаю твою личную жизнь, — возразила мать. — Я обсуждаю поведение отца моей внучки по отношению к ее матери. Ты должен понимать, что мне это не безразлично. Впрочем, делай, как знаешь, тут я тебе не указ, ты меня все равно не послушаешь. А Оля?

— Что — Оля?

— Ты ей сказал о своем решении?

— Нет. Скажу потом, когда все документы оформлю, это долгая песня, ты же знаешь, для Заполярья установлены особые процедуры перевода на работу и переезда. Вот когда все будет решено и согласовано, когда все бумаги будут у меня на руках, тогда и скажу.

Юлия Анисимовна смотрела на сына с презрением и жалостью. Потом удрученно покачала головой и вздохнула.

— Знаешь, сынок, ты уж меня прости, но иногда мне кажется, что я вырастила идиота.

Она еще долго объясняла Сергею, насколько он неправ, и что нужно немедленно поставить Ольгу в известность о предстоящем отъезде из Москвы, и нужно дать ей возможность подумать и осознанно принять решение: ехать с ним в Северогорск или оставаться дома. Он слушал мать вполуха, все время вспоминая руку Ольги с дорогим сапфировым кольцом на пальце. Кто его купил? Кто подарил его Оле? Поклонник? Другой любовник? Потенциальный жених? Кто? И как он может предлагать ей поехать с ним, если ничего не может дать ей, кроме статуса любовницы, в протокольной форме именуемой «сожительницей»? А тот, другой, вполне возможно, даст ей все, что нужно тридцатилетней женщине: брак, семью, ребенка, статус, достаток. Вот кольцо же дал, значит, и все остальное может дать. Сергей представил себе, как предлагает Ольге уехать и как она отвечает: «Ты с ума сошел! Я через месяц замуж выхожу и уезжаю с мужем на постоянное жительство в Европу. А ты меня зовешь в какую-то тьмутаракань, где ничего не растет и выживают только олени». И смотрит на него с презрением и жалостью. Точно так же, как сейчас смотрела на него мать. Нет, этого он не вынесет. Лучше он промолчит, пока ничего говорить ей не будет, а потом просто придет попрощаться.

* * *

Реакция Лены оказалась в точности такой, как Сергей и предполагал. Сначала она попыталась возмущаться и негодовать, но очень быстро сообразила, что выгод и удобств в том, чтобы иметь хорошо зарабатывающего, но живущего вдалеке мужа, намного больше, чем недостатков. Она моментально приняла сторону Сергея и стала активно предлагать свою помощь в подготовке его отъезда.

— Ты подумай, может, тебе купить что-нибудь нужно, из одежды, например? — говорила она почти каждый день. — Там же холодно, морозы страшенные, я узнавала, там зимой минус пятьдесят бывает, а у тебя нет ничего теплого для такой погоды. Давай поедем по магазинам и купим все, что тебе нужно.

Его замечания о том, что это выйдет слишком дорого, каждый раз встречали веселые возражения Лены:

— Ну и что? Ты же скоро уедешь, начнешь получать большую зарплату и нам присылать.

Она постоянно обсуждала с матерью перемены, которые предполагала произвести в квартире в связи с тем, что Сергей здесь жить уже не будет. Он чувствовал себя в собственном доме существом, которое никому не нужно, всем мешает и которого раньше времени похоронили.

Он набрался мужества и поговорил с Ольгой. Сам для себя решил, что сначала спросит про кольцо. А уж в зависимости от ответа построит дальнейший разговор. Если у него появятся основания полагать, что кольцо — подарок другого мужчины, строящего в отношении Ольги вполне определенные планы, он ей вообще ничего не скажет, а просто приедет попрощаться накануне отъезда, как и собирался.

— Это подарок, — спокойно улыбнулась Ольга в ответ на его вопрос о кольце.

— Чей? — требовательно и зло спросил Сергей.

— Мама с папой подарили на тридцать лет. Ты ведь помнишь, я его увидела в магазине, когда мы были с тобой вместе. Сказала маме, она посоветовалась с папой, и они сделали мне подарок ко дню рождения.

— А ты мне ничего не сказала, — упрекнул ее Сергей. — Получила такое кольцо — и молчала. Наверное, специально не надевала его, когда я приходил. Если бы я тогда не заявился к тебе без предупреждения, я бы о нем и не узнал. Почему, Оль? Что ты пытаешься от меня скрыть?

— Ой, Саблин, Саблин, — она покачала головой и поцеловала его в висок. — Ты, несмотря на весь свой мощный интеллект, иногда бываешь невероятно тупым.

— Почему это? — обиделся он.

— Да потому, что тебе такой подарок не по карману. А ты очень хотел бы иметь возможность купить для меня это кольцо. Я же видела по твоему лицу еще там, в магазине, как тебе было тошно от того, что у тебя нет денег и ты не можешь сделать мне подарок. И я подумала, что если скажу тебе про кольцо, ты почувствуешь себя униженным. Я просто хотела поберечь тебя.

— Правда? — просиял Сергей. — Только поэтому?

— Только поэтому, — твердо повторила Ольга. — А ты что подумал? Что у меня образовался богатенький любовничек? Или что я беру взятки от врачей-клиницистов, чтобы давать «правильные» заключения, покрывающие их врачебные ошибки? Дурак ты, Саблин. Совершенно непонятно, почему я, красивая и умная женщина, тебя люблю. Наверное, потому, что сама на самом деле не особенно умная.

Ему стало легче. Рассказ про Чумичева и его предложение занял всего несколько минут.

— Ты поедешь со мной?

Ольга помолчала, что-то обдумывая.

— Как ты предполагаешь, где я буду жить? — спросила она наконец. — Отдельно? Или вместе с тобой?

— Я хочу, чтобы ты жила со мной, — без колебаний ответил он. И, желая быть честным до конца, добавил: — Но в качестве гражданской жены. С Леной я не разведусь.

Она еще немного подумала и ответила с улыбкой:

— Я поеду.

* * *

Но прошло еще долгих пять месяцев, пока утрясались все вопросы и формальности. И только в конце мая Сергей купил билет на самолет до Северогорска на 10 июня. Все окончательно и бесповоротно решено, пути назад нет.

Последние дни перед отъездом он посвятил не только сборам, но и встречам с теми, с кем хотел попрощаться. В числе запланированных с этой целью визитов был и визит к старшему брату матери Василию Анисимовичу Бирюкову, дяде Васе, владельцу вожделенного «Зауэра». Василий Анисимович отметил в этом году семидесятилетие. Он давно уже находился в отставке, но вел жизнь активную и энергичную, читал лекции, писал мемуары, давал интервью, в которых рассказывал о некоторых ставших в период перестройки «открытыми» аспектах своей профессиональной деятельности военного разведчика и вообще не скучал.

Переезд племянника в Заполярье Василий Анисимович горячо одобрил, сказав, что просиживание штанов в столице — занятие не мужское. Сергей поболтал с дядей Васей, не отказал себе в удовольствии подержать в руках ружье, погладил приклад и стволы. Детством пахнет... Когда еще удастся взять это ружье в руки, прижать лицо к дульному срезу и вдохнуть такой знакомый и волнующий запах... Откуда этому запаху было взяться? Василий Анисимович из «Зауэра» не стрелял уже лет, наверное, тридцать, если не больше. Но Сергей помнил, что в раннем детстве слышал этот запах, и он чудился ему до сих пор.

Под конец, уже стоя в прихожей, он решился-таки спросить о том, что волновало его уже много лет.

— Дядя Вася, из-за чего ты с тетей Нютой поссорился? Почему вы сорок лет не разговаривали? Я у мамы спрашивал, но она мне не сказала. Может, поделишься?

Василий Анисимович ничего не ответил, только стоял и молча смотрел на племянника. И глаза у него постепенно становились светлыми и ледяными. Волчьими. Глазами деда Анисима.

* * *

Вот оно, мое место. Оно стало МОИМ с того самого дня, когда я впервые ПОНЯЛ. ПОЧУВСТВОВАЛ. ОСОЗНАЛ. И СДЕЛАЛ. До сих пор я отчетливо помню тот сладостный восторг, то ощущение всемогущества, которое позволило мне стать богом, управляющим всеми живущими по своему разумению. Я помню все до самой мельчайшей детали, до самого короткого мига, хотя с тех пор прошло шесть лет.

В тот день я разрушил муравейник. В тот день я впервые испытал упоение властью над чужим миром, пусть всего лишь муравьиным, таким мелким и смешным в масштабах человеческого существования, но все равно это был мир, настоящий целый мир со своими законами, правилами и, что самое главное, со своими жизнями.

Конечно, это место я стал считать своим не сразу, не в тот же день, я для таких символичных действий был еще слишком мал. После муравьиного мира последовали глупые примитивные миры собак и кошек с их глупыми примитивными мыслишками о пропитании и тепле.

А потом я рассказал об этом Учителю.

И Учитель в ответ подарил мне стихи. Нет, он не сам их написал, их сочинил один известный поэт, но я их в то время не знал, а Учитель подарил мне знание о великих, исполненных глубокого смысла строках:

У каждого — свой тайный личный мир.
Есть в этом мире самый лучший миг.
Есть в этом мире самый страшный час,
но это всё неведомо для нас.
И если умирает человек,
с ним умирает первый его снег,
и первый поцелуй, и первый бой...
Всё это забирает он с собой.
Таков закон безжалостной игры.
Не люди умирают, а миры.

Учителя больше нет со мной, но теперь я прихожу на это место, где когда-то разрушил муравейник, и мысленно разговариваю с ним. Мне кажется, что его душа поселилась здесь, в ветках дерева, под которым прилепилась муравьиная куча. В этом месте для меня находится могила Учителя. Лет до четырнадцати я еще носился с мыслью о том, что он — мой отец, не получая ни подтверждения своей догадки, ни ее опровержения. Теперь я думаю, что мне просто очень этого хотелось. Хотелось иметь отца. А теперь не хочется. Он мне не нужен. И мать не нужна. Если бы было можно, я бы жил один, без нее. Мне не нужны поучения и советы, мне не нужна дурацкая забота и опека, я взрослый и могу сам о себе позаботиться. Я сам знаю, что правильно, а что неправильно. А отцы и матери — это никому не нужная ветошь, балласт на быстро плывущем корабле молодой, полной сил жизни.

Иногда я приношу сюда какую-нибудь мелочь, оставшуюся от разрушенного мной простенького, незатейливого мирка: ошейник, клок шерсти, птичье перо, пустую упаковку от таблеток или химиката, любую ерунду, которая так или иначе связана с совершенным мною актом разрушения. Иногда прихожу без всякой цели, просто потому, что гулял неподалеку. Но я прихожу сюда всегда, когда мне хочется подумать о чужих мирах и своей власти над ними.

Я сижу под деревом, закрыв глаза, и повторяю мысленно: «Не люди умирают, а миры...» Это значит, что можно уничтожить целый огромный мир, неповторимый, уникальный, единственный в своем роде. И сделать это не так уж сложно.

Для этого достаточно всего лишь...

Да. Спасибо, Учитель. Тебя давно нет со мной, но ты успел научить меня главному.

Конец первого тома

ОБОРВАННЫЕ НИТИ

ТОМ ВТОРОЙ

(Отрывок)

ЧАСТЬ ТРЕТЬЯ

ГЛАВА 1

В ночь перед отъездом Сергей не спал. В голове постоянно крутились опасливые мысли: все ли сделал, что необходимо, со всеми ли поговорил, не забыл ли что-то сказать, о чем-то предупредить, все ли взял с собой. Он периодически забывался дремой, но тут же тревога будила и заставляла вновь и вновь перебирать вопросы и искать ответы на них.

В конце концов он встал тихонько, чтобы не разбудить Лену, и вышел на кухню. Чем так мучиться, лучше почитать или посидеть молча, собираясь с мыслями. В самолете доспит, до Северогорска лететь четыре часа, вполне достаточно, чтобы отдохнуть.

Но доспать в самолете не получилось. Четыре передних ряда оказались заняты двенадцатью пассажирами, все остальные места были завалены продуктами — в коробках, мешках и крупноячеистых сетках. Рядом с Сергеем устроился крепкий коротко стриженный мужичок с веселыми глазами и усами, которые задорно топорщились над верхней губой. Мужичок оглядел остальных пассажиров, обнаружил среди них кого-то из знакомых и тут же принялся переговариваться с ним в полный голос через два ряда. Сергей так и не понял, почему он не пересел, если уж так хотел поговорить: рядом с его знакомым было свободное место.

Когда самолет мчался по взлетной полосе, Саблин, глядя в окно, пытался понять, что же он чувствует. Тоску, неизбежную при разлуке с чем-то привычным и давно ставшим родным? Облегчение от того, что хотя бы часть проблем остается здесь, и на новом месте их уже не будет? Равнодушие космополита? В голове крутились строки любимого поэта Саши Черного:

> Сжечь корабли и впереди, и сзади,
> Лечь на кровать, не глядя ни на что,
> Уснуть без снов и, любопытства ради
> Проснуться лет чрез сто...

Вот именно, сжечь корабли и впереди, и сзади. Пожалуй, эти слова наиболее точно передавали его состояние. Он не увидит в ближайшее время этот город и этих людей, не будет дышать этим воздухом, а когда вернется, все будет здесь иначе. Не может не быть. Потому что все меняется, в лучшую ли сторону, в худшую ли, но обязательно меняется, на месте не стоит. Интересно, как оно будет через... Через сколько лет? Когда он снова окажется в Москве? Через шесть месяцев, когда подойдет время отпуска? «Проснуться лет чрез сто...» Очень точно сказано, как раз про него, про Сергея Саблина. Возвращаться сюда раньше, чем лет через сто, ему наверняка не захочется. Так только, полюбопытствовать, что же там происходит, пока его нет.

На этой мысли он остановился и прикрыл глаза, собираясь уснуть, однако разговорчивый сосед вовсе не намеревался упускать возможность скоротать время полета приятельской болтовней. Он начал задавать Сергею обычные в таких случаях вопросы и, узнав, что Саблин никогда не был в Северогорске и летит туда, чтобы работать судмедэкспертом, тут же оживился и вызвался просветить попутчика.

— Наш город еще Сталин начал строить, — оживленно рассказывал он, — по его замыслу на Крайнем Севере нужно было построить большой город как промежуточный пункт Северного Морского пути. Город-то построить успели, тем более месторождения и металлообработка там уже были, надо было только в божеский вид все это привести, чтобы перед заграницей форс держать, ну, дома там построить получше, больницы, школы, дороги и все такое. Так вот, город построили, а с железной дорогой обломались, не успели до смерти Сталина, а после его смерти уже и амнистия, и реабилитация, короче говоря, вся рабочая сила, на которую ставку делали, по домам разъехалась. А город-то куда девать? Он же стоит. Ему жить нужно. Так и живет наш Северогорск до сих пор: далеко в стороне от крупных транспортных артерий, до областного центра два часа лететь, до Норильска — почти час. И то летом. А зимой как начинают вылеты задерживать, так вообще никогда не знаешь, сколько времени на дорогу уйдет, можно в аэропорту до трех суток пропариться. Поезда к нам не ходят вообще никакие, только самолет летает. Ну, или пешком, если сильно храбрый или совсем дурной. Железнодорожную ветку все-таки удалось построить после смерти Сталина, но совсем коротенькую, по ней продукция наших заводов транспортируется в речной порт, а оттуда уже Северным Морским путем на огромных баржах и лихтерах доставляется в Архангельск.

Собеседник Сергея оказался работником крупного комбината «Полярная звезда», состоящего из трех огромных заводов и имеющего множество дочерних предприятий. Именно на этом комбинате, как помнил Саблин, и трудился его одноклассник Петя Чумичев.

— Петр Андреич? — В голосе словоохотливого северогорца зазвучало уважение. — Ну а как же, он у нас на комбинате руководит управлением социальных программ. Наши комбинатские на него буквально молятся, душа-человек, обо всех подумает, обо всем побеспокоится. Он знаешь какие «похоронные» установил? Мы горя не знаем!

Саблину, в принципе когда-то знавшему еще из школьного курса географии, что за Полярным кругом царит вечная мерзлота, даже в голову не приходило, что с этим обстоятельством напрямую связана невозможность хоронить умерших в землю на кладбищах. То есть это, разумеется, возможно, но очень и очень трудно, поэтому кладбище в Северогорске было, но очень маленькое, только для тех немногочисленных жителей города, которые не имеют семей на Большой земле или, как принято было выражаться, на материке. Всех остальных покойников отправляли в цинковых гробах туда, куда по окончании контракта вернутся их родные и будут ухаживать за могилами. И вот на транспортировку печальных грузов управление социальных программ выплачивало специальную дотацию работникам комбината, так называемые «похоронные», которые были достаточно велики, чтобы полностью и достойно решить проблему. При прежнем руководстве, состоявшем из бывших «советских» директоров и партийной верхушки города, приватизировавших комбинат, финансовые проблемы не прекращались, объемы добычи руды и производственные мощности сокращать боялись, а готовую продукцию вывозить стало не на чем и некуда — реализация «встала». Руководство и комбината, и города пыталось как-то решить вопрос в Москве, но безуспешно. Реализации готовой продукции как не было — так и не было, а без нее нет зарплаты.

Нет зарплаты — нет денег на самолет, чтобы не то что родных где-то там навестить или в отпуск на юг слетать, а даже просто уехать из Северогорска к чертовой матери. Не хочет человек здесь жить, нет работы, нет зарплаты, собирается вернуться на материк, а билет купить не на что. Вот так и жили. А потом пришли новые хозяева, перекупившие комбинат у прежних, утративших надежды на благополучное разрешение трудностей. Молодые, образованные, энергичные бизнесмены из Москвы и Питера быстро решили все вопросы, поставили всю организацию производственного процесса и сбыта на новые рельсы, разработали эффективную кадровую и социальную политику, и комбинат быстро восстановил, а потом и превзошел свои прежние позиции. Зарплаты выросли в разы, а налоговые отчисления в городскую казну позволяли поддерживать на должном уровне всю бюджетную сферу города Северогорска.

«Пожалуй, Чума не преувеличивал насчет высокой зарплаты, — думал Сергей, слушая попутчика. — Вот только фразу он кинул нехорошую по поводу того, что нынешний начальник Бюро слишком жаден, когда дело касается производственных травм. Если перевести на русский язык, это означает, что в случаях травмы на производстве комбинат заинтересован в совершенно определенных выводах судебно-медицинской экспертизы, и для того, чтобы эти «правильные» выводы обеспечить, начальник Бюро просит слишком большие взятки. А что будет, если мне и в самом деле удастся дорасти до начальника Бюро? Взятки будут давать уже мне? Или иным каким способом давить? И кто именно? Чуму пришлют на переговоры или силовиков подключат? Мама ведь что-то говорила на этот счет, но мне так хотелось уехать...»

Он попытался провентилировать тему с соседом, но едва речь зашла о травматизме на производстве, тот ловко ушел от ответа и заговорил о том, как трудно привыкать к заполярному климату, к полярному дню и полярной ночи, к перепадам давления, к тому, что все время хочется спать: в полярную ночь из-за постоянной темноты, не дающей взбодриться, в полярный день — из-за постоянного света, который не дает толком выспаться.

Самолет пошел на посадку, стюардесса объявила, что температура воздуха в Северогорске — плюс 14 градусов. Северное лето. Небо было чистым и ярким, светило ослепительное солнце. Сергей посмотрел на часы — половина одиннадцатого. Естественно, вечера. Чума говорил, что поясная разница с Москвой — плюс три часа. Значит, здесь половина второго ночи? Ничего себе! Действительно, одно дело знать про то, что есть такая штука — полярный день, и совсем другое дело столкнуться с этим воочию. Почему-то Сергей даже не предполагал, что все выглядит именно так, он думал, что полярный день — это что-то вроде белых ночей, которыми он наслаждался в Санкт-Петербурге, уехав туда с друзьями по институту после окончания третьего курса и проведя в Северной столице две недели, наполненные весельем, пивом, девушками и, разумеется, долгими ночными прогулками.

Полярный день совсем не был похож на белые ночи. Ну просто ничего общего.

Выйдя из самолета, он с изумлением увидел по периметру летного поля стену серого слежавшегося снега высотой метра три, а то и четыре. Что это? Лето ведь! Четырнадцать градусов выше нуля!

Разговорчивый попутчик, шедший по трапу следом за Сергеем, усмехнулся.

— Это еще ладно, подтаяло уже, а было метров восемь, когда я в Москву улетал.

Ждать багаж пришлось долго, несмотря на то что аэропорт был совсем небольшим. Сергей начал уже злиться и кипятиться, когда лента транспортера, наконец, задвигалась с надсадным жужжанием и принялась выплевывать из нутра грузового отсека сумки, чемоданы и баулы. Схватив свой чемодан, Саблин вышел на площадь. Его должны были встречать.

Встречающий, немолодой кряжистый водитель с огромной плешью и покрытыми седоватой щетиной щеками, помог уложить увесистый чемодан в багажник.

— Я вас сейчас в общагу отвезу, вам там отдельную комнату выделили временно, а утром заеду за вами, и поедем в Бюро, а то вы сами не найдете, — сообщил он скрипучим голосом, выдававшим застарелый ларингит.

— А что, так трудно найти Бюро? — удивился Сергей.

В принципе он вовсе не был против того, чтобы его отвезли на машине, но удивила сама постановка вопроса. Все-таки Северогорск — город относительно молодой, ему не больше шестидесяти лет, а то и меньше, значит, строился он по более или менее современному плану, а не разрастался стихийно в ходе исторических перипетий, как Москва. В таком городе топографических проблем быть, по идее, не должно.

— Найти не трудно, — загадочно усмехнулся водитель, — а вот добраться нелегко. Бюро у нас стоит на самой окраине, почти за городской чертой, туда только на автобусе можно доехать, но нужно знать расписание, а то он ходит раз в час. Вовремя не успел — опоздание гарантированно, или частника ловить, деньги тратить. А опаздывать вам никак нельзя.

— Это почему? — заинтересовался Сергей. — В Бюро так строго с дисциплиной? И даже для нового сотрудника в первый день поблажки не будет?

Водитель буркнул себе под нос что-то невнятное и завел двигатель черной «Волги». Сергей с любопытством смотрел в окно, разглядывая тянущуюся справа и слева от дороги бурую равнину, покрытую невысокими холмиками, с немногочисленными белыми пятнами. Сергей даже не сразу догадался, что это нерастаявший снег. Постепенно равнина стала сменяться промышленным пейзажем, появились постройки, указатели с загадочными аббревиатурами, кучи ржавого железа. Показались огромные буро-красные кирпичные корпуса какого-то завода с десятками труб разной высоты, из которых валил густой плотный белый дым. В нос ударил потянувшийся из открытого окна незнакомый резкий запах. Сергей закашлялся, водитель чертыхнулся и быстро закрыл окно.

— Чем это пахнет? — спросил Саблин.

— Завод, — коротко и неопределенно ответил молчун-водитель, который за все время, пока ехали от аэропорта, не произнес ни слова. — У нас все заводы такие.

Через короткое время проехали еще один завод, в точности напоминавший тот, первый. Над озером, на берегу которого стояли корпуса, поднимался то ли дым, то ли пар. «Ничего себе экологическая обстановка, — обескураженно подумал Сергей. — Мало того, что постоянно спать хочется и климат тяжелый, так еще и экология... Теперь понятно, за что платят «северные» надбавки и почему здесь мало кто живет постоянно. Долго здесь не выживешь».

Дорога до общежития, где Сергею предстояло обретаться первое время, заняла минут двадцать пять. Город показался ему самым обычным, с точно такими же домами, как и всюду, — пяти- и девятиэтажными. Единственное, что отличало Северогорск от множества других городов такого же возраста, это деревья — немногочисленные, низкие, кривые, какие-то уродливые. «Недоношенные», — с усмешкой подумал Саблин.

Комната в общежитии, вопреки ожиданиям, оказалась весьма приличной, рассчитанной на четверых, с двумя окнами и большим столом посередине.

— Если хотите, стол можете к стене подвинуть, — сказала милая дама-комендант, показывая Сергею его новые владения, — когда четверо живут, тогда стол должен посередине стоять, чтобы все сесть могли, а вы-то один, вам и у стены хорошо будет. Две коечки из четырех мы пока вынесли, чтобы они вам не мешали, а две оставили.

— Но я ведь один, — улыбнулся Сергей. — Можно было и третью койку убрать.

— Ну как же, — заулыбалась комендант, — а вдруг к вам жена приедет? Коечки у нас тут узкие, вам вдвоем тесно будет, вон вы какой... Мужчина в теле. Вы устраивайтесь, а если что — обращайтесь, моя комната в конце коридора. Кухню вы видели, посуда должна быть своя, у нас общежитской нету, кастрюльки там, сковородки, тарелки — это все ваше. А если чайку горячего прямо сейчас хотите — я принесу.

Он ничего не хотел, кроме одного: выспаться. Три часа ночи. Водитель приедет за ним за двадцать минут до начала рабочего дня. На сон оставалось совсем немного.

Он поблагодарил милую хозяйку общежития, вытащил из чемодана несессер, быстро принял душ и почистил зубы в одной из двух душевых, расположенных на этаже, и рухнул в постель.

Ему ничего не снилось.

* * *

Водитель, имени которого Сергей так накануне и не узнал, подъехал за ним к общежитию за двадцать минут до начала рабочего дня. Через четверть часа, проехав по городу, они оказались перед стоящим на отшибе двухэтажным зданием, выкрашенным в желтый цвет. Вокруг не было никаких жилых домов, и открывался унылый безрадостный вид на все ту же буро-коричневую равнину. Вдали сверкали нерастаявшим снегом вершины высоких обрывистых гор.

Водитель молча вышел из машины и направился к входной двери, Сергей так же молча последовал за ним. Все здесь было непохоже на Московское Бюро судебно-медицинской экспертизы. В Москве рядом с моргом всегда было много людей, как родственников умерших, так и похоронных агентов, а также тех, кто торговал ритуальной атрибутикой и принимал заказы на временные таблички, устанавливаемые на могилах до того момента, как пройдет положенное время и можно будет ставить памятник. В Северогорске ничего этого не было, и Сергей вспомнил, что здесь почти не хоронят, это ему объяснял разговорчивый сосед в самолете.

В фойе на первом этаже было тихо, в углу пожилой священник разговаривал с санитаром в зеленой санитарской униформе. Водитель повел Сергея вдоль коридора мимо открытой двери, заглянув в которую Саблин увидел секционную и притормозил, с любопытством вглядываясь. Здесь ему придется работать, не сразу, конечно, ведь его пока что берут в отделение судебно-гистологической экспертизы, но он все равно будет просить отписывать ему вскрытия, а со временем, как и в Москве, перейдет в отделение экспертизы трупов.

Водитель, ушедший вперед, остановился, обернулся и, не увидев Саблина рядом, вернулся.

— Я осмотрюсь? — полувопросительно произнес Сергей.

Тот молча кивнул и отошел к противоположной стене коридора, подальше от двери. По его теперь уже выбритому, но все равно хмурому лицу было заметно, что близость к секционным столам его совершенно не вдохновляет. Сергей вошел внутрь. Всё, как обычно. Два стола, две раковины, шланги для смыва, вдоль одной стены длинный стол, на котором лежат специальные валики, используемые для того, чтобы приподнять шею трупа, вдоль другой стены — стол обычного размера со стулом: место медрегистратора, печатающего на машинке протокол. Шкаф. Еще один шкаф.

— Сергей Михайлович, — донесся из коридора голос водителя, — время уже. Пойдемте, а?

Да что они тут носятся с этим временем! Как будто самолет улетает и ждать не будет. Сергей недовольно пожал плечами и вышел из секционной. «Я скоро вернусь», — пообещал он мысленно то ли самому себе, то ли помещению, в котором начинался долгий путь к ответу на вопрос: отчего человек умер.

Поднявшись на второй этаж, они прошли несколько шагов и оказались перед дверью с табличкой «Начальник Бюро судебно-медицинской экспертизы ДВОЯК Г.С.». Войдя в приемную, Сергей увидел совсем молоденькую девушку в белом халате, почти девочку. Она с деловым видом сидела за заваленным бумагами письменным столом, из-за которого ее почти не было видно. Над кареткой электрической пишущей машинки торчала только голова с короткой мальчишеской стрижкой и длинной, падающей на глаза челкой. Волосы были рыжевато-каштановые, не очень естественного цвета, сразу видно, что крашеные. «Вот на фига в ее-то годы красить волосы», — мелькнуло в голове у Сергея.

— Света, вот, доставил, — водитель с облегчением перевел дух. — Я не виноват, у меня все вовремя было.

Смысл сказанного до Сергея не дошел. Малышка по имени Света выпорхнула из-за стола и метнулась мимо Саблина к двери в начальственный кабинет, успев бросить на ходу:

— Вам не повезло. Держитесь.

Открыв дверь начальника, она заглянула и доложила:

— Георгий Степанович, новый гистолог прибыл. Пригласить?

После чего распахнула дверь перед Сергеем. Он еще не успел войти, как из кабинета донеслось:

— Сеня здесь? Пусть не уходит никуда, через десять минут в мэрию поедем!

«Значит, молчаливого водителя зовут Семеном», — сделал вывод Сергей и вошел в кабинет начальника Городского Бюро СМЭ.

Георгий Степанович Двояк был высоким болезненно худым мужчиной за пятьдесят с лицом, изборожденным глубокими мимическими морщинами. Было видно, что еще лет десять назад он был необыкновенно красив, и точно так же ясно виден был отпечаток интенсивной алкоголизации. Даже если бы Петя Чумичев не сказал ни слова об этом, Сергей все равно понял бы, что перед ним сильно пьющий человек.

Начальник Бюро вышел из-за стола и протянул Сергею руку.

— Рад, рад, наконец-то, а то у нас с гистологией большие проблемы. Наслышан о вас, вас очень хорошо рекомендовали... .

«Интересно, кто? — с усмешкой подумал Саблин. — Уж точно не Куприян и не начальник Бюро в Москве. Петька Чума, что ли?»

— Поэтому я приложил максимум усилий, чтобы организовать ваш перевод к нам, квартиру для вас выбил. Надеюсь, вы меня не разочаруете.

Эти слова подействовали на Сергея, как хлыст на строптивого скакуна. «Началось. В чем я должен его не разочаровать? В том, что буду писать нужные ему заключения, за которые он потом будет получать щедрое вознаграждение? Видно, Петька сказал, что я толковый, вменяемый и со мной можно договориться. Ну, погоди, Чума, я с тобой еще разберусь!»

Однако оказалось, что Георгий Степанович Двояк имел в виду совсем другое.

— Вскрывать можете?

— Могу, — кивнул Сергей с готовностью. — Я три года проработал в отделении экспертизы трупов.

— Отлично! — Двояк обрадованно потер руки. — А живых смотреть? На «живом» приеме работал?

— Нет, — признался Саблин. — Только в гистологии и танатологии.

Начальник Бюро как-то вдруг перешел на «ты», и Сергей понял, что ему так привычнее, он из тех руководителей, которые «тыкают» всем, кто ниже по должности, а его вежливость на протяжении нескольких первых минут была натужной и искусственной.

— Вот это жаль, — огорченно произнес Двояк. — На «живых» опять катастрофа, людей нет, а у нас лето — самое время для «живого» приема, светло круглые сутки, соответственно, и народ днем и ночью на улицах. То мордобой, то поножовщина, то пьяную бабу изнасилуют... Ладно, будем думать. Теперь так, Сергей Петрович: то, что произошло сегодня, должно быть в последний раз. Ты меня понял?

— Нет, — ответил Сергей с искренним недоумением.

Он хотел было добавить, что его отчество «Михайлович», а никак не «Петрович», но промолчал. Очень уж интересно было узнать, что же такое произошло сегодня и не должно повторяться впредь.

— Ты опоздал на работу в Бюро на семь минут. У меня тут опоздания не допускаются. У меня дисциплина железная. Первое опоздание хотя бы на минуту — устное замечание, после второго — выговор, после третьего увольнение. И я не посмотрю, что ты москвич и тебя к нам по большому блату пропихнули, выгоню в пять секунд. То же самое касается ухода с рабочего места до окончания рабочего дня. Ты меня понял, Сергей Петрович?

Сергею стало смешно. Чумичев рассказывал, что начальник Северогорского Бюро регулярно выпивает прямо на рабочем месте и к концу дня частенько лыка не вяжет. И он еще пытается говорить что-то о железной дисциплине?

— Михайлович, — с веселой мстительностью бросил он.

— Что?

Брови Георгия Степановича зашевелились, отражая усиленную работу мысли, и следом за бровями задвигались морщины на когда-то привлекательном лице.

— Меня зовут Сергеем Михайловичем, а не Сергеем Петровичем, — спокойно пояснил Саблин.

Лицо Двояка медленно наливалось тяжелой малиновой краской, на носу явственно проступили сизые прожилки. Теперь все выпитые им литры крепких спиртных напитков стали видны невооруженным глазом. Несколько секунд он неподвижным взглядом смотрел на Сергея, потом заорал:

— Света!!!

Сергей вздрогнул от неожиданности и обернулся на дверь, которая немедленно распахнулась. Рыжеволосая малышка стояла в проеме, не переступая порога, и он отметил, что, несмотря на зычный голос руководителя Бюро, девушка отнюдь не выглядела испуганной.

— Слушаю, Георгий Степанович.

— Почему ты мне неправильно доложила имя и отчество доктора?! — кричал Двояк. — Я для чего плачу тебе полставки кадровика? Чтобы ты документы путала? Доктора зовут Сергеем Михайловичем, а ты мне написала, что он Петрович. Все, хватит, надоело! Твоя расхлябанность меня достала! С завтрашнего дня идешь работать в морг! Я никому не спускаю с рук нарушение трудовой дисциплины! И халатности не прощаю!

Глаза девушки, полуприкрытые длинной рыжей челкой, постепенно становились холодными и какими-то узкими, словно она от усталости опускала веки.

— Георгий Степанович, документы доктора Саблина я положила вам на стол еще вчера после обеда, — сдержанно проговорила Света. — И там все написано правильно. Саблин Сергей Михайлович.

— Где?! — еще громче заорал Двояк. — Где эти документы?! У меня на столе ничего нет! Ты ничего мне не давала! Ты мне просто сказала, что имя нового эксперта — Сергей Петрович. Слышишь? Петрович! Я это совершенно точно помню.

На лице Светланы отразилась непереносимая скука, словно эта сцена повторялась изо дня в день и успела девушке изрядно надоесть.

— Я положила вам документы Сергея Михайлович Саблина на стол вчера в тринадцать сорок, у меня это зафиксировано в контрольной карточке, которую вы же сами выставили на прохождение приказа о назначении доктора Саблина, — отчеканила она ровным голосом. — Если позволите, я подойду к вашему столу и покажу, где лежат бумаги. Мне их отсюда очень хорошо видно.

«Сколько ей лет? — подумал Сергей, старательно пряча улыбку. — Семнадцать? Девятнадцать? Тоненькая, маленькая, совсем девочка, даже под халатом угадывается детская фигурка с неразвитыми бедрами и грудью, а как держится! Ни один мускул не дрогнул. Похоже, она совсем не боится начальника. Впрочем, она вполне может быть его дочерью или любовницей. Или племянницей какой-нибудь. Поэтому знает, что как бы он ни орал — ничего не будет. Остынет и забудет, но не уволит и не переведет на работу в морг».

Слова Светы сыграли роль детонатора: Двояк взорвался. Теперь голос его гремел так, что, казалось, занавески на плотно закрытых окнах шевелятся.

— Ты что хочешь сказать? Что я не умею читать документы? Что я не в состоянии запомнить то, что в них написано? Или ты, может, думаешь, что у меня память отшибло, и я не помню, какие документы ты мне подавала, а какие — нет? Вон отсюда!!!

Света молча повернулась и вышла, аккуратно притворив за собой дверь.

— Вот так и воюем, — ворчливо прокомментировал Георгий Степанович. — Не наорешь — толку не добьешься. Ну что за народ! Только окрик понимают, только кнутом можно с ними справиться, по-хорошему уже ни с кем не сладишь. Ладно, я поехал в администрацию, Света покажет тебе Бюро, познакомит со всеми, осваивайся, с сегодняшнего дня тебе начнут отписывать экспертизы. Беру тебя исполняющим обязанности заведующего отделением гистологии, завгистологией у нас в декрете, уж не знаю, вернется к нам или нет, но пока декрет — я ее уволить не могу, и тебя назначить заведующим тоже не могу, так что побудешь пока И.О., а там посмотрим, как себя покажешь. Лаборантки у нас молодые, красивые, так что не вздумай там... Они у меня все замужем.

Сергей хотел было возразить, что он вообще-то тоже не свободен и ни о каких таких «там» не помышляет, но не успел ничего сказать: Георгий Степанович схватил со стола потертую кожаную папку и вышел, не попрощавшись. Сергей, оставшись в кабинете начальника один, растерянно огляделся и направился в приемную. Рыжая Света, завесившись длинной челкой, как вуалеткой, что-то с необыкновенной скоростью печатала на машинке. «Во дает! — невольно восхитился Саблин. — Печатает не хуже нашей Клавдии Осиповны, даже, кажется, быстрее, а ведь баба Клава в медрегистраторах больше сорока лет проходила».

— У вас из-за меня неприятности? — спросил он, любуясь ловкими тонкими пальчиками девушки-девочки, порхавшими по клавиатуре. — Вас действительно могут перевести на работу в морг?

Челка взметнулась вверх, стрекот машинки замер, на Сергея глянули изумрудно-зеленые строгие глаза. И эти глаза отчего-то показались ему усталыми.

— Не обращайте внимания, Сергей Михайлович, — тихо произнесла она. — Меня тут каждый день то увольняют, то в регистратуру морга переводят, то еще чем-нибудь грозят, например, под суд отдать.

— Под суд? — изумился Сергей. — За что? За какую провинность можно отдать под суд секретаря начальника Бюро СМЭ?

Светлана пожала худенькими плечиками:

— За утрату документов. У нас же документы из уголовных дел, это секретный документооборот. И я к тому же еще и кадровик по совместительству, так что сами понимаете. Есть и что потерять, и за что под суд пойти.

— Как же вы терпите такое обращение? Я бы не смог, если бы на меня каждый день так кричали. Да еще несправедливо.

— Привыкнете, — усмехнулась Светлана. — Все привыкают. Пойдемте, я вам все покажу.

Первым делом Сергей попросил отвести его в танатологию — отделение экспертизы трупов. Завотделением Изабелла Савельевна Сумарокова встретила их, сидя в глубоком изрядно покосившемся кресле с порванной кое-где обивкой. В руке ее дымилась сигарета какого-то крепкого сорта, во всяком случае, так можно было судить по специфическому запаху, который ощущался даже в коридоре еще метрах в трех от двери кабинета. Была Изабелла Савельевна, в отличие от маленькой Светы, роста просто-таки гигантского. Сухощавая, мужеподобная, очень спортивная, с хорошо постриженными седыми волосами, выдававшими далеко не юный возраст, и грубым лицом, на котором красовались очки в дорогой оправе, она даже не вставая с кресла была, как показалось Саблину, всего лишь на несколько сантиметров ниже его самого, а ведь он всегда считался рослым парнем.

У рабочего стола на офисном крутящемся стуле восседало нечто поистине удивительное, особенно в сочетании с рослой Сумароковой: мужчина примерно одного с ней возраста, но существенно ниже ростом. Над торсом с чрезвычайно выпуклой грудной клеткой красовалась голова, приделанная, на первый взгляд, прямо к плечам, во всяком случае, шеи видно не было. Сама же голова, украшенная превосходными густыми волнистыми волосами, имела лицо настолько некрасивое и в то же время привлекательное, что невозможно было оторвать от него глаз. Саблин машинально посмотрел вниз, чтобы прикинуть рост удивительного мужчины, и увидел, что стопы мужчины, обутые в эле-

362

гантные замшевые мокасины, едва касаются носками пола. Правда, справедливости ради надо заметить, что само офисное кресло было поднято на максимальную высоту под рост хозяйки кабинета, но все равно, даже с учетом этой поправки, было понятно: мужчина росточком отнюдь не высок. «Кургузый какой-то», — подумал Саблин.

«Кургузый» и Сумарокова что-то горячо обсуждали, каждый из них держал в руке какие-то исписанные от руки листки, на рабочем столе веером были разложены фотографии и выполненная фломастером схема расположения следов крови на лезвии и рукоятке ножа.

— Приятно, — коротко отозвалась Изабелла Савельевна, когда ей представили нового эксперта-гистолога. — Нам симпатичные молодые мужчины нужны, это придает нашей работе некие элементы светскости, мы начинаем вспоминать, что мы не только трупорезы, но и немножко женщины.

— И не просто женщины, а очаровательные женщины! — встрял «Кургузый». — А я, с вашего позволения, представлюсь сам: Таскон Лев Станиславович, эксперт-биолог. Предвидя ваш вопрос, уточняю сразу: я не медик. Я просто биолог. Но работаю в отделении биологической экспертизы вещественных доказательств. Светочка, душенька, вы позволите, я самолично отрекомендую нашу Изабеллу Савельевну, дабы новый сотрудник сразу получил наиболее полное представление об этой выдающейся личности.

Светлана улыбнулась, и Саблин с удивлением увидел, как смягчилось ее лицо и потеплели глаза.

— Лев Станиславович, вы же знаете, что я питаю к вам слабость и не могу ни в чем отказать.

— Уж так и ни в чем? — В голосе эксперта-биолога зазвучали игривые нотки. — Смотрите, душенька, я вас на слове поймаю. И тогда вам не поздоровится.

— Ой-ой-ой, — со смехом протянула рыжеволосая малышка, — напугали ежа голой задницей!

Она бросила веселый взгляд на Саблина и произнесла:

— Прошу прощения за непарламентское выражение. Но Лев Станиславович действует на меня, да и на всех сотрудниц нашего Бюро, как-то расслабляюще. Он кого угодно в грех введет. Мы в его присутствии забываем о приличиях, такая вот у него приятная особенность.

Сергей наблюдал эту невероятную сцену, остолбенев. Во-первых, как это кургузое нелепое существо может «расслабляюще» действовать на женщин вплоть до провоцирования их на откровенный флирт? Ну был бы он пусть и немолодым, но красавцем, элегантным, стройным, ухоженным, с мускулистой фигурой — тогда еще ладно, можно было бы понять. Но вот ЭТО?! Во-вторых, девочка Света разговаривала языком, абсолютно не свойственным девятнадцатилетним девочкам. Сергей, работая в Московском Бюро, вдосталь наобщался с представителями этого поколения — парнями-санитарами и девушками из секретариата и регистратуры, а также лаборантами, и очень хорошо представлял себе, каков их словарный запас и манера выражаться. Да, рыженькая Светочка явно сильно отличалась от среднестатистического представителя этой возрастной когорты. И, в-третьих, сам Лев Станиславович Таскон, несмотря на множество дефектов внешности, обладал каким-то невероятным притягательным обаянием. Наверное, именно таких людей называют харизматичными. И ведь он еще пока мало что сказал, никак себя особенно не проявил, а Сергею, к его собственному недоуменному удивлению, уже хотелось ему понравиться и подольше пообщаться с ним.

— Итак, — эксперт-биолог сполз с высокого кресла и встал перед сидящей Сумароковой в позе рыцаря, стоящего перед Прекрасной Дамой. — Изабелла Савельевна Сумарокова, руководитель отделения экспертизы трупов, врач первой категории. Ну, то, что она потрясающе красивая женщина, вы видите сами, я мог бы об этом и промолчать. Но вот чего вы не знаете, так это того, что Изабелла Савельевна в прошлом — неоднократная чемпионка России по баскетболу, выдающаяся спортсменка, одна из тех немногих баскетболисток, которые ухитрились все-таки получить высшее образование в медицинском вузе, хотя и поступали далеко не сразу после окончания школы. Ну, сами понимаете: тренировки, сборы, соревнования — все это плохо совмещается с обучением на дневном отделении, так что наша Белочка сперва закончила спортивную карьеру, а потом уже села за учебники и восстановила полученные в школе знания, необходимые для сдачи вступительных экзаменов.

Белочка? Сергей чуть не крякнул. Уж если кого и называть Белочкой, так рыженькую изящную Свету, действительно чем-то напоминающую ловкого грациозного рыже-коричневого зверька. А эта сухощавая мужеподобная немолодая тетка ростом под метр девяносто скорее похожа на отощавшую слониху. И нос у нее длинный...

Изабелла же Савельевна слушала сию тираду с явным и нескрываемым удовольствием, улыбалась ненакрашенными губами, обнажая очень ровные, но явно не искусственные, судя по «прокуренному» слегка желтоватому цвету, зубы. Строгая Света откровенно забавлялась, и ее изумрудные глаза излучали тепло и любовь. Сергей, глядя на эту троицу, все пытался понять, что за отношения связывают их. Кем они приходятся друг другу? Ну, Света явно кем-то приходится начальнику Бюро Двояку, в этом сомнений нет. Кургузый Таскон, похоже, крутит роман с завтанатологией, уж больно восхищенными глазами он на нее смотрит и ярких эпитетов не жалеет. Да и вообще, он ведет себя как истинный ценитель женской красоты и любитель скоротечных производственных интрижек с одинокими некрасивыми дамочками, которые так устали от собственной невостребованности, что готовы укладываться в постель даже с таким, мягко говоря, не очень видным мужчиной. А уж «отощавшая слониха» Изабелла, которую он называет Белочкой, не стесняясь ни юной Светы, ни совершенно незнакомого ему нового гистолога, и подавно счастлива, что ее хоть кто-то...

Таскон между тем, выдержав драматическую паузу, продолжал:

— И несмотря на занимаемую должность, эта выдающаяся женщина постоянно сама вскрывает трупы, никому не доверяет. А если вскрывает другой эксперт, то проверяет за ним все до последней буквы и до последнего «стекла». У вас в столицах руководители своеручным трупоразъятием, я так понимаю, не балуются? А у нас — изволите видеть.

И все-таки он был невероятно притягателен, этот маленький квадратный человечек.

Но совершенно непонятно, почему рыженькая девочка смотрит на эту нелепую парочку с такой нежностью и любовью. Ну ладно, допустим, Таскон действительно так влияет на женщин, Сергей и сам чувствует неодолимую мощь его обаяния. А Изабелла? Кем она приходится Светлане? Похоже, Северогорское Бюро судмедэкспертизы — это клубок родственных и дружеских связей. Надо будет иметь в виду.

Он собрался было спросить Льва Станиславовича, откуда это выражение — «своеручное трупоразъятие», но в дверь постучали, и вошел врач чуть постарше самого Саблина, лет тридцати пяти — тридцати семи, как определил «на глазок» Сергей.

— Изабелла Савельевна, у меня вскрытие, а санитар опять труп не подготовил. Ну сколько можно!

Заметив Сергея, он небрежно кивнул ему, изображая приветствие, и продолжал возмущаться. Сумарокова послушала-послушала, да и встала с кресла. Вошедший, стройный и довольно высокий по среднестатистическим меркам, тут же оказался маленьким и жалким.

— Можно ровно столько, сколько вы будете бегать ко мне с просьбами воздействовать на санитаров, — вполне миролюбивым и спокойным тоном ответила она. — До тех пор, пока вы не научитесь организовывать порученные вам вскрытия, вы будете иметь проблемы с подготовкой тел. Вы, коллега, врач-судебно-медицинский эксперт, а не маленький мальчик, вашего авторитета должно хватать на то, чтобы построить правильные рабочие отношения с младшим медперсоналом. Кстати, познакомьтесь, это Сергей Михайлович Саблин, наш новый эксперт-гистолог.

— Филимонов Виталий Николаевич, — эксперт протянул Саблину руку и смущенно улыбнулся. — Можно просто Виталий, без отчества. А говорят, вы тоже вскрывать будете?

Сергей оторопел. Кто говорит? Об этом речь шла только в кабинете у начальника Бюро, и даже Света при этом не присутствовала. Как же он узнал? Неужели от самого Георгия Степановича?

Так и оказалось.

— Мне шеф сказал, мы с ним в коридоре столкнулись, когда он уезжал, — пояснил Филимонов. — Радуйся, говорит, из Москвы новый эксперт приехал с опытом работы в танатологии, будет вскрытия брать.

Когда Виталий ушел, Саблин все-таки задал интересующий его вопрос о «своеручном трупоразъятии».

— Это в какие же времена так красиво говорили? — поинтересовался он у Льва Станиславовича.

— В те давние времена, — тонко улыбнулся Таскон, — когда я еще не жил, хотя, вероятно, глядя на меня, вам кажется, что я видел Петра Первого или, на худой конец, дедушку Ленина. Поэтому с достоверностью утверждать не берусь, но в 1815 году так совершенно точно говорили.

— В каком?! — ахнул Сергей. — Вы не ошиблись? Может, в 1915?

— Да нет, голубчик, — покачал головой эксперт-биолог, — именно в 1815-м, когда небезызвестный профессор Мухин подал прошение о доставлении в Анатомический театр трупов для занятий со студентами, чтобы каждый студент имел полную возможность упражняться над трупом для изучения анатомии и судебной медицины. Этот документ имел совершенно замечательное название: «Отношение профессора Мухина о доставке кадаверов для анатомического театра». Так вот, я вам сейчас процитирую, что там было написано: «...чтобы студенты непременно и сколько возможно более собственными руками занимались трупоразъятием. Для сего казенных снабдить нужными инструментами, а своекоштных обязать купить их на свой счет. Руководителем в сем случае должен быть адъюнкт и профессор, которым вменить в обязанность показывать способ вскрывания тел скоропостижно умерших и обращать их внимание на предметы, подлежащие судебному исследованию». Что вы так сморите на меня? Вы никогда об этом не слышали?

Сергей действительно не слышал. Еще в средней школе история не входила в число его любимых предметов, уступая естественным наукам — химии, физике и биологии, а когда на цикле по судебной медицине студентам рассказывали историю вопроса, он либо спал, либо откровенно развлекался, читая спрятанную на коленях книгу.

— Неужели судебная медицина существовала уже тогда? — недоверчиво спросил он.

— Уже тогда?! — Таскон расхохотался, а Изабелла Савельевна, закурившая очередную сигарету, фыркнула, поперхнулась дымом и закашлялась. — Да намного раньше, голубчик вы мой! Намного раньше! Законодательное предписание о приглашении врачей при разрешении судом вопросов, требующих специальных медицинских знаний, было впервые дано в 1714 году «Артикулом Воинским». Там говорится...

Лев Станиславович поднял глаза к потолку, пожевал губами и начал мерно, но с выражением декламировать:

— «...надлежит подлинно ведать, что смерть всеконечно ли от бития приключилась, а ежели сыщется, что убиенный был бит, а не от тех побоев, но от других случаев, которые к тому присовокупились, умре, то надлежит убийцу не животом, но по рассмотрению и по рассуждению судейскому наказать, или тюрьмою, или денежным штрафом, шпицрутеном и прочая.

Того ради зело потребно есть, чтобы коль скоро кто умрет, который в драке был бит, поколот или порублен будет, лекарей определить, которые бы тело мертвое взрезали и подлинно разыскали, что какая причина смерти ево была, и о том имеют свидетельства в суде на письме подать, и оное присягою своею подтвердить».

Сергей слушал, ушам своим не веря. Какая музыка! Какой слог! И главное — как это все можно было выучить наизусть?! Ему показалось, что время остановилось, и он готов слушать эти чудесные слова, эти старинные сложные, непривычные современному слуху обороты, еще много часов.

— Потрясающе, — прошептал он. — Какая красота!

— О, голубчик, я вижу, вы ценитель словесности, — одобрительно отозвался Таскон. — Не удивлюсь, если вы окажетесь знатоком и любителем поэзии.

— Любитель, — чуть смущенно признался Сергей. — Но не знаток.

— Что ж, заинтересуетесь историей судебной медицины — милости прошу ко мне, я этот вопрос много лет изучаю, могу порассказать много занятного. Вам будет небесполезно тоже приобщиться к истории. Белочка, так мы с тобой все согласовали, или ты по-прежнему считаешь, что я не прав? — обратился эксперт-биолог к Сумароковой.

Та взяла сложенные на подоконнике листки, пробежала глазами, потом протянула руку к лежащей на столе схеме, покрутила ее задумчиво, склонив голову набок, вздохнула и улыбнулась:

— Ты меня уговорил, Левушка. Признаю твою правоту. Неси заключение, буду акт писать.

Белочка, Левушка... Черт-те что, какой-то семейный дом, а не серьезное учреждение судебно-медицинской экспертизы.

— Ну, коль так, тогда приглашаю вас, голубчик Сергей Михайлович, к себе в отделение на ознакомительную экскурсию.

В сопровождении Льва Станиславовича и Светы Саблин зашел в отделение биологической экспертизы вещественных доказательств, после чего рыженькая секретарь начальника отвела его познакомиться с экспертами-химиками в отделение судебно-химической экспертизы.

Наконец дошла очередь до самого главного — отделения гистологической экспертизы, где Сергею предстояло с сегодняшнего дня трудиться. И не просто трудиться, а руководить отделением, пусть и в должности всего лишь «исполняющего обязанности».

В гистологии по штатному расписанию предусматривались четыре лаборанта, однако в комнате Сергей застал только двоих. Света объяснила, что остальные в отпуске. Аппараты гистологической проводки были старыми, а вместо привычных фанерных планшеток с невысокими бортиками из штапика стеклопрепараты были сложены в многочисленные разноцветные половинки коробок из-под конфет. Эти импровизированные планшетки стояли всюду, на каждом участке свободной поверхности.

— Почему у вас стекла в лаборатории? — требовательно спросил Сергей. — Почему они не в архиве?

Одна из лаборанток подняла голову, оторвавшись от своего занятия, и удивленно ответила:

— Так их еще не смотрел никто.

— Вы хотите сказать, что это все, — Саблин обвел рукой лабораторию, уставленную цветными коробками-планшетками, — готовые стекла, направленные на исследование?

— Ну да, — пожала плечами женщина.

— А направления где?

— Вот там, в папке, — она махнула рукой в сторону небольшой полочки, прикрепленной к стене.

На полочке рядом с регистрационными журналами лежала пухлая черная папка, из которой буквально вываливались небрежно сложенные листы — направления на гистологические исследования.

— И за какой период эти направления? — спросил он, уже чувствуя, что придется ему здесь ох как нелегко.

— За полгода примерно. Перед самым Новым годом наша заведующая ушла в декрет, ну и начались сбои. Она у нас была единственным гистологом, так что с ее уходом все и встало.

Саблин вопросительно посмотрел на Светлану. Она кивнула:

— По «штатке» в отделении две ставки гистологов, одна — заведующего, и одна — эксперта, — вздохнула она. — Но должность эксперта вакантна уже давно, трудно найти человека. Вот и нынешнюю заведующую повысили, она раньше просто экспертом была, так испугались, что и она уйдет, и как только должность освободилась, ее сразу назначили, чтобы удержать.

— Но не удержали, — ехидно заметил Сергей. — И как же вы проводите исследования без гистолога?

— Ну, сначала в патанатомии бросили клич, они у нас стекла смотрели как совместители, а потом платить им стали все меньше и меньше, и они отказались.

— Ничего себе! — присвистнул он. — А как же врачи без гистологии заканчивают заключения?

Обе лаборантки пожали плечами, всем своим видом говоря: «Мы не знаем, это нас не касается, наше дело — стеклопрепараты подготовить, а к экспертной работе мы отношения не имеем».

«Ну, Саблин, ты попал, — подумал Сергей. — Как же ты будешь работать в учреждении, в котором такой бардак? Врачи уже полгода заканчивают экспертные заключения, не имея результатов гистологического исследования. Да, конечно, много случаев, когда прекрасно можно обойтись без гистологии, например, смерть в результате ДТП или колото-резаного ранения. И какие там у потерпевшего были особенности в плане здоровья, никакого значения, как правило, не имеет. Если нож попал прямо в сердце, то какая разница, был у человека хронический панкреатит или нет? Но в случае скоропостижной смерти без гистологии вообще не обойтись. А клинические случаи? А детская смертность? Там весь диагноз построен исключительно на результатах гистологического исследования. Как же они обходятся без него? Жаль, я ничего этого не знал, а то задал бы Белочке Сумароковой пару каверзных вопросов. Ничего, еще успею спросить».

Но ответ на незаданный вопрос дала все та же всезнающая Света, поймавшая взгляд Саблина, устремленный на коробки со стеклопрепаратами, и его недоуменно-недовольную гримасу.

— В самых сложных случаях препараты возят в патанатомию, чтобы кто-то из врачей посмотрел по дружбе. Шеф об этом не знает, и нельзя, чтобы узнал.

— Почему? — не понял Сергей.

— Он очень не любит, когда что-то делается за его спиной и без его ведома, — усмехнулась Светлана. — Бюро — это его вотчина, он здесь и царь, и бог, и воинский начальник, никто чихнуть без его разрешения не смеет. Ну, вы же знаете про опоздания, он наверняка вам сказал, что на третий раз уволит.

— Сказал, — кивнул Сергей. — Но я все равно не понимаю, почему Георгий Степанович сам не организует просмотр препаратов в патанатомии. Он что, в плохих отношениях со всеми городскими больницами? Не может решить вопрос с завотделениями?

Светлана молча пошла к двери и вышла из лаборатории. Сергей последовал за ней, нетерпеливо ожидая продолжения объяснений такой дикой, на его взгляд, ситуации. Однако девушка, не произнося ни слова, двигалась по длинному коридору, словно летела над полом, легко и быстро перебирая тонкими, как у серны, ножками, обтянутыми узкими джинсиками. Саблин едва поспевал за ней. «Все-таки для девятнадцатилетней секретарши эта девица слишком много знает, — думал он, мчась следом за Светланой в сторону приемной начальника Бюро. — Похоже, она — лицо, приближенное к императору. Или таким приближенным является кто-то из ее близких, кто ее информирует и объясняет все тонкости. Да, совершенно определенно, она чья-то дочка. Может быть, Изабеллы Савельевны? Она с такой нежностью и теплотой смотрела на эту слониху... Или любовница начальника Бюро или кого-то из завотделениями? Или даже бери выше — у нее лапа в горздраве или в Областном Бюро».

Светлана между тем влетела, как ветерок, в приемную и, подождав, пока Сергей войдет, закрыла дверь изнутри на ключ.

— Все знают, что шеф уехал в администрацию, а это значит, что я могу позволить себе расслабиться, — невозмутимо пояснила она, встретив непонимающий взгляд Саблина.

— Да? И как же вы расслабляетесь? Танцуете на столе неприличные танцы? — пошутил он.

— Занимаюсь йогой, — очень серьезно ответила рыженькая Света. — У меня в шкафу форма и коврик, а больше ничего не нужно. Два-три раза в неделю удается урвать часок-другой для занятий, если обед прихватить, а то дома не получается. Шеф часто уезжает.

Что-то в ее голосе заставило Сергея обратить внимание именно на эти слова. Шеф часто уезжает. В администрацию, как сегодня? В городской департамент здравоохранения? Куда еще? «В ресторан обедать с водочкой», — понял он.

— Сергей Михайлович, я внимательно смотрела ваши документы.

Перемена темы была столь неожиданной, что Сергей поначалу решил, будто ослышался.

— И что? — спросил он после небольшой паузы. — Вы увидели там что-то безумно интересное?

— Я увидела, что вы никогда не занимали руководящих должностей. Начальником не были. И, скорее всего, не умеете правильно строить отношения с подчиненными. Мне не по чину указывать вам, как и что вы должны делать, но я хотела бы объяснить, почему я увела вас из лаборатории, не дав закончить разговор. Или мне не нужно ничего объяснять?

— Не нужно, — сердито ответил Саблин.

Конечно, он не учел, что с сегодняшнего дня является начальником этих лаборанток, а руководителю негоже обсуждать с подчиненными действия вышестоящего шефа. Он как-то с самого начала настроился на то, что для него проводят ознакомительную экскурсию по Бюро, поэтому не сориентировался вовремя. Ему сделали замечание, пусть и в очень деликатной форме, но замечаний Сергей не выносил. И особенно противно, что это замечание сделала ему девчонка, соплюшка, только-только со школьной скамьи. Да что она себе позволяет! Думает, ее «мохнатая лапа» выпишет ей пожизненную индульгенцию? Как бы не так. С ним, с Сергеем Михайловичем Саблиным, этот номер не пройдет.

— Но я все-таки хотел бы получить объяснение: как так вышло, что в Бюро нет гистологии, а Георгий Степанович ничего не предпринимает для исправления ситуации, — жестко и холодно произнес он. — Что вообще у вас тут происходит?

Он уселся в кресло для посетителей, закинул ногу на ногу, всем своим видом показывая, что требует четкого и правдивого ответа. Как она сказала? Правильно строить отношения с подчиненными? Вот пусть и посмотрит, как новый завгистологией их строит.

— А вы еще не догадались? — Светлана покачала головой. — Я думала, вас просветили заранее. Дело в том, что наш Георгий Степанович не в состоянии решить ни один вопрос. И не потому, что не умеет, а просто потому, что ему все равно. Нет гистологии — и не надо, обойдемся. Неохота ему задницу рвать и напрягаться, вот он и не напрягается, пока жареный петух в одно место не клюнет.

— А петух, значит, все-таки клюнул, коль он мне вызов пробил? — уточнил Сергей. — И что случилось? Сложный случай, когда без гистологии невозможно закончить экспертизу, а без экспертизы невозможно закончить следствие? И прокуратура встала на дыбы?

Светлана улыбнулась и кивнула, изумрудные глаза озорно сверкнули из-под густой челки.

— Именно. Прокуратура несколько месяцев долбала горздрав, а горздрав пытался долбать шефа, но у шефа крутые подвязки в администрации, так что он никого не боится и на всех плюет. У него свой интерес в этой жизни. А после того случая прокуратура наехала на горздрав уже в полную силу, потому что следствие закончили «на соплях», приговор хромал на все четыре ноги, адвокат подал кассационную жалобу, вышестоящий суд ее удовлетворил да вдобавок устроил разнос нашему городскому суду. В общем, когда к усилиям прокуратуры еще и оскорбленный в лучших чувствах суд подключился, шефа вызвали в горздрав и велели срочно решить вопрос с гистологией, в противном случае никакие связи в администрации ему не помогут. Вот для этого он вас сюда и пригласил. Ваша задача — вычистить эти авгиевы конюшни.

Авгиевы конюшни! Она еще и образованная? Совсем странно: явно неглупая девчонка, кое-что почитала в своей жизни, в отличие от ровесников, и речь хорошая, не замусоренная, и голова варит, и выдержка... Откуда же берутся в наше время такие необычные девочки? В каких школах их выращивают?

— Странные вещи вы рассказываете, Светлана. Выходит, Георгий Степанович махнул рукой на порядок в Бюро и на организацию работы. Готов поверить, сам видел таких руководителей, их и в столице полно. Но почему тогда он столь трепетно относится к дисциплине? Замечание, выговор, увольнение — и за какие-то несколько минут опоздания? Откуда эти сталинские репрессии? Не вяжется одно с другим, не находите?

— Чаю хотите? — неожиданно предложила девушка.

— Хочу. Только не думайте, что я забуду свой вопрос. Вам придется ответить.

— Я отвечу, — коротко кивнула она и нажала кнопку на электрическом чайнике, стоящем в углу приемной на тумбочке, из которой Светлана достала красивую черную с золотым рисунком жестяную коробку, заварочный чайник и две чашки.

Сергей молча ждал окончания ритуала завариванния чая. Наконец чашка с ароматным горячим напитком оказалась у него в руках. Поставить чашку было некуда, пришлось держать на весу. «Выдержу паузу, — думал он, наблюдая за Светланой, — не буду напоминать о своем вопросе, посмотрю, что она будет делать, а потом выскажу все, что ей причитается. Чтобы знала, с кем и как можно себя вести».

За ручку двери то и дело дергали со стороны коридора, но секретарь начальника не обращала на это ни малейшего внимания.

Сделав первый глоток чаю, девушка прислушалась к чему-то, потом удовлетворенно кивнула.

— Отвечаю на ваш вопрос, Сергей Михайлович. Наш шеф — человек сильно пьющий. Уверена, что вас об этом предупредили. А если нет, то вы наверняка сами это поняли, вы же врач, не могли не заметить.

Он кивнул, ожидая продолжения.

— Об этом давно уже знает все наше Бюро. Иметь пьющего начальника, с одной стороны, крайне неудобно, потому что он не решает вопросы, но с другой стороны — весьма приятно, потому что он самоустраняется от руководства и никому на мозг не капает. Особенно удобно это в том случае, если у начальника нет заместителя. А у нас его как раз и нет. Ставка есть — человека подобрать не могут. Пьющие начальники, как правило, ничего не помнят, ничем не интересуются и ни во что не лезут, давая подчиненным полную вольницу. Именно так и случилось у нас в Бюро. И однажды один из экспертов, отвечая на вопрос о том, почему он пропустил сроки, легкомысленно ответил, дескать, зачем ему думать о сроках, если начальник Бюро ничего не помнит и ни о чем не спрашивает. Если дословно, то нецензурную часть я опущу, а цензурная звучала примерно так: «Этот алкаш все мозги пропил давно, он даже не помнит, каким учреждением руководит, вероятно, думает, что баней, в которой если горячая вода есть — то и слава богу, а люди сами помоются, ими руководить не нужно. Какие сроки, помилуйте? Да он дает указание и через три минуты забывает, что говорил и кому говорил». Это было неосмотрительно.

— Почему? — рассмеялся Саблин. — Шефу кто-то настучал?

— Хуже. Он все слышал. Шел в этот момент по коридору, а дверь в кабинет была приоткрыта. Крик стоял — аж уши закладывало. Вот с этого момента и началось. Шеф действительно ничего в голове не держит, но взял за правило приезжать за десять минут до начала рабочего дня и строить из себя цербера, который все видит, все сечет и вообще держит руку на пульсе. Это единственное, на что его хватает. На этом процесс руководства нашим Бюро и заканчивается. Дальше — сами. И работаем, и проблемы решаем, выкручиваемся кто как может. При этом шеф не должен ничего знать о том, что проблемы решаются без него и за его спиной, иначе совсем озвереет и неизвестно, какие еще идиотские формы контроля придумает.

Саблин смотрел на девушку с интересом и недоверием.

— И вы не боитесь мне, совершенно новому, незнакомому вам человеку все это рассказывать? Рисковая вы, однако! — заметил он. — Не боитесь, что я расскажу Георгию Степановичу о том, как вы тут его поносили? Вы же не можете знать, какие у меня с ним на самом деле отношения.

Светлана посмотрела удивленно, потом глаза ее стали равнодушными и холодными, такими же, как утром в кабинете Двояка, когда тот орал на девушку.

— Ну и что? Хотите — идите к шефу, рассказывайте ему, как я выдаю его маленькие гадкие секретики первому встречному. Мне все равно.

— Значит, не боитесь?

— Нет.

— А почему?

— Да потому, что секретиков этих больно много, и все они мне известны. Чего мне его бояться? Пусть он меня боится. Подлить вам еще чаю?

Чай был очень вкусным, какого-то неизвестного Сергею сорта, и он от добавки не отказался. Светлана пошла к нему, держа в одной руке заварочный чайник, в другой — электрический, и слегка наклонила голову, чтобы не промахнуться и не пролить кипяток на брюки Саблина. Солнечный луч упал на ее волосы, и Сергей вдруг увидел обильную седину у корней. Значит, вот почему она красится! Девушка налила чай и подняла голову, и он бросил внимательный взгляд на ее лицо. Морщинки вокруг глаз... Господи, какие девятнадцать?! С чего он это взял? Да ей никак не меньше двадцати семи — двадцати восьми. Совсем не девочка.

— Света, сколько вам лет? — вырвалось у него. — Извините, если мой вопрос показался вам бестактным, но у меня в голове не совмещается ваша внешность ребенка и такая умудренность жизненным опытом.

Она поставила оба чайника на тумбочку и тряхнула челкой.

— Тридцать. А вы подумали сколько?

Тридцать... Как Ольге? Получается, эта девочка всего на три года младше его самого?

— Семнадцать, — признался Сергей. — Потом добавил два года, состарил вас до девятнадцати. Неужели вам действительно тридцать? Вы меня не разыгрываете?

— Паспорт показать? — иронично предложила она. — Я в Бюро работаю уже десять лет, как закончила юридический техникум в восемьдесят девятом году — так и пришла сюда.

Он задумчиво посмотрел на Светлану и покачал головой. Совсем, совсем не девочка. Взрослая женщина. Злая. Гордая. Независимая. Самостоятельная. Смелая. Просто внешность такая...

Да, Саблин, тяжелый у тебя сегодня день... День больших и малых потрясений и открытий.

— Вы проводите меня в секционные? — спросил он. — Я мельком посмотрел одну, но мне хотелось бы ознакомиться с моргом более тщательно.

Светлана молча кивнула, повернула ключ в замке, распахнула дверь и повела Сергея в отделение экспертизы трупов.

— Если хотите побывать на «живом» приеме, то это не сегодня, — сказала она. — Поликлиника далеко, в самом центре города, вам придется туда отдельно поехать.

Сергей понимал, что амбулаторный прием, на котором проводится экспертиза свидетелей и потерпевших, или, иначе говоря, «живой» прием, не должен проводиться в одном помещении с моргом, на этот счет существовали строгие правила. Ну что ж, в другой раз.

Продолжение следует

Содержание

Литературно-художественное издание

КОРОЛЕВА ДЕТЕКТИВА

Маринина Александра

ОБОРВАННЫЕ НИТИ

Том 1

Ответственный редактор *Е. Соловьев*
Художественный редактор *А. Сауков*
Технический редактор *О. Лёвкин*
Компьютерная верстка *Г. Клочкова*
Корректор *Т. Романова*

Иллюстрация на обложке И. Хивренко

ООО «Издательство «Эксмо»
127299, Москва, ул. Клары Цеткин, д. 18/5. Тел. 411-68-86, 956-39-21.
Home page: **www.eksmo.ru**   E-mail: **info@eksmo.ru**

Өндіруші: «ЭКСМО» АКБ Баспасы, 127299, Мәскеу, Клара Цеткин көшесі, 18/5 үй.
Тел. 8 (495) 411-68-86, 8 (495) 956-39-21.
Home page: www.eksmo.ru . E-mail: info@eksmo.ru.
Қазақстан Республикасындағы Өкілдігі: «РДЦ-Алматы» ЖШС, Алматы қаласы,
Домбровский көшесі, 3«а», Б литері, 1 кеңсе. Тел.: 8(727) 2 51 59 89,90,91,92,
факс: 8 (727) 251 58 12 ішкі 107; E-mail: RDC-Almaty@eksmo.kz
Қазақстан Республикасының аумағында өнімдер бойынша шағымды Қазақстан
Республикасындағы Өкілдігі қабылдайды: «РДЦ-Алматы» ЖШС,
Алматы қаласы, Домбровский көшесі, 3«а», Б литері, 1 кеңсе.
Өнімдердің жарамдылық мерзімі шектелмеген.

Подписано в печать 14.02.2013.
Формат 84х108 ¹/₃₂. Гарнитура «Гарамонд». Печать офсетная.
Усл. печ. л. 20,16.
Доп. тираж 6 100 экз. Заказ 9996

Отпечатано в ОАО «Можайский полиграфический комбинат».
143200, г. Можайск, ул. Мира, 93.
www.oaompk.ru, www.оаомпк.рф тел.: (495) 745-84-28, (49638) 20-685

ISBN 978-5-699-60620-7